亜東経済国際学会研究叢書㉓
中国・復旦大学首席教授 蘇東水先生追悼記念論文集

東アジアの文化・観光・経営

原口俊道　監修

経 志江・季 海瑞・李 蹊 編著

五絃舎

序　文

　亜東経済国際学会は，1989 年に東アジアの経済経営の研究者・実務家によっ
て結成された。爾来東アジアの大学・学会と共催して 60 回（日本 19 回，中国
大陸 24 回，台湾 11 回，韓国 5 回，香港 1 回）の国際学術会議を共同開催し，そ
の研究成果を取り纏めて東アジアの有名出版社から下記の如く 24 冊の研究叢
書等を出版し，東アジアの経済経営の研究者・実務家に対して一定程度の影
響を及ぼしてきた（詳しくは巻末の「亜東経済国際学会の概要（簡略）」を参照され
たい）。また，亜東経済国際学会は 32 年間で 2，100 名以上の若い研究者に研
究発表の機会と査読論文集への投稿機会を提供し，論文掲載者の多くが博士
学位を取得し，現在日本，台湾，中国大陸等で大学教員や研究員として活躍
されている。この学会は特に若い研究者を育成する上で，大きな役割を果た
してきたように思われる。

　第 1 巻　　1992 年『企業経営の国際化』（日本・ぎょうせい）

　第 2 巻　　1994 年『東亜企業経営（中文）』（中国・復旦大学出版社）

　　　　　　1995 年『東アジアの企業経営（上)』（中国・上海訳文出版社）

　　　　　　1995 年『東アジアの企業経営（下)』（中国・上海訳文出版社）

　第 3 巻　　1997 年『中国三資企業研究（中文）』（中国・復旦大学出版社）

　第 4 巻　　1999 年『中国対外開放與中日経済関係（中文）』（中国・上海人民
　　　　　　　　　　出版社）

　第 5 巻　　2002 年『国際化與現代企業（中文）』（中国・立信会計出版社）

　第 6 巻　　2004 年『企業国際経営策略（中文）』（中国・復旦大学出版社）

第 22 巻　2020 年『東アジアの社会・観光・経営（日文・英文）（査読制）』
　　　　　（日本・五絃舎）

　本学会発足の初期の段階では，中国・復旦大学首席教授の蘇東水先生から相談役としてご指導を賜った。特に蘇東水先生から研究叢書の出版について有益な助言を賜った。蘇東水先生本人に本研究叢書第 1 巻，第 2 巻及び第 3 巻に論文を特別寄稿していただいた。蘇東水先生に深く感謝の意を表する次第である。惜しくも蘇東水先生は 2021 年 6 月 13 日 91 歳で他界された。誠に痛恨の極みである。

　本書は「中国・復旦大学首席教授 蘇東水先生追悼記念論文集」として出版が企画されたもので，亜東経済国際学会研究叢書（査読付き）の第 23 巻にあたる。

　本書は東アジアの会員諸氏が，第 60 回国際学術会議において研究発表した論文を中心として，国内外の大学院博士指導教授クラスの研究者による厳格な査読審査を行い，最終的に査読審査に合格した論文を収録したものである。

　本書は序章と 3 編 22 章と＜特別寄稿＞から構成される。序章は俞 进先生・原口の共同研究の成果とも言うべき「孔子の教育管理思想と人材管理思想」である。

　第 1 編は「東アジアの文化と観光等」に関する 8 篇の日本語論文から構成される。第 1 編では，「日中国交断絶期における教育文化交流の軌跡(第 1 章)」，「明治後期における教育界への社会主義普及活動（第 2 章）」，「コロナ渦，DX 時代における金融機関と IT 教育(第 3 章)」，「『益田市文化財保存活用地域計画』政策の導入(第 4 章)」，「沖縄の反 CTS 闘争と自立経済志向の挫折(第 5 章)」，「『防長教育』に見られる教育と旅（第 6 章）」，「COVID-19 時代の消費者の消費意向（第 7 章）」，「中国青海省におけるエコツーリズムの現状と問題点（第 8 章）」などを取り上げ，考察している。

　第 2 編は「東アジアの経営等」に関する 6 篇の日本語論文から構成される。第 2 編では，「アジア展開における中小企業の経営自立化（第 9 章）」，「地方自治体における中小企業の海外進出支援(第 10 章)」，「非常時に向けたサプライチェーンマネジメント (SCM) の課題(第 11 章)」，「鹿児島の長寿お茶企業の経営理念(第

12章)」,「ライフスタイルとエコ購買態度の関連性（第13章)」,「新収益認識基準の旅行業に及ぼす影響（第14章)」などを取り上げ，考察している。

第3編は「東アジアの文化・観光・経営等」に関する8篇の英語論文から構成されている。第3編では,「A Case Study for Sustainable Green Tourism Industry （Chapter15)」,「A Study on Microfinance Initiatives in the Post-WWII Life Improvement Movement （Chapter16)」,「Strategic options of Chinese Hidden Champion （Chapter17)」,「The ecological economy development situation in Xining city （Chapter18)」,「Factor analysis of tourists' purchasing behavior in Kagoshima, Japan and Shenyang, China （Chapter19)」,「Visual Analysis of E-loyalty Literature Research in China using CiteSpace （Chapter20)」,「Application and Prospect of Blockchain Technology in the Field of Chinese Commercial Banks （Chapter21)」,「Impact of China's aging population on the elderly care industry （Chapter22)」などを取り上げ，考察している。

＜特別寄稿＞ は東水同窓会（中国・復旦大学）から寄せられたもので，「一世代代表的な学者——中国・復旦大学首席教授 蘇東水先生を悼む」という追悼文である。この追悼文は蘇東水教授の一番弟子で，今や復旦大学の看板教授である芮明杰教授が執筆したものである。

本書の総括責任者は経志江が，第1編の編集責任者は季海瑞が，第2編と第3編の編集責任者は李蹊が担当した。本書を出版するにあたり，五絃舎代表取締役である長谷雅春氏から数々の貴重なアドバイスをいただいた。本書は「東アジアの文化・観光・経営等」を主に論じた研究書である。本書が広く江湖に受け容れられることを期待する次第である。

監修者　　原口俊道

編　者　　経志江　季海瑞　李蹊

2022年3月1日

目　次

第２編　東アジアの経営

Chapter 22   Impact of China's aging population on the elderly care industry

＜特別寄稿＞

東アジアの文化・観光・経営

（原著論文翻訳）

序章　孔子の教育管理思想と人材管理思想[※]

【要旨】

　孔子は中国の歴史上で著名な思想家・教育家・儒教の創始者である。孔子思想はこの二千余年の間に，人々の意識，行動，習慣，信仰，思考方法，感情の状態などに影響を及ぼしてきた。孔子思想は意識的または無意識的に，人々が各種の関係，物事，生活などを処理するときの基本原則や行動規範に既になっており，民族のある種の共通した性格の特徴を構成し，我々の価値観の形成に大きな影響を及ぼしてきた。孔子は長期に亘って教育事業に従事し，私学を創立し，有教無類（誰にでも教育を施すこと）を提唱した。これは教育を民間にまで拡大し，歴代の貴族による文化や教育の独占を打破し，そして教育に対する社会階級的制限を打破するものであった。このような教育理念の提出は中国の教育史の上で革命的壮挙であり，われわれに文化の下方移転と教育普及の道筋を開拓してくれた。孔子の教育に対する思想は中国の古代教育史において先進的な理論基礎となった。孔子は現実と当時としては進歩的な思想とを緊密に結合させた。その中で，仁義の心を広く一般大衆にまでいきわたらせた。これは孔子の教育事業における大きな貢献の一つである。

　孔子の「仁者愛人（仁を有する者は人を愛する）」という思想は，現代社会においてますます必要な人間重視の管理という潮流の中で，より一層の現実的な価値を有する。このような思想は現代の管理実践に応用されれば，人々を知恵があり，感情があり，尊重に値する対象と見なし，いかなることも人々の利益を守ることを出発点とすべきであり，誰にでも才能を発揮するチャンスがある，ということを意味している。国の発展は人間が発揮する創造能力と協力精神によるものである。孔子の仁愛思想は個人生活を重視するだけでなく，社会的義務感に満ちた人生を理想とすることによって体現される人生の価値観を示すも

のであり，またそれは社会進歩を促進させるという人生の理想を確立させることに対する人々の感情的基礎になるものであり，愛国主義，人道主義及び集団主義の思想に対する人々の精神的基礎になるものである。私たちはそこから知恵を求め，啓発を得て，現代社会に存在するさまざまな弊害を除去すべきである。そのため，孔子思想は中国の伝統文化の重要な内容ではあるけれども，現代においても活力に満ちており，現代人が追求する精神的財宝になりうる。

【キーワード】：仁愛，教育，有教無類（誰にでも教育を施す），人才（人材），
　　　　　　　挙賢任能（賢才を挙げ能力ある人を任用する）

1.　はじめに

　孔子（紀元前551～前479年）は中国の歴史上で著名な思想家であり，教育家，儒学派の創始者である。名は丘，字は仲尼である。春秋末期の魯国（現山東曲阜）人であった。孔子の先祖は宋国の貴族であり，殷商の後代に属する。曾祖父は魯国に逃避し，父親の叔梁 紇は武士で，陬巴の宰相となったことがあり，地方の小官吏であった。孔子は3歳で父を亡くし，15歳で母を亡くし，若年時は貧困な生活を過し，地位は卑賤であった。但し，彼は15歳で立志し奮発自学し，何年か後は博識好学で有名になった。孔子は30歳で私学を創設し学徒を集め，講学を開始した。47歳で『詩』，『書』，『礼』，『楽』などを編纂し，51歳で中都の宰相（中都県知事）に任命され，52歳で小司空に任命され，後には大司寇に昇進した。54歳で魯国を離れ，14年間の列国周游を開始し，68歳で魯国に戻り文献の整理と教育事業に専心し，『春秋』の修編を開始し，71歳で『春秋』の修編を停止した。

　孔子の主要な思想は『論語』[1]，『大学』[2]，『中庸』[3]などの書物の中に収録され，これらはすべて孔子およびその弟子たちの言行の記録であり，儒教にとって重要な経典的論著であり，また後人が孔子の生活およびその思想を研究

する際の重要な資料となった。中国の歴史学者司馬遷は『史記・孔子世家』の中で孔子に対してつぎのように評価した。"孔子布衣，伝十余世，学者宗之。自天子王侯，中国言六芸者折中于夫子，可謂至聖矣（孔子は庶民でありながら，十何代に伝承され，学者の宗家である。上は天子王侯から中国の六芸者にいたるまで孔子に傾倒し，至聖というべきであろう。[4]）"。

　孔子の思想は人類の社会生活を研究する際に道徳規範の側面を重視している。道徳規範と人類の社会生活は顕著に密接に相関関係があるという特徴を有するので，道徳規範は長期に亘り広範に社会の各階層から受け入れられたのである。孔子によって創設された儒教の文化思想は長期に亘る潜伏と無視の期間を経て人類の意識，行動，習慣，信仰，思考方式，感情の状態などに対して影響を及ぼしてきた。人間が意識的，あるいは無意識的に各種の関係，物事，生活などを処理する時の基本原則や行動規範にも影響を与え，民族のある種の共通した性格の特徴を構成し，かつ我々の人生の価値観の形成を左右するほど重大な作用を及ぼした。孔子の思想モデルはすでに一種の歴史と現実の文化構造に転化し，孔子の思想は多くの東アジア諸国の政治，経済，文化，伝統，社会風土および庶民の心理的素質に深刻な影響を与えた。

　孔子は生涯の大半の時間を伝道，授業などの教育活動に従事した。国を治める仁徳のある人材を養成するために，賢能教育（賢くて能力ある者を教育すること）を実施した。そのために，孔子は一連の卓越した効果のある教育体系を作り上げ，一連の教科に対する教学方法を総括し，比較的完全な教学の様式を形成し，深遠な歴史の影響を受けた教育管理思想を提出し，後の人々のために良好な師徳典範を樹立した。

2.　有教無類の教育管理思想

　孔子は長期にわたり教育に従事し，中国の歴史上偉大な教育家であった。彼の教育管理思想と彼の世界観は政治理想と密切に関連し，彼の教育活動は彼の世界観と政治理想に奉仕するためのものであった。"仁政徳治（思いやりのある

まつりごとを行い，徳で治める）”は孔子の世界観と政治理想の核心であり，孔子の教育活動はその政治理想を実現するための方法と手段であった。その目的は“学而優則仕（学びて優なれば即ち仕う）”であり，教育を通して斉家，治国，平天下のできる優秀な人材を育成し，彼らが社会政治改革と国家行政管理に参画できるようにし，社会道徳の模範となれるようにし，これを以って国家が太平盛世（太平で繁栄した時代）に到達し，小康社会（利益分配と礼儀を基礎とすることによって形成された秩序社会)を実現することにあった。孔子の“学而優則仕”の思想は伝統文化と官僚の世襲制を打破し，賢人による政治の推進に有利であり，官僚の選抜範囲を拡大し，庶民のために従政（まつりごとに従う）の途を開拓し，中国の幾千年以来の文官制度のために基礎固めをした。孔子は“有教無類（誰にでも教育を施すこと）”の思想を実践し，教育によって社会の基礎と人材の供給源を拡大し，全体社会のメンバーの素質を高めることに対して積極的な推進の作用を及ぼしたことは疑う余地はない。

　孔子は「富而後教（豊かになった後に教育を行う）」を主張し，最低生活の維持ができてから後，人々は教育を受けなければならず，少しでも教育を受ければ知識が得られ，その中で知識を有する賢能者（賢くて能力のある人）は国家の統治と管理に参画できる。彼は私学を創設し，有教無類を提唱し，教育を受ける機会を民間にまで拡大し，当時の貴族階級による文化や教育の独占及び教育上の階級的制限を打破した。このような庶民教育理念の提出は中国の教育史上では一つの革命的な創挙であり，我々のために文化の下方移転と教育普及の道を開いてくれた。孔子の教育思想は古代教育の歴史において最前衛的な理論基礎であり，それは現実と緊密に結合し，当時としては進歩的で開拓精神を具備した思想であった。仁義の心を庶民大衆に普及したことは孔子の教育事業の大きな貢献の一つであった。孔子はすべての人は教育を受けることによって道徳を遵守するようになり，知識方面などを改造して向上させることができ，仮にかつて不良に染んだ人でも良くなる可能性もあり，これこそ教育の重要な作用である。これは教育手段の活用によって人を変え，人類社会に見られる人と人の間での道徳や知識の水準における差を縮小するのに役立ち，中華文化の広範

な伝播に対して重大な歴史的意義があった。

　孔子の教育管理思想は主にその弟子たちが記録した彼の語録の中に見られ、彼の弟子曾子が記録した孔子語録の『大学』は世界で最も早いものといえるもので、最も全面的な人材育成の教育綱領であり、孔子の教育思想を集中的に表している。その中で主要な内容を概括すると、"三綱領，八項目"があり、即ち教育の三大目標と八つのプロセスがある。『大学』の中で先ず孔子教育の三大綱領は"大学之道，在明明徳，在親民，在止于至善（大学の道は，明徳を明らかにするに在り，民を新［親を新に改める］にするに在り，至善に止まるに在り）"（『礼記・大学』）である。即ち教育の目標は自然を認識し，自己を認識し，徳性を育成し，民智を啓発し，改善し続け，至善（この上もない善いこと）に到達することである。同時に，孔子は教育の八つの「学以致用（学んで実際に役立てること）」を提出し，順序に従い逐次進めると、"古之欲明明徳於天下者，先治其国。欲治其国者，先斉其家。欲斉其家者，先修其身。欲修其身者，先正其心。欲正其心者，先誠其意。欲誠其意者，先致其知。致知在格物（古の明徳を天下に明かにせんと欲する者は，先ず其の国を治む。其の国を治めんと欲する者は，先ず其の家を斉う。其の家を斉えんと欲する者は，先ず其の身を修む。其の身を修めんと欲する者は，先ず其の心を正す。其の心を正さんと欲する者は，先ず其の意を誠にする。其の意を誠にせんと欲する者は，先ず其の知を致す。知を致すは物に格るに在り。）"（『礼記・大学』）と説いている。これが教育学習の八つの順序で，格物，致知，誠意，正心，修身，斉家，治国，平天下である。この順序の中で前者は後者の基礎であり，後者は前者の延長であって，この順序は前後呼応し合い，基礎は着実で，目標は遠大で，高低は自在で，進退は自在である。

　孔子の提出した学習プロセスには三つの特徴がある。第一は，「有徳有智」の提唱で，徳育は方向であり，智育は識別の方向であり，自覚性を強化する手段である。孔子は智育（「格物致知，即ち物事を極限までつきつめて知識を窮めること」）を起点において，即ち個人の精神素質の基礎の向上を知識面の拡大の上におき，知識面が広ければ是非を判る能力がさらに強くなり，これによって自己の要求を自覚することが可能になる。第二は，教育の重点を，教育を受ける者の個人

的素質の育成に置き，先ず自己を正すことから，後で他人を正し，先ず個人の修養を語って後に家事を語り，そして国事を語る。第三は，家を治めることは治国の基礎であり，家庭は社会組織の中の最も原始的細胞であるがゆえに，社会は千家万戸の上に構築されるので，斉家が治国の根本である。

　これらの孔子の教育思想は現代の我々の教育事業にとって参考になるだけでなく，もっと多くの直接的に活用できる実践的基本原理にもなるものである。孔子の多くの教育方法には今日に至っても十分に重要な現実的価値がある。

(1) 啓発教学

　孔子は最初に，「循序漸進誘導式啓発（順序に従い啓発を誘導する）」を用いて教学した教育家である。彼は学生に「死読」を要求せず，しかし独立思考を貴び，"触類旁通（類に触れ旁より通じる）"，"告諸往而知来者（諸々に往を告げて来を知る者なり）"（『論語・学而第一』）と説いた。これは過去の経験を告げるだけで，悟らせることができるという推知未来の方法である。孔子は"不憤不啓，不悱不発，挙一隅不以三隅反，則不復也（憤せずんば啓せず，悱せずんば発せず，一隅を挙げて三隅を以って反ざれば，即ち復せざる也）"（『論語・述而第七』）と説いた。これは学生に先ず自己発奮し学習するようにし，彼が自ずから明らかにしたいと要求しない限り，老師は彼を導かず，彼が話そうとして話せない時まで，老師は彼を啓発しない。もし学生が「挙一反三」(一つのことを示されると三つまで悟れること)ができなければ無理やりに教えない。現在我々が教学中でしばしば言う"啓発"と"挙一反三"はここから出たものである。啓発は学生の智力を開発することによる教学方法で，挙一反三は類推的方法である。啓発誘導による教学方法を実行する時，啓発教育，挙一反三を循々として善く誘導することに注意しなければならない。孔子によれば，知識の多寡を掌握することは一人の人が達成を獲得できる鍵とはならず，重要なことは理解と知識の消化の方法を掌握したか否か，自己の見解の形成と核心思想の理念を確定したか否かである。自己の正確で独特な見解の形成のみが，茫洋とした繁多な知識海洋の中から自己に属する方法論と思想体系を探索できる。これも孔子の教育理念の中

で非常に重要な“一以貫之（一つの思いを曲げずに貫き通すこと）”の精神である。

(2) 因材施教

　孔子の教学活動の特徴の一つは、「因材施教（人に応じて教育を施すこと）」の重視にある。孔子は自分の長い教学の経験から、学生の智力に高低が有ることを提示した。老師は学生の個性に注意し、長所と嗜好を深く理解し、才能は途轍もなく高いが、智力の高低が異なる学生がいるので、その受ける能力を量って異なる教育と育成方法を採らなければならない。このようにして各々の学生毎に自ずと不足があることを認識して、これに対応するように改善しなければならない。孔子の観察によれば、どのような学生でも、もし「因材施教」が適切であればみな効果が有り、学習意欲のある人は社会で有用な人材になれるチャンスがあり、このチャンスは全て教育と自身の努力の結果によって生起するものである。『論語』の中に、我々は常に何人かの学生が同じ質問を提出しているのを発見することがある。しかし、孔子の各個人に対する答えは各々異なっている。例えば、ある時、子路と冉求は同一の問題で“聞斯行諸（聞けばすぐに諸を行わんか？）”（『論語・先進第十一』）と質問した。その意味するところ“友人の困難を聞きすぐに彼を援助すべきか？”という質問に対して、孔子は子路に対しては、“父兄が居るのに、なぜ自分で主張するのか？”と、そして冉求に対しては、“友人が困難であることを知り当然すぐに助けなければならない”と答えた。なぜ2人の同一の問題に対して異なる回答が得られたのであろうか？。孔子は“冉求の性格は怯弱（臆病）であるから、彼にすぐに実行させたが、子路は自己で判断する「独りよがり」だから、私は彼を抑制した”と述べた。孔子の根拠は異なる学生の個性に対し、人に因り導き、「補偏救弊（偏よりを補い弊を救う）」という教育方法は我々の教学実践において参考になりうる。

(3) 学以致用

　孔子は学思（学習と思考）の結合を重視し、「学以致用（学びて以って用を致す）」と説き、学習と思考を統一し、言論と行為の一致を提唱した。孔子は人は読書

と求知（知識を求めること）でただ他人の伝授を受けるだけでは不可であり，自分で胸襟を開かなければならない。人は一日中自分一人でただ坐わり続けて冥想するわけにいかないし，他人に教えや学習を請わないようになれば人は方向を見失い，何をすればよいかが分からなくなる。だから，孔子は学と思の辨証原理を根拠とし，"学而不思則罔，思而不学則殆（学んで思わざれば即ち罔し，思うて学ばざれば即ち殆し）"（『論語・為政第二』）という完璧な見解を提出した。これは学習と思考の相互促進関係を強調したものである。ただ読書して，思考しなければ，騙される。ただ空想し，読書しなければ，信心が欠乏する。学習と知識は思考の前提であり，思考は知と行の合一した後の昇華（物事が一段上の状態に高められること）である。正確な教育方法は学習と思考を有機的に結合しなければならない。そうすれば学術上で収穫と建樹（独立すること）が得られる。教育の意義は事物の発展の規則性についての認識と理解にあり，成功した教育は知識と客観世界との関連づけの強化を通してのみ実現される。孔子は教育上の言行一致に注意することを提唱し，一人の人間を観察する時に必ず彼の行為を通してはじめて彼の言論の真実性が検証されるという考えを提出した。この点は孔子の言論の中で数多く論及されている。例えば，"君子耻其言而過其行（君子は其の言いて其の行いに過ぐるを恥じる）"（『論語・第十四』）がこれである。君子は言葉が多くて行動することが少ないことを恥じる。"古者言之不出，耻躬之不逮也（古人は言を出ださざるは，躬（弓）の逮ばざるを恥じる也）"（『論語・里仁第四』）。古人は言葉を安易に口に出さない。これは自分の行動が追いつかないことを憂えるがためである。孔子は"君子欲訥於言而敏於行（君子は言葉を慎んで行動に敏ならんと欲す）"（『論語・里仁第四』）と主張した。君子の言葉は謹慎愚鈍でなければならず，君子の行動は勤労敏捷でなければならない。

(4) 学而不厭，誨人不倦

"学而不厭，誨人不倦（学んで厭わず，人に誨えて倦まず）"（『論語・述而第七』）という一句がある。"誨人不倦（人におしえてうまず）"は孔子が教育実践の中で，彼が学生に対し真剣に責を負う態度から出たものである。孔子は長い教学

実践の中で豊富な経験の累積から創造したいくらかの科学的で効果的な教育方法で，当時の社会のために一グループの徳才兼備の人材を育成した。老師は努力して学習し嫌悪せず，他人を教導して疲れを知らず。これは孔子が一貫して提唱した学習と教学精神である。孔子は学習する人は常に積極的で楽観的な態度を維持することを奨励した。正に『論語』の冒頭の第一句で言うように，"学而時習之，不亦説乎（学びて時に之れを習う，亦た説ばしからずや）"（『論語・学而第一』）と説いた。孔子は教学の中で，学生が勇んで問題を提出する精神を育成し，もし学生が問題を提出しなければ，老師は学生の疑問が分からず，学生の疑問も解けない。その他に，孔子は師生間の相互切磋を提唱して共同討論を勧め，老師の一言堂（ツルの一声）にならないように提唱した。孔子は人間は学習を通して知識を獲得し，能力を向上させ，品徳を修養し，国の為に能力を発揮しなければならないと説いた。もしただ良好な品徳と遠大な前途を追求する願望で学習しなければ，目標に到達することができないのみならず，逆に自身の瑕疵が増加する。孔子はまた学習しない六つの弊害として，"好仁不好学，其蔽也愚；好知不好学，其蔽也，蕩蕩；好信不好学，其蔽也賊；好直不好学，其蔽也絞；好勇不好学，其蔽也乱；好剛不好学，其蔽也狂（仁を好みて学を好まざれば，其の弊害や愚。知を好みて学を好まざれば，其の弊や蕩。信を好みて学を好まざれば，其の弊や賊。直を好みて学を好まざれば，其の弊や絞。勇を好みて学を好まざれば，其の弊や乱。剛を好みて学を好まざれば，其の弊や狂。）"（『論語・陽貨第十七』）と述べた。即ち仁愛であるけれども学習を望まなければ愚鈍になる。聡明であるけれども学習を望まなければ放蕩になる。誠実であるけれども学習を望まなければ盲信に陥りお互いに傷つけ合うようになる。直爽であるけれども学習を望まなければ人に対して厳しく当たり，窮屈になるようになる。勇敢であるけれども学習を望まなければ単純な思考しかできず，無秩序になり，世の中が乱れるようになる。剛強であるけれども学習を望まなければ心に柔軟性を失い，軽挙妄動を行うようになる。

　孔子は政治でなせないことでも教育でなせることをはっきりと意識し，教育には独特の社会機能があり，教育は一つの社会の安定と発展に不可欠な推進力

になると説いた。孔子の教育管理思想には一つの補完的体系がある。孔子が確定した各種の教育内容，あるいは彼が採った教学方法を問わず，両者の間には一種の相互補完の関係が存在し，彼は徳育と智育の教学科目を制定しただけでなく，更に重要なのは両者の間の補完的関係を比較的良く解決したことであり，道徳教育と知識教育が逐次統合され，教育内容の一体化を実現したことである。孔子は教育内容については主に古典文献の一部分を採り，さらに自己の見解を加え整理して，“六経[りっけい]”としてまとめ，教材とした。このように教科書を系統的に編集したことは中国の教育史上で一つの先駆者と言うべきであり，世界の古代教育史上でも稀なことであった。孔子は『論語』の中で，なぜ『詩』，『礼』，『楽』などを学ばなければならないのか，という問題を弟子たちと討論した時，まさにこれらの教科の教育意義と価値に関して検討を行う過程があり，これらは中国の教育史上で最も早い教学理論となった。

3. 賢才を挙げ能力ある人を任用する人材管理思想

現在社会で非常に流行している一句がある。21 世紀で最も欠乏しているものは人材である。確かに一国家，あるいは企業で最も重要な資源は何か？と問うと，その答えは人材である。二千余年前に生活した孔子は，既に社会で最も珍貴な財富は金銀財宝でなく，人材であり，人材は国家の富裕強盛の根本であり，国家管理の根本は「挙賢任能（賢才を挙げ能力ある人を任用する）」であり，「選用賢才（賢才を選抜し用いる）」が「国強民富，国泰民安（国を強くし，民衆を豊かにし，国は安泰となり，民衆は安定する）」にするという考えを提出した。孔子は“不患人之不己知，患不知人也（人の己れを知らざるを思えず，人を知らざるを思うる也）”（『論語・学而第一』）と説いた。これは人は他人が自分を理解しないことを恐れず，自分が他人を理解しなければならないということが鍵になる。特に管理者はどのように他人を認識し理解し，真に才能の有る人を選抜するべきか，これこそが管理業務の中で重要な問題の一つである。人を知る者が才能を善用することができ，人を知らなければ人を良く使えない。ゆえに，「挙賢

任能」は先ず人材をよく発見できることが必要で，その次に人材を使用する時は思い切って出身にこだわらずに，出身，学歴，経歴，社会地位などは人を使用する主要な基準ではなく，その人が真才実学（本当に才能と実学）を具備しているか否かが，管理者が最優先に考慮すべき問題である。その他に，人材育成に社会資源を更にどれだけ多く投資支出することができるかが重要である。一国家，あるいは企業は有徳有才の人を重視すれば栄え，人材への投資を無視すれば衰退する。現代市場における全面的な競争は究極的には人材による競争であり，もし管理者が「求賢若渇（賢者を求めること渇せるが如し）」・「惟才是挙（才能さえあれば是を挙げること）」，そして人材に対して適度な投資を行うのでなければ，優秀な人材を吸引し自己のために使用することができない。同時に，正確に人材を遇し，密切に人材の成長に関心を注ぎ，有効な素質の育成を行い，人材のために才能を発揮できる空間を提供しなければならない。管理者はその賢才を妬まず，人材の任用問題では「公正無私，私情無用，顧全大局（全体の大局を顧みること）」ができなければならない。

　賢才はどこから来るか？賢才は教育によって育成されるものである。孔子は賢才を造る鍵は教育を通じて育成することにあると考えた。官吏の子弟だけを育成するのか？孔子はこのようなやり方では駄目であるので，教育を全国民に普及しなければならないと考えた。そのために彼が提出したのは，"有教無類（誰にでも教育を施す）"という考え方である。これは貴賎や社会階級を問わず，誰でも教育を受けられるという主張である。これは孔子の管理思想の中にある国民性と民主性の要素を十分に体現している。孔子の挙賢任能という人材管理思想の中で最も貴重な点は，彼が当時の家法制度による任人唯親（専ら親戚や縁故者から人を採用するやり方）からの束縛を突破して，社会の各等級から各種の人材を選抜し，世襲貴族による政治に新鮮な血液を注入し，活気を取り戻させたことである。孔子の人材管理の実践ルートは，才能のある人を挙げ，才能を知り，人材を使い，教育することである。その中の教育こそ根本であり，挙才は唯賢でなければならない。孔子は賢量の原則を挙げた。第一は人に対しては，全責任を求めないことである。第二は才徳兼備であることで，出身だけではな

いことである。第三は表現に重きを置くことである。第四は職責に応じて人を選び，その長所を活用することである。その主な特徴は道徳を重視し，知識を重視し，実務能力を重視しなければならないということである。

　孔子の賢才を挙げ能力ある人を任用するという人的資源管理思想は国を統治する時の根本的な宝物であり，この思想形成にはその歴史的な原因がある。孔子は歴史を観察し古代から"大同（道徳を基礎とすることによって形成された秩序社会）"，"小康（利益分配と礼儀を基礎とすることによって形成された秩序社会）"などが栄えたのは，そして政治上卓越した君主が国家の管理と統治に成功した秘訣の一つは，みな賢才を挙げ能力ある人を任用したことに依ると考えた。孔子は"挙直錯諸枉，能使枉者直（直きを挙げて諸れを枉れるに錯く，能く枉れる者をして直からしむ。）"（『論語・顔淵第十二』）と指摘した。即ち正直な賢才を選抜して任用し，彼らの位置を邪悪な人の上におく。こうして邪悪な者に邪を改め正常に回帰させ，正直を貴び，真才実学を尊重する社会風土の形成を有利に進めなければならない。孔子は賢才が国家管理の中で果たす作用を十分に重視し，そしてかつ賢者が在位すれば，改造と指導に対して積極的な推進作用もあることを指摘した。孔子の学生子夏は孔子の思想を理解した後，"富哉言乎！舜有天下，選於衆，挙皋陶，不仁者遠矣。湯有天下，選於衆，挙伊尹，不仁者遠矣。（富めるかな言や！舜，天下を有ち，衆に選んで皋陶を挙ぐれば，不仁の者遠ざかる。湯，天下を有ち，衆に選んで伊尹を挙ぐれば，不仁の者遠ざかる。）"（『論語・顔淵第十二』）と語った。老師の教導は真に深刻で意義は深遠だ！舜は天子になってから後，民衆の中から皋陶などの賢才を選抜し任用したので，悪人も生存が難しくなった。湯が天子になり，民衆の中から賢才を選抜し，賢人伊尹を宰相に任用したので，悪人も存在が困難になった。

　魯の哀公は孔子に，どうすれば民衆は馴服（なれ従うこと）するか？と質問した。孔子は彼に最も良い方法は"挙賢才"及び"挙直錯諸枉，則民服；挙枉錯諸直，則民不服（直きを挙げて諸れを枉れるに錯けば，即ち民服す。枉れるを挙げて諸れを直きに錯けば，即ち民服せず）"（『論語・為政第二』）であると告げた。正直な賢人を任用し，国家の各々の事務を管理させれば，民衆は納得し信服する。もし邪悪

の徒を重用し国家の統制と管理をさせれば，民心を失い，民衆や親友は離反するだろう。季康子が孔子に，如何にすれば民衆が厳粛で真面目になり，心を尽くし力を尽くし相互勤勉になるか？と質問した。孔子は彼に，最も良い方法は自身が正しく，部下を率いて率先垂範すること及び“挙善而教不能，則勤（善を挙げて不能を教うれば，即ち勤む。）”（『論語・為政第二』）をすればよいことを告げた。意味するところ善良な好人物を選抜することと能力不足の人を教育すれば，彼らは相互に勤勉になり，共同で向上するということである。また，孔子の弟子仲弓が為政の時は如何にと質問した時，孔子は“先有司，赦小過，挙賢才（有司〔官吏〕を先にし，小過を赦し，賢才を挙げよ。）”（『論語・子路第十三』）と説いた。先ず適任者を選抜し，各職務を担当する専門主管を選抜する。その次に人材を選用する時はその本性をみる。もし一人の本性に大きな問題がなければ，そして総体的に適任であると判断すれば，彼に職位と任務を与え，また個別の細部の問題に対しては原則として寛容を採る。金に純度無く，人に完人（完璧な人）無し。実際に一人の一生で誤ちを犯さないことは不可能であり，誤ちを犯した後は教訓を吸取し，迅速に自己の動作や行為を改善し，そしてかつ他人の誤ちの中から改善の方向を見つけるべきである。これこそ我々が最終的に向う仁徳の路である。我々は一人の人間を理解し判断する時，その言葉を聴き，その行為を観て，彼の言行動機を考察しなければならない。孔子は人材管理においては寛厳有度(寛大なことと厳格なことには程度があること)を提出した。もし人を寛容することができなければ，人を良くリードして管理することができないであろう。人間関係と人の面子を重視する東洋の国では，このように人材を管理する術を掌握することが特に重要である。

　孔子は賢才が必ず徳才を兼備することを強調し，また徳を以って主とした。ただし徳が有るだけでは充分ではなく，さらに必ず才能がなければならない。賢才は多方面の才能を具備しなければならない。もし人材が器具のようであるならば，ただ一方面の固定的な用途しかないので，彼には「用才の地（才能を発揮する場）」と発展の空間が大きくない。博学多技であり，多種な才能のある複合型の人材のみが社会に対して更に大きな貢献ができる。挙賢才ということ

は徳才を兼備した人材を重用することであり，能力と品徳を具備した人材のみが国家社稷の棟梁になれる。孔子は教学活動の中で，礼を以って弟子を薫陶しただけでなく，文献資料を以って弟子らの知識を充実させ，さらに彼らに如何にして政務を処理し，賦税を管理し，典礼を主持し，賓客を接待するかを教えたので，孔子の多く弟子は立派な賢才になった。賢才の素質に対し，孔子は“志於道，据於徳，依於仁，游於芸（道に志し，徳に拠り，仁に依り，芸に游ぶ。）”（『論語・述而第七』）と述べた。即ち孔子は道を志向し，徳を依拠とし，仁を依托することを説いた。孔子の活動範囲は礼，楽，御，射，書，数の六芸（りくげい）と『詩』，『書』，『易』，『礼』，『楽』，『春秋』の六経（りっけい）にまで及んだ。孔子は人は詩に於いて興り，礼に於いて立ち，楽に於いて成ると考え，仁の境界に到達するには必ず相応の礼義規範を学ばなければならず，すべての技芸才能に精通するためには，各方面の修養が必要であると説いた。これは一人の管理者が自己修養をする重要な途を示すものである。即ち管理者は崇高な理想を樹立し，正直な品徳を育成し，心に仁愛の善心を懐き，民衆のために秀でる才能を活用しなければならない。

　人材は世界上最も貴重な財富であり，社会の生産力を最も活発化させる要素であり，物質財富と精神財富の創造者である。人材の重要性の道理に対しては，人々は容易に理解できる。しかし，実践の中で本当に賢才を求められるかというと，容易な事ではない。ゆえに孔子は“才難（才難し）”（『論語・泰伯第八』）と述べた。即ち人材を得ること難し！孔子の観点によれば，管理の仕事がうまく効果的に展開できるか否かは，多くの場合は人的資源管理の方式が人間重視であるか否かに依る。人材の基本的生存ニーズが保障され，人材の社会的地位，個人の価値及び尊厳が尊重されなければならない。人材の発展とは個人の潜在能力と智力が最大限度に発揮されることを指すだけでなく，個人のニーズが全面的に豊富になり，満足されることを指している。そして人材を発展させるためには人間の本質との調和が完全に進行して体現されなければならない。一国家と企業が人材の積極性と創造性を重視すれば，一致団結が可能になり，困難が克服され，人事と組織の調和と発展ができて，永遠に不敗の地に至る。

　孔子の挙賢任能の人的資源管理思想は彼の仁政徳治（思いやりのあるまつりご

とを行ない，徳で治める）の行政管理思想に根ざし，また彼の有教無類の教育管理思想に基づいており，両者は共に孔子の人的資源管理思想の理論基礎である。孔子の挙賢任能の人的資源管理思想及び彼の教育や人材育成における実践経験は，後世に対する影響が広範かつ深刻で，永久不衰であるので，現今の社会実践の中において国家と企業の管理者からますます認識され，重視されている。現代の企業管理はとりわけ孔子の才能活用と人間重視の人材管理思想を参考にし，学ぶべきであり，新たな人材観を確立すべきである。即ち人は最善を尽くし，知者からはその謀略を取り，愚者からはその力量を取り，勇者からはその成功を取り，卑怯者からはその慎重さを取り，有効な人材評価体制を確立しなければならない。そして，性別，人種，地域，年齢などで人を差別してはいけない。管理者は先陣を切り，積極的に責任を負い，従業員の功績を自分のものにしてはいけない。更に管理者は全責任を従業員に押し付けるのではなく，従業員と苦楽を共にすべきである。

　"仁愛"は孔子の管理思想の核心と真髄の在る所で，彼から見た"仁愛"は社会発展と人類の文明進歩の標識であり，彼の"仁者愛人(仁を有する者は人を愛す)"の思想は今日の社会における管理の人間化（人間重視の管理）への回帰潮流の中で，こと更に参考に値する価値がある。これは人本管理思想の最も直接的な体現である。このような人間重視の精神文化は現代の人的資源管理の中で活用することができる。即ち人材を一つの理智があり，情感があり，尊重すべき対象であると把握し，どのような人事の配置も人材の利益維持を出発点とし，人々に才能を発揮する場を与えるようにしなければならない。一国家や企業の発展は人の作用に依存し，人の創造能力の発揮と協働精神に依存してできるものである。孔子の人的資源管理思想はその管理思想の一つの重要な組成部分であり，彼の管理思想は中国の歴史において画期的な意義がある。ゆえに，彼の人的資源管理思想も画期的な意義をもつ。孔子から始まったところの中国古代の人的資源管理の体系は逐次完備の時代に入り，中国古代の人的資源管理思想に対する孔子の重要な貢献は，彼の系統的な創設にあり，往事（昔）の人的資源管理理論の継承を豊富にしたこと，徳才兼備の考え方を重視し，以徳為主（徳をもって主と

する）で，挙賢任能を提案したことなどにある。知識の重視，人材の重視，教育人材の育成，成人の自己修養などを核心とする孔子の人的資源管理理論は，後世に対する影響が甚大で深遠である。人的要素の重視は孔子の人材管理思想の出発点である。主要なものは次の２つの方面に具現される。第一は管理の仕事では管理の対象からの支援を獲得する必要があることである。第二は管理の仕事では人材に良い仕事をしてもらう必要があることである。孔子の挙賢任能の人材管理思想は直ちに中国の伝統的管理思想に顕著な影響を及ぼした。この後に賢明で能力のある君主は皆非常に賢能（賢くて能力のある人）を使用して国家を管理することを重視するようになった。この後の科挙制度は正にこのような思想の指導の下で逐次発展し，完全なものになった。この種の出身，貧困，地域，富貴などに関係なく，もっぱら個人の才能を重視して官吏を選抜する制度は中国の管理思想の重要な組成部分の一つとなった。この制度は中国の幾千年の歴史の発展に影響を及ぼしただけでなく，さらに多くのその他の崇高な儒家学説は東南アジア諸国の歴史の進展に甚大な程度の影響を及ぼした。

4. 結 び

21世紀，世界は２つの大きな人生上の難題に遭遇した。即ち個人は，重々しいプレッシャーの下で情緒不安になった。また，社会の人間関係は厳しい信用危機を出現させた。人生上の難題は社会の各階層に浸透し，管理上の各種の難題が形成された。孔子の管理思想には当然その階層や宗法などにおいて歴史的制約があったが，それでも孔子の管理思想は一種の人道主義精神の経典思想に富み，その中には多くの精華部分が反映されており，人類社会発展の共同法則があり，今日に至っても参考にできるところがある。

現代の世界では，極端に狭隘な個人の利己主義と民族の利己主義が氾濫して災害をもたらし，人間の価値観の分岐と人類間での闘争に至らしめている。孔子の仁愛思想は個人生活を重視するだけでなく，またそれは社会義務感に満ちた人生を理想とすることによって体現される人生の価値観を示すものである。

これは社会進歩を促進させるという人生の理想を確立することに対する人々の感情的基礎になるものであり，また愛国主義，人道主義及び集団主義の思想に対する人々の精神的基礎になるものである。市場経済の発展には全国民の共同努力が必要であり，各人は個人の人生価値観と国家国民の利益とを結合させることが必要である。これは市場経済の発展過程の中で，我々は優れた品徳と崇高な理想が必要であることを意味している。孔子は“老者安之，朋友信之，少者懐之（老者は之れに安んじ，朋友は之れを信じ，少者は之れを懐けん）”（『論語・公長冶第五』）と述べた。これは正に孔子の人生価値観に深く含まれるものを概括したものである。孔子が立志してからの人生で追求した目標は老人に対しては安心して暮らせるようにしたい，友人とは信じ合いたい，子供からは慕われるようになりたいということである。これは今日の市場経済の発展に対して一種の有益で積極的な人生の奮闘目標及び経済発展の目的を提供した。我々は孔子思想の中から智慧を求め，その中から啓発と現今の社会に存在している各種の弊害を除去する方法を獲得しなければならない。例えば，現在社会では拝金主義が横行し，人間の価値を低めていることに対しては，孔子は一種の人間重視の精神文化に基づいて，人間の価値を重視することを強調した。現今の世界で生存競争が熾烈であることに対しては，孔子は“四海の内は皆兄弟也（世界は皆兄弟である）”と主張し，大同理想（相互扶助のいきわたった理想的な社会）を追求した。現今の各国が争って経済発展を求めて自然生態とのバランスを破壊させていることに対しては，孔子は天人合一（天と人とは理を媒介にして一つながりだと考えること）や，人と自然の調和が相容れられることを提唱した。

　現代の社会上で多くの人々がただ物質的財富の創造と享受に関心をもち，正確な人生観と生活目標を失い，現代人が“物化”され，“人が見えなくなる”という現象を生起させた重要な原因の一つは，現代教育の失敗にある。今日の教育はただ人を一種の有用な機器とみなし，現代教育の主要な内容と目標は“如何に生活するか？”についての知識と要領を教え，“何のために生きているか？”についての教育がなされていない。現代の教育は試験を重視し教育を重視しなくなり，また現代科学技術と科学管理の方法を掌握することのみを教育し，人

類が好き勝手に大自然を掠奪することを促し，人と自然との調和・発展を破壊し，人間に豊富な物質的生活の極大化を促進させ，同時に多くの人間の精神水準と道徳水準を低下させた。人々は物質生活の享受を追求する時，"自分が誰であるのか？"，"人間は何であるのか？"を忘れてしまった。この失われた"人"を探し戻すためには，"人間は何のために生きているのか？"についての教育を首位に置くべきであり，人生観，世界観，価値観などの面の教育を重視し強化しなければならない。孔子は教育の目的が人を愛し済世（世を救うこと）の使命を担うことができる一種の完全な人格と高尚な品徳をもつ人材を育成することにあると説いた。ゆえに孔子は教育の実践の中で，"徳行（徳の高い行い）"を教育の首位に位置づけたが，当然文化的知識の教育も無視はしていない。

　孔子の有教無類（誰にでも教育を施すこと）の教育管理思想と挙賢任能（賢才を挙げ能力ある人を任用する）の人材管理思想をまとめると，つぎの通りである。教育は政治的理想のために奉仕しなければならない。教育は徳育を最優先にしなければならない。孔子の教育目標は完全な人格と崇高な品徳を持ち，人を愛し，世の中を救う使命を担うことができ，徳政礼治（徳でまつりごとを行ない，礼で治める）の国家を推進することができる人材を育てることである。国が徳政礼治を推し進めるためには，聖君，賢臣及び良民の共同努力に頼らなければならない。しかし，聖君，賢臣及び良民は生まれつきになれるものではなく，長期的な教育を通じて育てられるものである。孔子の教育管理思想と人材管理思想は，現在の学校教育の発展にも重要な現実的な指導意義を有している。今日でも，思想面や道徳面の教育を重要視すべきである。孔子の教育管理思想と人材管理思想は現代人の精神喪失や道徳喪失を救い，感情の孤独感，引きこもりなどの心理的不均衡を調整し，社会全体の構成員の素質を向上させることができるので，調和社会の創出に積極的な推進の役割を果たすことは疑いの余地もない。

【注釈】

(1) 本文は世界書局 1935 年版『諸子集成』中の『論語正義』を藍本とし，『論語』など計二十篇を参考とした。

(2)『大学』は元来『礼記』に記載され，儒学の入門の読物である。朱熹はその『大学

章句集注』の中で“四書”の首と位置づけた。また朱熹は，『礼記』中に『大学』を入れたのは間違いであると考え，新たに，“経”と“伝”の2部分に編集した。通常“経”は孔子の弟子曾子が孔子の語録を記録したものとされ，“伝”は曾子の弟子が“経”に対して曾子が詳細に述べたことを記録したものとされている。朱熹は，『大学』は規模を定め，『論語』は根本を立て，『孟子』は更に発展させ，『中庸』は微妙を求め，『大学』は儒学の基本規模と輪廓を示したものと論じている。

(3)『中庸』は元来『礼記』に記載され，孔子の孫子思の作である。朱熹はそれを“四書”に編入し，その評価は非常に高い。『中庸章句集注』のはじめに，朱熹は程頤の言葉を引用し，特に『中庸』は“孔門が心法（心のはたらき）を伝授した”哲学の著作と強調している。『中庸』は前後三十三章あって，その中で大部分が孔子の言論を引用したのが十八章ある。

(4) 司馬遷(2006)，『史記・孔子世家』中国・中国三峡出版社，p.1794。

【参考文献】

[1] (1935)，『諸子集成―論語正義―』中国・世界書局。
[2] 閻韜 (1997)，『孔子与儒家』中国・商務出版社。
[3] 黄申 (2006)，『論語―入門―』中国・上海古籍出版社。
[4] 周予同・朱維錚等著 (2009)，『論語二十講』中国・華夏出版社。
[5] 陳徳述 (2008)，『儒家管理思想論』中国・中国国際拡播出版社。
[6] 張宗舜・李景明 (2003)，『孔子大傳』中国山東友誼出版社。
[7] 於 丹 (2008)，『論語感悟』中国・中華書局。
[8] 王 爽 (2010)，『孔子回答人生的108個感悟』中国・新世界出版社。
[9] 林甘泉主編 (2008)，『孔子与20世紀中国』中国・中国社会科学出版社。
[10] 鍾肇鵬 (1990)，『孔子研究』中国・中国社会科学出版社。
[11] 匡亜明 (1990)，『孔子評伝』中国・南京大学出版社。
[12] 楊先挙 (2002)，『孔子管理学』中国・中国人民大学出版社。
[13] 趙定憲 (2008)，『四書読本』中国・上海人民出版社。
[14]【徳】維尔納・施万費尔德著 (2009)，沈錫良訳，『孔子管理学』中国・上海訳文出版社。
[15] 曹軍 (2007)，『儒家的和諧管理』中国・中国廣播電視出版社。

※序章の内容の大部分はすでに中国語論文として発表済みであるが，出版社の許可を受けて日本語に翻訳し，日本語翻訳として発表するものである。元の中国語論文については，下記の文献を参照されたい。

亞東経済国際学会研究叢書⑱『亞洲産業發展與企業管理（中国語繁体字，英語，日本語）（査読制）』台湾・昱網科技股份有限公司出版，2015年，pp.9-20。

（俞 進・原口俊道）

第1編　東アジアの文化と観光

第1章 日中国交断絶期における教育文化交流の軌跡
——大連日語専科学校の日本人教師団——

【要旨】

　日中国交回復前の1950-60年代，両国民の間には経済・社会・文化面での友好運動が盛り上がりを見せていた。とくに民間貿易と呼ばれる経済交流が「積み上げ外交」の柱として行われていた。中日交流の展開には，橋架けとなる日本語の実務人材を大量に養成する必要があり，大連日語専科学校がこうした時代の要請によって誕生した。しかし，国交がないためネイティブな日本人教師ほとんどおらず，日本語教員は不足していた。こうした問題を解消するため，日本共産党は援助の手を差し伸べ，日本人教師団を派遣した。本章はこの日本人教師団の来華経緯や全体像を解明したものである。日中国交断絶期における両国のもう一つの教育文化交流のルートがあったことが浮かび上がった。

【キーワード】：日中関係，大連日語専科学校，日本語教育，日本共産党，
　　　　　　　日本人教師

1. はじめに

　いま，中国の日本語教育は学習者の数においても，教師の数やレベルにおいても世界一と言われており，その規模は英語教育に次いで第二位となっている。このような規模に発展するにはどのような歴史的基盤があったのだろう。

　1964年，中国は資本主義国として初めてフランスと国交を結び，いよいよ国際社会に進出しようとしていた。しかし，これまではロシア一辺倒であった

ため，ロシア語以外の言語人材は非常に乏しかった。こうした実情を踏まえ，対外政策を推進する国務院外事弁公室は高等教育部と連名で，1964 年 3 月 5 日に中国共産党中央委員会に「関於解決当前外語幹部厳重不足問題的応急措施的報告」（直面する深刻な外国語幹部不足問題を解決するための応急措置に関する報告）（以下，報告）を上申した。報告には，「目下，国際情勢は急速に発展し，外務翻訳幹部の需要は激増している。また，国内社会主義建設における新しい大躍進情勢は形成されつつあり，科学研究など各分野にも相当数の外国語幹部が必要となる。これらの需要を満たすため，外国語教育は大幅に発展，調整および強化されなければならない」と国内外情勢の変化とこの状況への対応が必要であることを指摘した [1]。具体的には，「極端に不足している英，日，仏，独，スペインの言語人材を養成するため，この三年の内に専科外国語学校を設置，学生を高校卒業生から募集する」という緊急措置の必要性を強調した [2]。報告は 1 週間後の 3 月 12 日に承認された。半年後，英語と日本語の専科外国語学校が先陣を切って設立された。

日本語の専科外国語学校は，1964 年 9 月 21 日に旧満州の遼寧省旅大市に開学した「大連日語専科学校」（大連外国語大学の前身）であった [3]。日本語人材を養成することを目的とする。専科，つまり 3 年制の高等教育機関であった。学生の定員数は 1,200 名で，教師は学生 6 名に対して 1 名の割合で計画された。また，日本人教師の定員数は 27 名であった [4]。

これは日本との国交が回復する 8 年も前のことである。1 つの言語教育をこれほどまで充実させるということは極めて異例のことであり，中日関係史並びに日本語教育史において比肩するものがない，まさに空前絶後といっていい。それまでエリートとしての日本語人材は北京大学と北京対外貿易学院の日本語学科が行っていたが，ここにきて実務者を大量に養成することを目指して日本語専科学校が設立されたことは，建国初期の中国における対日政策の積極性を端的に表している。

しかし，これほど重要なできことに対して，これまで日中関係史界や日本語教育史界は注目してこなかった，いや気づいていないと言った方がいいかもし

れない。例えば，現代日中関係史年表編集委員会（委員長は本庄比佐子，委員は
石井明，岡部達味，鎌田文彦，藤井昇三，山田辰雄）が 2013 年 1 月に出版した『現
代日中関係史年表 1950-1978』（岩波書店）には，1958 年 9 月に「陳信徳編著『現
代日本語実用語法』上冊，北京・時代出版社刊。1959.3 下冊，刊」という日
本語教科書の出版が記されていたが，日本語教育の量的普及の礎となった大連
日語専科学校の設立に全く触れていない。

　国交がないにもかかわらず中国が国家プロジェクトとして大規模な日本語高
等教育機関を開設した背景には何があったのか。また，日本語教師はどのよう
に募集されたのか。本章は，大連日語専科学校における日本人教師の招聘に焦
点を当てて明らかにする。

　なお，本章で使用している史資料は，大連外国語大学で厳格に管理されてお
り，これまで公開されていない日本人教師に関する「檔案」ある。大連日専と
高等教育部など中央各部署との間に交わされた往復文書で，「絶密」，「機密」，「秘
密」の印字あるいは印が押されたものがほとんどであった。これらの檔案の最
後には，対外文化聯絡委員会，国務院外事弁公室，国務院外国専家管理局など
最高部にも送ったことが記されていた。その他，「存檔二份」，つまり保管用二
部が作成された。本章で使用したすべての檔案は，この保管用のものである。

2.　来華経緯

　『大連外国語学院建校四十年紀事』[(5)] によると，外国語人材養成の報告を出
した 1964 年 3 月 5 日，高等教育部は，陳涛 [(6)] 北京対外貿易学院教授に依頼
し，「大連日語専科学校設置計画草案」を起草した。また，「報告」が承認され
た翌 4 月，大連日語専科学校創設委員会が立ち上げられた。創設委員会がもっ
とも苦労したのは，教師の選抜であった。初年度の学生定員は 700 名で計画
されたが，教師は学生 6 名に対して 1 名で換算すると，116 名の教師が必要で，
うち，日本語教師は 82 名を採用する予定であった。しかし，日本語人材が少
なく，さらに左傾思想の影響で建国前の日本語習得者からの選抜は難しかった。

　日本語人材の不足問題を解消するため，中国共産党は日本共産党から日本語教師を派遣する協定を結んだ[7]。この協定によって，1964年10月から1965年5月まで，延べ24名の日本共産党員が中国に派遣され，日本語教師として大連日専で奉職した（図表1-1）。また，彼らに随行して渡中した夫人8名が後に正式の日本語教師として追加採用された（図表1-2）。つまり，日本人教師の数は計32名にのぼった。

　檔案によると，中国側の日本人教師の受け入れ窓口は「対外文化聯絡委員会」であった。対外文化聯絡委員会は日本共産党からの推薦を受けて，日中友好協会宛てに日本人教師の要請状を送る。一方，日本人教師たちは様々な渡航目的で旅券を申請し，中国公安部第一局より入国の査証を取得する。来華した日本人教師は高等教育部に振り分けられて，高等教育部より大連日専に派遣されるという図式であった[8]。また，基本的に香港経由で北京に赴き，それから大連に向かったことが分かった。

　一方，日本側の窓口は日中文化交流協会であった。まずは日本語教育援助のため中国の学校に赴任しないかという打診がされた。国交回復前のことであり支障があるかもしれないと，これに応えることを決めていても旅券がとれるまでは親にも内密にするほどであった[9]。国交がない時代であったため，彼らが大連日専に赴任する経緯はすべて極秘とされた。

　檔案には，日本人教師の赴任に関する通知がもっとも多く14通であった。通知には，教師の紹介文が付いていた。そこには，対外文協の要請で，「研究」活動に従事することが記された。研究対象は「中国児童文学」，「中国現代文学」，「哲学」，「中国文学史」，「中国歴史」，「児童教育」などとされた。また，彼らの来華資格が記された。教員として要請されたことを明確に示したのは2名で，ほかは「留学」か「研究」もしくは何も記されていなかった。ちなみに，教員として要請された2名は，リーダーのY氏（東京大学法学部出身）とT氏（京都大学大学院文学研究科出身）であった。

　また，日本人教師の呼称は，ほとんどは「日籍教師」もしくは「外籍教師」と記された。リーダーのY氏だけは「専家」という呼称が使われた。Y氏は

国の定める「専家」とされたが，その他は「専家」待遇を受ける者，「専家」に準ずる者として位置づけられていた。

　日本人教師の到着にあわせて高等教育部は通達を出し，外国人教師招聘の目的や対応についての方針を打ち出した。そこには，国が莫大な資金を投じ大量に外国人教師を招聘する計画が示され，彼らに期待する仕事の内容が定められた。具体的には①日本語教師の力量向上のための教育などを行い重点的かつ迅速にリーダーとなる日本語教師を養成する。最も優秀な外国人教師を選び教師クラスの責任者とする，このクラスには周辺学校の教師も積極的に受け入れる，②教材編集に対する協力，③年間カリキュラム作成に対する協力などであった。授業時間は週 16 時間前後とされた。また，彼らには政治的に信頼でき，教学に詳しい通訳を付けるよう指示されていた[10]。

　日本人教師の生活を保証することも記された。問題があれば積極的に解決するべきこと，さらにこの事業に関わるすべての経費は「其他費用」として学校予算に計上すること，彼らの外貨両替は国家財務部の予算に入れることなど，経費的には国が責任を持つことが明示された。

3.　日本人教師団の全体像

　図表 1-1 を一瞥すると，日本人教師たちは，全体的に学歴が高い。大学院修了が 2 名で，京都大学大学院が 1 名と東京中央無線電信大学研究科が 1 名であった。大学卒が 19 名で，うち，東大は 4 名，早稲田大は 3 名，信州大は 3 名，福島大は 2 名，立教大は 2 名，東京農大と茨城大と岩手大学と東京学芸大と大分大は各 1 名であった。残りの 3 名は，高知師範学校研究科が 1 名，東京第一師範学校が 1 名，東京立正学園高等女学校が 1 名であった。また，専攻別から見れば，国語が 9 名ないし 10 名（Y 氏（No16）は国語を教えていたが，国語を専攻していたかどうかは不明）でもっとも多かった。

　24 名の日本人教師のうち 20 名が教職を経験していた。うち，中学校教員は 9 名で，小学校教員は 7 名，高校教員は 4 名であった。教職歴を見ると，1

年未満は1名，1年から4年が4名，5年から9年が4名，10年から14年が7名，15年から19年が2名，20年から24年は2名であった。もっとも短いのは半年で，もっとも長いのは24年であった。経験の浅い教員より10年以上のベテラン教員が半数以上と多かったことが分かる。彼らの「ほとんどは日本での教職をなげうって，かなり長期の予定で大連に来た」のであった[11]。残りの4名は詩人，劇団員，大手企業外国部の会社員，教科書編集者の4名で，いずれも高度な国語力が要求される職業であった。教師や国語のプロを選んで中国に派遣したことが分かる。

　彼らの年齢層を見てみると，30代がもっとも多く16名で，20代は7名であった。40代は1名しかいなかった。精力的に活躍できる若手を中心に選んだことが窺える。

　性別から見れば，男性が圧倒的に多く17名で，うち，独身者は3名であったが，1名は後に日本国内から婚約者を呼び寄せて大連で結婚した。女性は7名で，うち，独身者は2名であった。家族で来華した者が多く，うち，中国滞在中に子どもが生まれたのが8世帯で，その中の1世帯は二人の子どもをもうけた。中国で腰をすえて生活しようとする姿勢がうかがえる。それはまさに「中国に骨を埋めるつもりで…」という覚悟だったのである[12]。

4.　結　び

　本章では，日本人教師の来華経緯と全体像を中国の檔案や日本人教師側の回顧録を通して，できる限りその実態を明らかにした。

　1964-1965年，のべ24名（家族を含む32名）の日本人教師を大連日専に派遣した。来華経緯において，表向きは民間文化交流で，窓口は，日本は日中友好協会，中国は対外文化聯絡委員会であったが，実際は日本共産党が主導した対中教育援助であった。

　派遣された日本人教師の特徴として，全体的に学歴が高いこと，教職歴を持つ者が多いこと，若手を中心に選んだことなどがあげられる。

　しかし，1966 年に始まった文化大革命によって両党の関係が悪化し，大連日専における日本人教師の招聘はわずか二年で終わった。

　大連日専における日本人教師の担当科目，教育方法，教材編集，待遇，日常生活などに関する内的事項については，紙幅の制限で次稿に譲る。

【引用文献】

(1) 本書編委会編著（2004），『大連外国語学院建校四十年紀事』未出版，p.1。

(2) 四川外国語学院高等教育研究所編（1993），『中国外語教育要事録（1949-1989）』外語教学与研究出版社，p.90。

(3) 本書編委会編著（2004），前掲書，p.5。

(4) 「高教部 1964-1970 年聘請外籍語文教師初歩規劃（分表）」（高教部 1964-1970 年外国籍言語教師招聘試案（分表）），中華人民共和国高等教育部「関於下達聘請外籍教師計劃和做好準備工作的通知」（外国籍教師招聘の計画およびその準備作業に関する通達）の「附件」，(64) 高人密発字第 46 号，1964 年 8 月 3 日。

(5) 本書編委会編著（2004），前掲書，pp.4-7。

(6) 『朝日新聞』の「ひと」欄「『日漢大辞典』編さんのため来日した陳涛」（1981 年 2 月 28 日朝刊，3 頁）に紹介された人物である。「河北省出身，慶応大卒。大連泰東日報編集長，国際貿易研究所長などを経て，北京対外貿易学院教授」。「中国での日本語研究の最高権威の一人。…『日漢辞典』（北京・商務印書館発行）の主編者だ。…初版は 1959 年…生涯の仕事として『日漢辞典』を本格的に改定し，完ぺきを期した『日漢大辞典』の編さんを手がけ」たと記された。陳は 1900 年に生まれ，1990 年 3 月 6 日に亡くなった。1990 年 5 月 5 日，中国共産党の機関紙『人民日報』は陳の訃報を伝えた。北京対外貿易専科学校（北京対外貿易学院の前身）の創設に携わった一人である。日本では 1991 年 5 月 5 日に張京先夫人（北京大学日本語教員，奈良女子高等師範学校卒）と下中直也平凡社社長が代表世話人となる陳涛先生追悼録刊行会より『陳涛先生追悼録』を刊行した。

(7) 横川次郎著，陸汝富訳（1991），『我走過的崎嶇小路—横川次郎回憶録』新世界出版社，p.186。

(8) 大連日語専科学校「関於貫徹中央外籍教師工作会議精神和接待安排第一批来校日籍教師工作情況的報告」（中央外国籍教師工作会議の精神に基づく第一次日本人教師受け入れの状況に関する報告），(64) 日専校字第 29 号，1964 年 10 月 17 日。

(9) 土井大助（2008），『末期戦中派の風来記』本の泉社，p.162。

(10) 前掲史料，中華人民共和国高等教育部弁公庁「関於下達聘請外籍教師計劃和做好準備工作的通知」（外国籍教師招聘計画とそれに伴う準備についての通知）。

(11) 土井大助（2008），前掲書，p.173。

(12) 土井大助（2008），前掲書，p.173。

図表 1-1　大連日語専科学校日本人教師（24 名）一覧

No.	イニシャル	在華期間	到華年齢	学歴や主な経歴など	書類上の来華理由	収入 来華前	収入 来華後	週担当授業数など
1	Y	1964,9-1966,9	37	日本共産党員 東京大学法学部政治学科卒 詩人	教員になる。中国現代文学の研究	30000円 (200元)	500元 (9級)	日本共産党大連日専支部委員長, 大連日専日本人教師教研組組長 「会話」授業チームのリーダー, 「会話」授業16時間, 「会話」教材編集
2	S	1964,9-1966,12	36	日本共産党員 早稲田大学高等師範国語科卒 中学国語教員16年	留学生。中国古代文学の研究	63000円 (470元)	500元 (9級)	日本共産党大連日専支部委員, 大連日専日本人教師教研組副組長 教材編集責任者, 「会話」授業12時間, 教師研修クラス授業4時間
3	A	1964,9-1966,12	34	日本共産党員 福島大学福島師範学校卒 小学校教員14年	留学生。中国児童文学研究	57000円 (390元)	460元 (10級)	「会話」授業8時間, 教師研修クラスの授業4時間, 「会話」教材の編集・審査
4	Y 夫人	1964,9-1966,9	33	東京立正学園高等女学校卒 劇団員5年	不明	不明	380元 (12級)	1つクラスの「会話」授業8時間 (産後の体力回復後に授業を増やす), テープの吹き込み
5	K	1964,11-1966,12	29	日本共産党員 東京農業大学農学部農学科卒 高校教員6年教師	無し	45000円 (300元)	420元 (11級)	日本共産党大連日専支部候補委員 「会話」授業8時間 (4時間増予定), 教師研修クラス授業4時間
6	M	1964,12-1966,11	23	日本共産党員 福島大学学芸学部英語科卒 中学英語教員半年	哲学の研究	27000円 (174元)	340元 (13級)	2つクラスの「会話」授業16時間
7	S	1964,12-1966,11	26	日本共産党員 茨城大学文理学部文学科国文学専攻卒 中学校教員4年	中国文学史の研究授業	31000円 (200元)	380元 (12級)	1つクラスの「会話」8時間, 教師研修クラスの授業3日
8	Y	1964,12-1966,11	36	日本共産党員 東京中央無線電信大学技術部研究科修了。法政大学文学部在籍3年 中学教師11年, 校長3年	中国歴史の研究	52000円 (333元)	500元 (9級)	日本共産党大連日専支部副委員長, 後に委員長。大連日専日本人教師教研組副組長, 後に組長 2つクラスの「会話」授業16時間
9	Y 夫人	1964,12-1966,11	35	日本共産党員 東京第一師範学校卒 小学校教員5年半, 中学校教員8年半	児童教育の研究	52000円 (333元)	460元 (10級)	日本共産党大連日専支部委員 2つクラス (教育改革試験クラス) の「会話」授業16時間, テープの吹き込み
10	T	1964,12-1966,11	23	日本共産党員 岩手大学学芸学部卒 小学教師(臨時)	無し	22500万円 (132元)	340元 (13級)	2つクラスの「会話」授業16時間

11	T	1965,1-1966,11	34	日本共産党員 日本国立大阪外国語大学法フランス語科卒, 京都大学大学院文学研究科修了 高校国語教員 12 年	中国人子弟に日本語を教授する	62200 円 (392 元)	460 元 (10 級)	1 つクラスの「日本語」授業 8 時間, 教材編集 32 時間
12	T	1965,2-1966,12	33	日本共産党員 東京教育大学国語科卒 中学校教員 24 年	無し	5 万円 (320 元)	460 元 (10 級)	①1 つクラスの「日本語」授業 14 時間,「補導」授業 4 時間, 計 18 時間
13	T 夫人	1965,2-1966,12	32	日本共産党員 東京学芸大学二部数学科 小学校教員 11 年	無し	5 万円 (320 元)	420 元 (11 級)	1 つクラスの「日本語」授業 14 時間
14	G	1965,4-1966,11	26	日本共産党員 早稲田大学ロシア語学科卒 伊藤忠商事商務外国部ソ連東欧課会社員	無し	29900 円 (199 元に相当)	340 元 (13 級)	1 つクラスの「日本語」授業 14 時間,「補導」授業 6 時間, 計 20 時間
15	S	1965,3-1966,11	39	日本共産党員 高知師範学校研究科修了 小学校教員 20 年	無し 〃	16000 円 (102 元)	500 元 (9 級)	日本共産党大連日専支部委員 教材編集 32 時間
16	Y	1965,4-1966,11	33	日本共産党員 信州大学教育学部卒 中学校など教員 7 年 (国語, 英語)	無し	無し	460 元 (10 級)	前期 1 つクラス 14 時間, 後期 2 つクラス 18 時間
17	I	1965,4-1966,12	34	日本共産党員 信州大学教育学部国語学科 小学校教員 10 年	無し	無し	460 元 (10 級)	日本共産党大連日専支部候補委員 前期 1 つクラス 14 時間, 後期 2 年生 2 つクラス 18 時間
18	I 夫人	1965,4-1966,12	30	日本共産党員 信州大学教育学部保健体育科卒 小学教員 5 年	無し	無し	420 元 (11 級)	前期 14 時間, 後期 2 年生 2 つクラス 18 時間
19	Y	1965,5-1966,11	35	日本共産党員 東京大学文学部英文学科 高校教員 8 年	無し	33300 円 雑収入込 83569 円= 534 元	460 元 (10 級)	前期 14 時間, 後期 2 年生 2 つクラス 18 時間
20	T	1965,5-1966,11	31	日本共産党員 大分大学学芸学部国語科国文学専攻卒 小学校教員 11 年	無し	無し	420 元 (11 級)	前期 1 つクラス 14 時間, 後期 2 年生 2 つクラス 18 時間
21	T	1965,6-1966,11	46	日本共産党員 早稲田大学政治経済学部経済学科卒 戦前中国東北で兵役経験有, 中学校教科書出版社などの編集者, 著書多数	無し	114100 円 (730 元)	500 元 (9 級)	前期 14 時間, 後期 2 年生 2 つクラス 18 時間
22	K	1965,5-1966,12	38	日本共産党員 東京大学文学部日本文学科卒 高等学校教員 15 年	無し	8 万円 (512 元)	500 元 (9 級)	前期 14 時間, 後期 2 つクラス 18 時間
23	H	1965,6-1966,11	26	日本共産党員 立教大学経済学部 中学校教員 3 年	無し	42150 円 (270 元)	380 元 (12 級)	前期 14 時間, 後期 2 年生 2 つクラス 18 時間
24	H 夫人	1965,6-1966,11	26	日本共産党員 立教大学日本文学科 中学校教員 3 年	無し	42150 円 (270 元)	380 元 (12 級)	前期 14 時間, 後期 2 年生 2 つクラス 18 時間

(出所) 本表は, 大連外国語大学に保管されている「檔案」及び本章で紹介した当事者の回顧録によって作成した。

図 1-2　1965 年追加採用日本人教師（夫人，6 名）一覧

No.	イニシャル	在華期間	到華年齢	学歴や主な経歴など	書類上の来華理由	収入		週担当授業数など
						来華前	来華後	
25	S 夫人	1964,9-1966,12	40	日本共産党員 高校卒 会社員，主婦 1965,2 本校日本語教師として採用	家族	不明	160 元	中国教師研修クラス補導授業 11 時間，個別補導 4－6 時間，計 16 時間
26	A 夫人	1964,9-1966,12	48	福島男子師範学校付属高等科卒 福島郵便局電話課員 1965,2 本校日本語教師として採用	家族	不明	160 元	中国教師研修クラス補導授業 11 時間，個別補導 2－4 時間，計 14 時間
27	S 夫人	1965,3-1966,11	40	会社員 1966,1,18 本校日本語教師として採用	家族	不明	(160 元)	不明
28	T 夫人	1965,1-1966,11	不明	主婦 1966,6,7 本校日本語教師として採用	家族	不明	(160 元)	不明
29	T 夫人	1965,5-1966,11	42	東京女子師範学校卒 教師 1966 年 2 月から 4 月の間に採用	家族	不明	不明	不明
30	Y 夫人	1965,5-1966,12	27	共立女子大学家政科卒 主婦 1966 年 2 月以降採用	家族	不明	不明	不明
31	K 夫人	1965,5-1966,12	27	不明 1966 年 2 月以降採用	家族	不明	不明	不明
32	T 夫人	1965,5-1966,11	31	不明 1966 年 2 月以降採用	家族	不明	不明	不明

註：S 氏（No25），A 氏（No26）の採用期日と月給は，「関於評定玉村文郎等日籍教師工資的請示報告」（玉村文郎ら日本人教師の給料評定に関する伺いについて）によるものである。

　S 氏（No27），T 氏（No28），T 氏（No29），Y 氏（No30），K 氏（No31），T 氏（No32）の六名は，1966 年 2 月 10 日に中華人民共和国高等教育部が大連日語専門学校に発した「関於在大連日専工作的六名日本同志轉為専家事」（大連日専で働く 6 名の日本人同志を専家とすることに関して）によって採用された。うち，S 氏（No27）の採用期日と月給は，「関於採用 S 同志任教的請示批復」（S 同志の教員採用伺いについての許可），T 氏（No28）の採用期日と月給は，「関於採用 T 同志任教的請示報告的批復」（T 同志の教員採用伺いについての許可）によるものである。その他の 4 名については不明であるが，『大連外国語学院日本語学院 40 年紀事 1964-2004』（89-90頁）の「歴年日本専家情況一覧表」には氏名が掲載されており，教員として採用されたことが窺える。ただし，この一覧表には S 氏（No27）と T 氏（No28）の氏名が掲載されていなかった。また，T 氏（No29）については，『大連外国語学院建校四十年紀事』（17 頁）における 1966 年 4 月 14-29 日のでき事に T 氏（No29）など「日本人教師が意見を述べた」と記しており，この時点ですでに教師として活躍していたことが分かる。

（出所）本表は，大連外国語大学に保管されている「檔案」及び本章で紹介した当事者の回顧録によって作成した。

（経 志江）

第2章　明治後期における教育界への
社会主義普及活動

【要旨】

　明治維新による身分制度の廃止により，士族の転職先として成立した教師という職業は，明治後期から社会的地位が下落し，属性も平民中心に転換しつつも教職に関する専門性の形式的・制度的な強化が行われた。その過程で，教師の自由な活動を制限する教育政策が敷かれ思想的な抑圧を感じるようになる。閉塞感の漂う教師の生活を，社会主義を通して改革し，教師の社会主義活動により国家の変革を目指した社会主義者たちの普及活動の実際を考察する。

【キーワード】：週刊『平民新聞』，伝道行商，小田頼造，中馬誠之助

1.　はじめに

　「教育勅語」を至上の価値とした天皇制教学体制のもと，国民の思想・言論の統制を進める過程で，教師は準官吏待遇として行政の末端に位置づけられた。師範学校令を中心とした全寮制・給費制・奉職義務を整備した師範学校制度は，聖職者としての教師像を浸透させるとともに，明治後期において日清戦争以後の教育を巡る状況は，資本主義の発展による物価の変動によって教師たちの社会的地位が急落する時期であった。それゆえ学識と『徳義』をもって職務を果たし給料の低さもそれほど気にならなかった時期に比べ，生活のために給料を意識せざるを得ない状況に変貌することとなった。そのことは，「教職への疑問とかげり」となって一部の教師たちの内面にひろがり，国家主義的社会の弾

圧にも屈せず，自由・平等の実現を目指す社会主義運動に迎合する教師も現れるようになった。

　本章では，社会変革をめざす明治社会主義者たちの社会主義普及活動と教師たちへの影響について，社会主義活動の代表的な機関誌である週刊『平民新聞』に焦点をあて分析する。

2.　週刊『平民新聞』と教師

　週刊『平民新聞』は幸徳秋水と堺利彦が日露戦争開戦に関する主義の違いにより，1903 年 10 月に黒岩涙香の『萬朝報』を退社して立ち上げた社会主義ジャーナリズム媒体であり，「日本における社会主義運動の最初の機関誌的役割を果たした」[1] と評される。

　週刊『平民新聞』の読者は反権力的心情[2]の読者であり，その多くを『萬朝報』時代からの幸徳・堺の文章を好む読者層として獲得していたといえる。それらは教育の普及による識字率の上昇による新聞需要の増大および『萬朝報』の低価格販売戦略により獲得した学生や下層労働者層であり，それらの読者層に対して社会主義の発展を訴え大きな影響を与えたのであった。

　日清・日露戦争以後，資本主義化が急速に進展し，下層労働者層の労働環境の悪化や，都市下層民の生活困窮などが増大し，社会改良を目指す『萬朝報』の論評に共感を集めた。当時，後に平民社に集う内村鑑三，幸徳秋水，堺利彦，石川三四郎などの記者が社員として在籍しており，社会悪を糾弾する彼らの記事が，この時期からひとつの社会的な職業集団を形成していた[3] 小学校教員を読者層とし，週刊『平民新聞』に誘導していった。

　急速な資本主義の発展は，職業集団としての小学校教師たちの生活に対しても，劣悪な待遇に転落する契機となった。「明治三十年頃即ち官吏の今の俸給令の改正前に比べるに物価は三倍になっているのにも拘わらず，俸給は約二倍にしかならない。つまり昔に比べると収入の割合は物価に対して五割減じたる事に」[4] なり，教師に貧困生活を強いられることとなり，貧困層や労働者に

向けて反戦や社会改革を訴える週刊『平民新聞』を教師たちが手に取ることになったことが推測される。

　週刊『平民新聞』およびその後継『直言』には「予は如何にして社会主義者になりし乎」というコーナー [5] を設けており，中村はその事由 152 を抽出し分類 [6] した（図表 2-1）。明治後期に社会主義者が増加する原因は，資本主義化による貧富の差の増大など社会問題に関する関心が高まってきたことと，その媒介に雑誌・新聞が大きな影響を与えたことを示している。また，そこで宣伝された社会主義運動としての講演・演説・講義への参加を契機に社会主義者となったと読み取ることができる。中村勝範は，抽出した社会主義になった動機の第 1 位の読書に関する内容をさらに分析した結果，図表 2-2 のような内訳であった。

　「予は如何にして社会主義者になりし乎」の執筆者は，新聞記者，弁護士，牧師，

図表 2-1　社会主義者にさせた原因

順位	原因	頻度
1	読書（含雑誌，新聞）	49
2	社会主義の講演・演説講義	21
3	貧者・弱者への同情	17
4	社会の不合理への反抗	15
5	貧乏	10
6	キリスト教	8
7	反戦・反軍	6
8	鉱毒問題	5
9	家の没落	4
10	自由民権	3
11	仏教	2
12	儒教	2
13	その他	10
	合計	152

（出所）中村勝範「明治社会主義意識の形成」より引用。

図表 2-2　影響を与えた書物・新聞

書名	著者	頻度
社会主義神髄	幸徳秋水	19
萬朝報	新聞	10
新社会	矢野文雄	7
社会問題解釈法	安倍磯雄	7
家庭雑誌	堺利彦主催の雑誌	6
週間平民新聞	平民社機関誌	5
労働世界	片山潜主催の雑誌	4
社会主義論	安倍磯雄	3
二十紀之怪物帝国主義	幸徳秋水	3
社会主義	労働世界の後継紙	3
社会主義	村井知至	2
家庭の新風味	堺利彦主宰の雑誌	2
社会主義概評	島田三郎	2
進歩と貧困	ヘンリー・ジョージ	2
百年後の新世界	ベラミー	2
その他		19
合計		96

（出所）中村勝範「明治社会主義意識の形成」より引用。

住職，医者，学生，労働者，農民とともに教師も執筆しており，明治後期において教師は，文学・新聞や教育雑誌等を熟読し文学読者層を形成したことが読み取れる[7]。読書会なども頻繁に行われ「教師の共同体として機能し教師であることの価値と生きがいを確信させる役割を演じた」[8]とあり，社会問題の1つの柱である「教育問題」に関心をもつ教師の日常生活は，読書による社会主義への傾倒が容易な環境にあったといえる。「予は如何にして社会主義者になりし乎」には，西村今朝善と土井昇という2名の教師が寄稿している[9]。それらの教師は，新平民への差別的な扱いや，担任する子どもたちやその親の貧困生活への同情から社会改革を目指す社会主義者となったと論じている。

3. 社会主義普及活動と教師

(1) 社会主義普及活動の概略

　明治社会主義者たちは，小学校教員の生徒・社会への影響力に期待し，学校文化の外側から機関誌・伝道行商・講演会・研究会を通して教師・教職の現状に鋭い批判を加えた。結果的には「明治後期の段階では，社会主義の立場に立つ教師論・教授理論を具体的に展開するには至らなかった」[10]と考える。しかし，国家的な思想統制により，社会主義の思想をもつことを表明することが失職に繋がることを恐れたためであり，社会主義普及活動は潜在的な賛同者を多数獲得していったことは確かであった。

　西川光二郎は，1904年12月25日の週刊『平民新聞』第59号に，1903年10月27日から1年間の平民社による社会主義運動の活動概略を言論活動と執筆活動[11]に分けて図表2-3のようにまとめている。

　西川は，平民社の社会主義運動の成果として，社会主義者と名乗るものは1年間で4倍に増え，社会主義について話題にするものの範囲は何十倍にも広がったと自負すると共に，社会主義者の団体が東京以外の地域[12]にも発生し，定期的に集会が開催されていることを報告している。

図表 2-3　明治 36 年 10 月から明治 37 年 12 月までの社会主義運勤

言論活動

	集会の種類	回数
集会	演説会（地方）	14
	演説会（東京）	4
	茶話会亭（地方）	4
	茶話会等（東京）	16
	社会主義研究会	30
	社会主義夫人講演	14
	その他	38
地方遊説	遊説者	遊説地域
	木下尚江 野上啓之助 松崎源吉 山口義三 堺利彦 幸徳秋水 石川三四郎 西川光二郎	伊豆，茨城県，群馬県，埼玉県，東海道，千葉県，神奈川県，東京府。遊説中の演説会 40 数回開催
伝道行商	伝道行商者	伝道行商地域
	小田頼造 山口義三 小野丑郎 西村伊作 野村生 阿南生 西島生 権田生	千藻県，信州，越後，近畿，関東，武州，相州，東海道，山陽道等

執筆活動

	配布物名	配布総数
配布物	社会主義拡張の檄	3 万 2 千枚
	普通選挙の檄	7 千枚
	普通選挙請願用紙	3 千枚
平民文庫	書名	販売数
	『社会主義入門』	2301 冊
	『百年後の新社会』	2598 冊
	『火の柱』	3469 冊
	『消費組合』	1410 冊
	『瑞西』	1932 冊
	『ラサール』	1613 冊
	『土地国有論』	1116 冊
	『経済進化論』	831 冊
	平民社絵ハガキ	650 組
社会主義書類取次販売	19 種類	998 冊
週刊『平民新聞』20 万部		

（出所）週刊『平民新聞』第 59 号（明治 37 年 12 月 25 日）より作成。

（2）社会主義地方遊説と教師

　本節では，社会主義思想を広めた地方遊説と教師の関わりについて考察する。図表 2-3 に示したように，平民社を支える弁士によって地方遊説が行われ，言論活動によって社会主義普及活動を行った。この取り組みに関して教師はどう関わったのか。弁士たちは，聴衆の数とその属性に注目しているようで，教

図表 2-4 社会主義者の言論活動と教師

年度	日時	記録	会場	聴衆規模	属性	教師参加の記述	出典
明治36年	1月12日	西川光二郎	神戸市	500余名	師範学校生	特に注意すべきは師範学校生の学生80名ばかり一団となりて来たり	関西遊説日誌
明治36年	1月17日	西川光二郎	岡山市	450余名	学校教師	学生活教家等多数を占め学校教師新聞記者も見受けられたりき	関西遊説日誌
明治36年	8月9日	西川光二郎	佐賀市	200余名	教員	その多数は学生、教員、官吏、篤志家なりき	四国九州遊説日誌
明治36年	8月25日	西川光二郎	鹿児島市	350余名	教育家	聴衆は350余名にして、其の八分通りは教育家なり	四国九州遊説日誌
明治37年	7月24日	木川尚江	信州 上田町	堂内に溢るる	女教員	年若き数名の夫人の静叔なる見る、足れ小学教師なりし	夏期遊説の期
明治39年	10月22日	堀間止水	京都市	40内外	尋常高等小学校長	夜7時から学術演説会あり、役場内の公会堂に於いて開く、聴衆40内外尋常高等小学校長、職員、役場吏員、基督教徒、仏教徒、臨監警官4名、銀行員、貧富両階級ともあらゆる階級を網羅したり	日本全国遊説記

(出所) 荒畑寒村『社会主義遊説日記』より作成。

師などが聴衆に混じっていると注視して記録にとどめている。教師の参加の記録を抽出すると図表2-4のとおりである。参加者の属性を記した記録によると、「学生の中で一番保守的なる又一番元気のなき」(13)と評されていた師範学校生が80名も参加していることが記録されている。

　社会主義者の演説会への教師の参加は地域によって温度(14)差があるようで、郡書記から各学校へ社会主義者の演説会に参加しないよう布令も出され、社会主義への接触が難しい地域もあった。岐阜市でも「極力社会主義に対しては撲滅策を執り居れり。小学校長決議事項の内には『生徒をして只社会主義の非なるを知らしめ、其書籍新聞を購読することを厳禁する事』」と、社会主

の普及は難しい状況であった。一方，岐阜市の前に訪れた名古屋市においては，為政者の対応が社会主義に対して寛大であり，社会主義の政談集会ですら一切の届け出を口頭で行い，警察の方針も「若し人民が要求するものなら，社会主義であろうが何であろうが干渉する必要はない，社会主義者も運動すべし，伝道すべし，一般人民も之に聴くべし之に学ぶべし」という方針で，社会主義者の言論活動の成果として社会主義団体も発足していた。

(3) 伝道行商と教師

　次に，読書を通して社会主義へ誘う媒介としての伝道行商についてみてみたい。伝道行商は，社会主義普及の有効な方法のひとつであるとともに平民社の資金源のひとつであった。各地の週刊『平民新聞』の個人的読者や大小の社会主義団体を歴訪して，講演会・談話会を開催し，社会主義協会会員を募り，普通選挙請願の署名を収集することと，平民社の刊行物を販売し，県立図書館等に社会主義の書籍を寄贈することを方法とした。平民社の刊行物の購読者や社会主義者団体がない地域は，寺，役場，学校，警察署，村会議員を訪れて該当地域の情報収集に当たったが，購読者や社会主義団体が行商地域に存在する場合は，行商の援助や集会会場のマネジメントおよび宿泊の便宜等の支援を受けることができ，社会主義普及とともに経費の削減も見込める事業であった。

　伝道行商に関する記事を教師に焦点を当てて概観すると，明治期に形成された読者層としての教師が平民社出版物を購入する可能性が大きいと予測し，行商地域の学校（高等学校，中学校，女学校，師範学校，農学校，工業学校，小学校）を訪問することを伝道行商の基本としていた。それは，明治後期の地方では書店自体が存立しておらず，地方教員の出版物購入方法は，郵送による直接注文であり，対費用効果の悪いものであったという。しかも，広告・書評の信憑性が低く不要なものを買ってしまうことがあり怨嗟の声が度々教育雑誌に見られるほどであった[15]。さらに教員給与水準が低く書物を購入することも困難な状態[16]であった。このような読書環境において，熱心な社会主義者が広告・書評よりも詳しく社会主義出版物の説明を行い，購入代金も平民社出版物は廉

価に設定されているため，対教師の行商は多くの成果を収めている。

　伝導行商による教師への普及活動は，地域によっては教師の社会主義に関する書物の読書禁止を通達している地域もあったが，その地域を除いた地域の教師たちは「読書するくらいなら差し支えない」[17]と，平民社の出版物を購入していたようである。師範型教師の養成校である師範学校でさえ，社会主義の書物を図書館に入れるかを教員会議で議論する余地が残っており，小学校長以下の教師層には社会主義の出版物がかなり売りさばけたと日記に記録するほど売れており，読者層を形成していた教師には受け入れに寛大な部分があったと読み取れる。しかし，一方では地域ぐるみで社会主義を絶対に受け付けないようと指導されていて，「国体に合わない社会主義は反対です」と拒絶するとともに警察に通報し，行商の社会主義書物を没収させる場合もあった。

4．社会主義に生きた小学教師−中馬誠之助−

　平民社の社会主義普及活動の影響を受け社会主義者となった教師として中馬誠之助[18]に注目したい。中馬は，上伊集院の郷里で小学校の代用教員をしており社会主義運動寄金寄付者と記録がある。中馬は，鹿児島の社会運動史で初めて名前を現す1人としてあげられている。1903年の鹿児島初の社会主義講演会で，西川光二郎，松崎源吉，片山潜が講演し「都会の『匂い』のするハイカラを感じ，新しい知識に触れるといった好奇心をかきたてられた」[19]ようである。中馬も講演会に参加し「其多くの人々に取りては始めての呼び声なりしにも拘わらず，之を歓迎し，之を信奉し，且つ之が為めに働かんと決心せる人々の少からざりしを喜ぶなり」[20]と社会主義の啓蒙を受けていった。中馬は1904年12月18日の週刊『平民新聞』同志の運動の欄に「鹿児島県下の同志に告ぐ」という文章を投稿している。「鹿児島県下及び隣県の同志に告ぐ，来春早々日を卜して鹿児島市に同志の集会を開きて如何，何人か会主となりて場所と時日を定められ，平民紙上に広告されんことを望む」と社会主義の集会を開催したいという意思を表明している。また，『直言』第2巻3号（1905年2月19日）の東西南北からという

地方寄稿欄に，鹿児島県日置郡における個人競争をめぐる自殺事件を取り扱い，私有財産の否定による社会主義の浸透を訴えた。この頃には中馬は週刊『平民新聞』に記事を投稿する熱心な読者となっていたと考える。

そして，『直言』第2巻9号（1905年4月2日）に小田頼造が同志の運動の欄に「九州の同志に告ぐ」が掲載される。「僕は愈々四月一日郷里を出発して下の関に行き，同三日頃門司に渡りて伝道行商を始むる積もり，御通信及び御紹介を賜つた諸君に御好意を謝す，また沿道各地の読者諸君，同志諸君は御通信を下さらなくとも，僕より成るべく調べて訪問する覚悟ですから，左様ご承知の上，僕が訪問しました時は，出来得べくんば小談話会なりとも御開き下さるよう希望して置きます」という予告に，九州の社会主義者が平民社の有名人に会える期待に胸を膨らませた。

中馬は，小田が鹿児島に到着すると出迎えて自宅に宿泊させ，赤い箱車を引き共に行商を行うなど熱心に支援し社会主義の普及に尽力した。そして小田の来鹿を待ちわび背中を押された形で，小田と二人で中馬が勤務する小学校に行き辞表を提出して社会主義運動に生きる道を選び，鹿児島県初の社会運動専従者となった。

翌日，中馬は小田とともに鹿児島市城山公園の和洋食レストラン「柳月亭」にて20名の同志と小集会を開催した。この会には，佐賀出身の鹿児島専売局役人の古賀甲三 [21] や，新聞記者，弁護士，そして毎週1回研究会を開き，談論に読書を重ねていた第七高等学校生徒らが参加した。中馬の開会の辞に始まり，小田の講話，来会者との感話を終え，倶楽部組織について協議し，小田の立ち会いのもと「鹿児島平民倶楽部」が発足し，会費5銭で毎週土曜日18時より月例会を開催した。中馬は「鹿児島平民倶楽部」の中心人物として月例会に毎回出席し鹿児島の社会主義研究に尽力した。中馬は，平民社による社会主義運動に影響を受けた教師であり，鹿児島県における社会主義運動の先駆者であったといえる。

5．結　び

　本章は，明治後期の教師のしごとを取り巻く矛盾を変革[22]するため，平民社の社会主義者が社会主義普及活動をどのように実践し，教師にどのような影響を与えたのかを考察した。明治社会主義者たちは，教職の労働者意識を高めることが社会改良の唯一の方法であると訴え，具体的手法として教員組合を作って自分たちの生活を向上させることを訴えた。これらの主張は，週刊『平民新聞』などを媒介として，当時形成されつつあった読者層としての教師を取り込み，また，平民社の弁士の遊説による演説会や，平民社員による伝導行商によって，賛同する教師を増やしていったといえる。

　今後の課題として，明治社会主義が影響を与えた教師たちの発掘が必要となってくる。社会主義との接触によって教師を辞して社会主義運動家に転身する教師や，新聞記者に転身し社会主義に関する論評を著した教師，社会主義を信奉しながら教師を最後までつづけようとした者などを発掘し，それらの教師たちがどのように「教師のしごと」を認識し，地域社会や被教育者としての子どもたちに，どのような働きかけを行ったのかを考究する必要があると考える。

【引用文献・注釈】
(1) 大原慧（1962），「週刊『平民新聞』解説」『明治社会主義史料集　別冊 (3)』労働運動史研究会，p.3.
(2) 奥武則（2019），『黒岩涙香：断じて利の為には非ざるなり』ミネルヴァ書房，279 頁。
(3) 寺﨑昌男・前田一男（1993），『日本の教師 22　歴史の中の教師 I』ぎょうせい，p.116。
(4) 水木嶽龍（1926），『明治大正脱線教育者のゆくへ』啓文社，p.17.
(5) 週刊『平民新聞』第 3.4.5.6.7.8.9.10.11.12.13.15.19.44.45 号で 78 名と『直言』第 2 巻 12 号の 4 名が執筆している。
(6) 中村勝範（1968），「明治社会主義意識の形成」『法学研究：法律・政治・社会』Vol.41，No.7，p.29。
(7) 明治後期の教師による読者層の形成に関しては，ヴァン・ロメル・ピーテル（2016），「明治後半における教育と文学」『文学研究論集 (34)』に詳しい。
(8) 永嶺重敏（1994），「田舎教師の読書共同体」『出版研究』第 25 号，pp.101-103。

明治後期の俳句雑誌『ホトトギス』1903 年においての職業別投稿者の集計があり，上位に小学校教員があがり，教師は読書文化を築く主体となっていったと論じている。

(9)　週刊『平民新聞』第 6 号，1903 年 12 月 12 日。

(10)　山内博光 (1974)，「明治後期における教職意識の展開」『立教大学教育学科研究年報』第 17 号，p.29。

(11)　荒畑寒村編 (1971)，『社会主義伝道行商日記』新泉社，pp.266-267。

(12)　1904 年に，岡山市，北海道札幌，佐賀市，信州上田，信州神川村，名古屋市，水戸市，駿州吉原町，丹後峰山，紀伊田辺町，北海道夕張炭山，長野市，下関，横浜市，北海道函館，上州名和村，宇都宮市，足尾銅山，飛騨高山，信州諏訪，越後長岡，出雲安来町，大阪市，高知市，米国桑港で社会主義団体が誕生した。

(13)　『労働世界』第 7 年第 4 号，1903 年 2 月 3 日。

(14)　荒畑寒村監修太田雅夫編 (1974)，『社会主義遊説日記』明治社会主義資料叢書 3，新泉社。

(15)　「当にならぬ新刊紹介」『内外教育評論』第 5 巻 8 号，1911 年，pp.75-78。

(16)　北村久雄 (1924)，「貧しき父－嬰児潮に与へて－」『教育文芸』創刊号，博多成象堂，pp.110-111。つけが溜まり本を買えず店主に泣きついて漸く購入している。

(17)　荒畑寒村編 (1971)，『社会主義伝道行商日記』前掲注 11 に同じ，p.179。熊本県宇土の小学校長は他の教員と相談して本を買ってくれたと記録している。

(18)　鹿児島平民倶楽部発足後上京したがその後，伊集院の銀行に勤め，1918 年には鹿児島市内で駄菓子屋を開業している。上京の後の社会主義活動は不明であるが，1923 年 7 月 13 日「鹿児島新聞」において鹿児島初のメーデーに関連して中馬の自宅が家宅捜査を受け謄写版と文書 1800 枚が押収されていると報道されている。

(19)　川嵜兼孝, 久米雅章, 松永明敏 (2005)，『鹿児島近代社会主義史』南方新社, p.90。

(20)　芳即正 (1956)，「明治後期の鹿児島と社会主義補遺」『鹿児島史学』4 号，p.36。

(21)　同上，p.42。古賀甲三は 1913 年東京帝国大学法科大学卒である。「『共産党宣言』を写してくれた」と中馬誠之助の回想にある。

(22)　週刊『平民新聞』第 52 号社説「小学教師に告ぐ」(1904 年 11 月 6 日) を執筆し，社会主義による教師社会改革を目指した石川三四郎の考え方は，平民社の代表的な教師論であり，船寄俊雄 (2021)，『近現代日本教員史研究』風間書房，に詳しい。また，週間『平民新聞』が取り扱った教育問題に関する記事に関し，貞清裕介 (2018)，「週刊『平民新聞』の再検討―教育・子どもに関する記事に焦点を当てて―」明星大学大学院教育学研究科年報第 3 号，に①学校種②教育者③学習者④子ども⑤女工⑥道徳⑦その他の教育，のキーワードで分類しその特徴を概説している。

（小田義隆）

第3章　コロナ禍，DX 時代における金融機関と IT 教育

【要旨】

　DX 時代を迎え，金融機関は新たな人材育成を模索している。折しも平成31年，金融庁が DX 時代における金融機関のあり方を示したものの，メガバンクを除く多くの金融機関はその対応に苦慮している。何故ならば約90%近くの金融機関では，アウトソーシング（外部委託）が採用されており，特に IT 分野や監査部門で業務に習熟した人材が不足しているからである。特に金融機関の IT 戦略にも直結した次世代を担う人材育成については，本章中のアンケート調査に見られるように多くの課題があることを金融機関自らが示している。

　本章では，DX 時代の金融機関における人材育成について，IPA の考え方を取り入れながら，最終的には経営者とリスクコミュニケーションができるような人材を育成するにはどうしたらいいか，ひとつの考え方を示したものである。

【キーワード】：DX，金融機関，人材育成，IT 教育

1.　はじめに

　筆者は前職で金融機関に20年以上在籍した経験を有している。特に平成22年4月1日より平成25年3月末まで，金融情報システムセンター（FISC：The Center for Financial Industry Information Systems　以下 FISC と称する）へ出向し，3年間監査安全部主任研究員として研究・講演活動に従事した。その後大学で教鞭を取りつつ，平成22年以降金融機関の実態に即した問題をテーマ

とした研究活動を行っている。FISC では消費者金融等も含む各金融機関や IT ベンダー，金融関連業界団体より出向者が参集し，金融関連業界の質的向上に向け日夜さまざまな研究活動を行っている公益財団である。FISC はその組織の性質上，金融機関との情報交換も頻繁に行っており，わが国における金融機関の情報最前線であった。

折しも平成 31 年，金融庁より次世代の金融機関変革を企図とする「デジタルトランスフォーメーション」構想が示された。これは安倍総理（当時）が第 19 回未来投資会議において「まず，Society5.0 の実現です。第 4 次産業革命への対応について，世界の変化は加速しています。」と語ったことに起因している。加速度的な展開を見せる金融機関の環境と，金融機関に必要な人材育成についての課題を明らかにしてみたい。また，急速に拡大しつつあるコロナウイルス感染症に関し，さまざまな分野でこれまでに想定しえなかった状況が発生しつつある。この点についても若干の考察を加えてみたい。

2.　先行研究

金融機関の IT 人材育成については，非常に狭い領域かつ機密が多い業界分野なため，あまり研究が実施されていないが，強いて挙げれば下記の論文がある。

FISC (2018)「金融機関等における IT 人材の確保・育成施策の取組み事例（参考事例集 1 ）」

FISC (2019)「金融機関等における IT 人材の確保・育成施策の取組み事例（参考事例集 2 ）」

どちらも金融機関が実際に IT 人材を確保・育成するプロセスを紹介したものだが，題名から分かるように個々の金融機関の事例に過ぎない資料であり，全体的に捉えているものとは言えず，あまり参考にならない。

3.　金融デジタライゼーション戦略

　金融機関は情報セキュリティを含むシステムリスク等広範囲な管理態勢を求められる業界であり, 金融庁もこれまで「監督指針」や「金融検査マニュアル」を公表して, 金融機関の遵守を求めていた。これらの指針やマニュアルには新しい価値観を創造するとか, イノベーションを行うというような考え方はなく, リスクを制限させる「守りに徹した」考え方である。そもそも FISC という組織が設立されたのも, これらの指針やマニュアルを円滑に金融機関に導入させる為であった。

　近年では「Society5.0 の超スマート社会を実現する」という名目を掲げ, さまざまな業態でイノベーションが始まっている。超スマート社会の実現に向けて金融機関でも FinTech 企業等と協業し, 利用者の利便向上を企図した新たな金融商品やサービスを提供する動きが出てきている。これらを受けて, 金融庁

図表 3-1　IT ガバナンスの概念イメージ

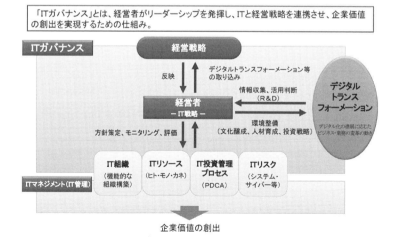

（出所）金融庁（2019）『金融機関の IT ガバナンスに関する対話のための論点・プラクティスの整理（案）』p.5。

もやっと重い腰を上げた。金融庁は今までの守りに徹した IT ガバナンスから，企業価値を創出する IT ガバナンスの概念を示したのである[1]。この概念では，新しい IT ガバナンス構築のプロセスを「デジタルトランスフォーメーション」(デジタル化の進展に応じたビジネス・業務変革) と定義している (図表3-1)。

新たな IT ガバナンスの着眼点としては，①経営陣によるリーダーシップ，②経営戦略と連携した IT 戦略，③ IT 戦略を実現する IT 組織，④最適化された IT リソース，⑤企業価値の創出に繋がる IT 投資プロセス，⑥適切に管理された IT リスク，などが重要であるとされている (図表3-2)。

図表 3-2　IT ガバナンスに関する考え方や着眼点

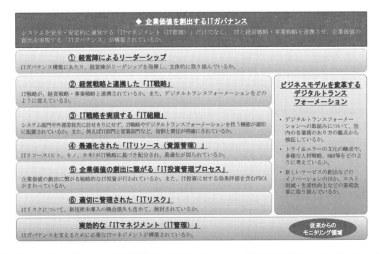

(出所) 金融庁 (2019)『金融機関の IT ガバナンスに関する対話のための論点・プラクティスの整理 (案)』p.5。

これらの着眼点のうち，今回のテーマである人材育成に関するものとしては，③ IT 戦略を実現する IT 組織であろう。資料に付随している金融庁の解説を読むと，この組織では①ユーザー部門とシステム部門間のコミュニケーション活発化，②シナジーを生み出すような全社横断的な組織体制，③新しいことに挑戦し失敗も許容され，場合によっては先端人材を柔軟に採用する等新たな企業

カルチャーを醸成すること，などが強く求められていることがわかる。ここに，金融庁がこれからの金融機関に求めている新たな組織や人材育成のあり方について概要を知ることができる。

4.　金融機関における IT 人材育成の実態

　次に，金融機関の人材育成はどのようになっているのか見てみたい。FISC のアンケート調査結果[2]では，IT への全般的な取組みとして，「IT ガバナンス」，「IT リスク管理」，「IT 戦略（デジタルビジネス戦略）」，「IT 人材の確保・育成」の 4 つの分野を定義している。そのうち「IT 人材の確保・育成」分野が 10 ポイント中 2.4 ポイントと極端に遅れているのが見て取れる（図表3-3）。

図表 3-3　IT への全体的な取組み状況

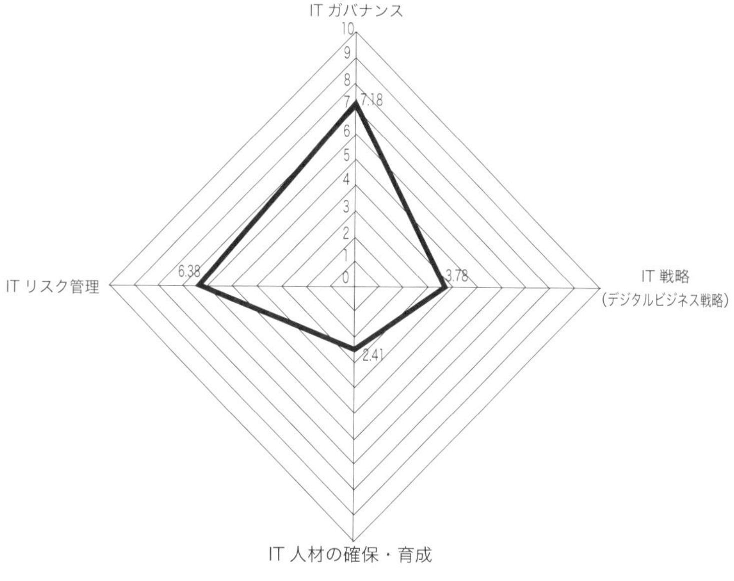

（出所）FISC（2018）『金融情報システム　平成 30 年度金融機関アンケート調査結果』。

　IT 人材の確保・育成を個別に見たアンケート結果では，金融機関は主に資格取得の奨励制度設置や中長期計画の策定，人材の採用制度の運用 という実務的な支援が主で，それ以外の細かな人材育成施策まで手が回らない実態が見えてくる（図表 3-4）。

図表 3-4　IT 人材の確保・育成

（出所）FISC（2018）『金融情報システム　平成 30 年度金融機関アンケート調査結果』。

　そして金融機関では，効率化や経費節減，外部スキルの導入の見地から，90 パーセント以上の金融機関がアウトソーシング（外部委託）を実施している[3]。金融機関のアウトソーシングについてどのような課題があるのか問うたアンケートの中では特に「委託先の業務を理解し，管理できる人材の確保」は多く回答があり，重要な課題であることがわかる（図表 3-5）。

　以上のことから，金融機関の IT 人材育成の見地においては，一部の金融機関（メガバンク等）を除き実効性のある IT 人材育成について苦慮しつつも，あまり成果があげられていない現状が垣間見えると言える。

図表3-5　外部委託に係る課題

（出所）FISC（2018）『金融情報システム　平成30年度金融機関アンケート調査結果』。

5.　IT人材手引書

　FISCでは金融機関のIT人材育成問題に関し，「金融機関等におけるIT人材の確保・育成計画の策定のための手引書」（以下IT人材手引書と称する）を発表している[(4)]。この手引書の中核となる第3編ではIT人材の確保・育成に向けた計画策定について図表3-6のように解説している。

　第1工程では，現状および中長期的なIT業務についてシステム開発，システム運用だけでなく，関連部門におけるIT業務を含め「全体的に漏れがないように」洗い出す必要があるとしている。しかるに，現在の状況等を考えると，この洗い出しは至難の業と想定でき，特に金融機関における「中長期的な」IT業務を想定し洗い出すなどいささか無理があるのではないと思われる。クラウドやFinTech等の先進的なITのイノベーションに加え，付随するリスク管理やセキュリティ対策など，今後発生しうるIT業務は予測不可能であり，計画的に洗い出し人材を確保するなど至難の業ではないのだろうか。そして，この重要な作業を実施する部署は，「経営層から指示を受けた実務部門」とだけあるが詳細は記されておらず，一番重要なその実務部門の要員に必要とされる経

図表 3-6　IT の人材確保・育成計画策定の流れ

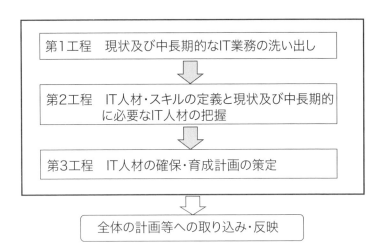

第1工程　現状及び中長期的なIT業務の洗い出し

第2工程　IT人材・スキルの定義と現状及び中長期的
　　　　　に必要なIT人材の把握

第3工程　IT人材の確保・育成計画の策定

全体の計画等への取り込み・反映

(出所) FISC（2018)『金融機関等における IT 人材の確保・育成のための手引書』p.15。

験や技量についても触れられていない。

　次工程の第2工程でも，IT 業務について必要な人材の定義を，洗い出され
た IT 業務1つ1つについて実施しなければならない。おおよその目安として，
IPA の資料（IT 業務においておおよそ必要な能力を網羅したもの）[5] が使えるが，
中長期的または戦略的な IT 業務について必要な人材の定義は独自に考慮が必
要である上，このディクショナリはあくまでも一般的な定義に過ぎないため，
その金融機関の地域特性やリスク特性などももちろん考慮されていない。

　従ってこの手引書の第1工程と第2工程のプロセスについては，実現が極
めて困難であると考えられる。仮にこのプロセスで実効性のある IT 人材育成
計画を立案しているという金融機関が存在するのであれば，具体的にその金融
機関のモデルを紹介する等の配慮が必要となるだろう。前述の FISC の事例集
等で提示されている取組み事例では，金融機関の自由開示部分しか提供されな
い点と，その事例ははたして人材育成において有効であったのか客観的な評価
がされていない点も指摘できよう。このことから，残念ながら現状では IT 人

材育成に関して各金融機関のベストプラクティスについて詳細な分析がなされ，その成果を多くの金融機関が共有できる状況とはなっていない。

6.　新しい IT 人材育成の考え方

　金融機関の IT 人材育成を考えるに際し，IPA（独立行政法人情報処理推進 IPA:Information-technology Promotion Agency, Japan）の人材に対する考え方を見ていきたい。前述の FISC が IT 人材手引書で提唱しているレガシーな人材育環境では，DX 時代を担う人材が出現しない状況が生じるのではないかという疑念に，IPA では，IT 人材の育成に関して大きなヒントを提示している。IPA では，IT 人材の育成に関して次のように述べている[6]。

図表 3-7　デジタルトランスフォーメーションにおける経営者とリーダーの役割

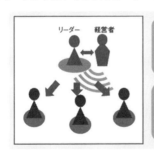

（出所）IPA（2017）『IT 人材白書 2017』p.7。

　この白書で IPA では，IT 人材育成について，まず組織のデジタル化，グローバル化を推進する新たなリーダーを育成する必要があるとの考え方を示している（図表 3-7）。そして育成される（複数の）リーダーは，①デジタル化を進めるための具体的施策の決定②デジタル関連の新事業実施③経営への提言 を実施していく。DX 時代では，金融機関においても（他の業態でも）経営者が高度な判断を求められる局面（セキュリティインシデントの対応，戦略的 IT 投資の実施など）において，経営者とリスクコミュニケーションが可能な人材がいなければ経営者が最終判断に至らないであろう。この事からこれらのリーダーには①

担当部門において先端の技術知識を持っている，②金融機関の業務について深い知識，経験を持っている，③金融機関の人脈に精通している，④経営判断に必要な情報を全て持っており，経営判断に際しそれらの情報を必要な時に分かりやすく提供できる，などのスキルが必要となると考えられる。経営者はこのような金融リーダーが行動しやすくするため，図表3-8にあるように①新しい事に挑戦でき，ある程度失敗も許される，②必要な情報や人材が得られ，経験も積むことができる 環境を用意することが重要だろう。

　以上がIPAの提唱しているDX時代の経営者およびリーダーの関係であるが，この内容は多くの示唆に富んでいる。通俗的な言葉で表すと，金融機関が現在行っているレガシーな人材育成から，オタクやインフルエンサーを養成する人材育成への転換こそが，真に経営者とリスクコミュニケーションを行える組織を作り，DX時代を担う金融機関の要員を育成することができるのではないかという事である。

図表 3-8　デジタル化を推進するリーダー

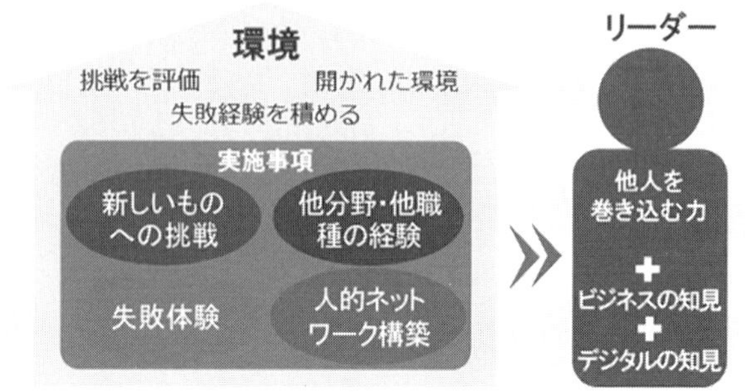

（出所）IPA（2017）『IT人材白書2017』p.10。

7.　DX時代のIT人材手引書

　これまでの点を整理すると，デジタライゼーションを目指す次世代金融機関の人材育成について，FISCの考え方を踏襲した工程は，図表3-9のような流れが適切と考える。

図表 3-9　デジタライゼーション志向の人材育成

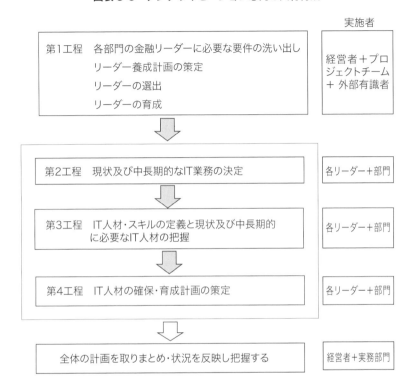

（出所）筆者作成。

　このデジタライゼーションを志向した金融機関のIT人材育成では，主要なリーダーを育成し，各部門に配属。各部門ではリーダーが中心となり業務の改廃，新業務の導入等を実施し最終的なIT業務を決定していく。その後のプロセスはIT人材手引書に近い流れである。

　リーダーの育成に関しては，経営者の意向が反映され，経営者と深くコミュニケーションできることが最も重要であるが，必要であれば外部の人材エキスパートの協力を得て育成することも可能だと考えられる。

　最後に，どのようなIT人材育成計画を採るにせよ，経営者の深い関与と責

任が伴う最重要案件であることを忘れてはならない。

8. 結　び

　近年の状況として，令和2年初頭より全世界では新型コロナウイルス感染症蔓延の脅威に晒されている。急速に拡大しつつあるコロナウイルス感染症に関し，さまざまな分野でこれまでに想定しえなかった状況が発生しつつある。思いつくまま列挙すると，①マスク，消毒液等に代表される品不足の爆発的な発生，②SNS等でのデマ・不正情報の流布，③医療崩壊，④世界的な経済の停滞，⑤交通網，流通網の遮断，地域の孤立化，⑥格差の発生（国，地域間，人種等），⑦社会インフラの崩壊，⑧人的コミュニケーションの遮断，などが考えられる。これらの事象が現在に至るまで，全世界で断続的かつ長期的に発生している状況は考慮すべきである。特にマスク・消毒液などの品不足の発生では，SNS等を通じて不正確な情報やデマが拡散されることにより，社会不安が発生し多く在庫がある商品までもが瞬時に買い占められ市場から姿を消した。このような状況を眼前にし，今組織の中で求められるのは，経営者のリーダーシップもさることながら，各部署でリーダーが状況を把握し，的確な判断を行う能力ではないかと考える。さきのDX時代の人材育成に更に言を加えるとすれば，リーダーの資質の中に正確な判断力と，さまざまな事象を前にして恐れない勇気，そしてどんな環境にあっても温かさを忘れない心の広さが求められるのではないかと思う。このような人材を育成するには何が必要なのか。これまで記してきたDX時代の人材育成以前に，DX時代の教育の重要性について指摘することができる。

【引用文献】

(1) 金融庁（2019），『金融機関のITガバナンスに関する対話のための論点・プラクティスの整理（案）』金融庁。
(2) FISC（2018），『金融情報システム　平成30年度金融機関アンケート調査結果』FISC。なお，この調査結果は資料編データCDが提供されており，論文中の図表3-3〜5はこのデータを使用して筆者が作成したものである。
(3) FISC（2018），『金融情報システム　平成30年度金融機関アンケート調査結果』

　FISC 資料編データ CD 5.1.1.1 によると，外部委託の実施状況 勘定系基幹システム
では 429 の有効回答のうち 397（92.5％）で外部委託を実施中と回答している。

(4) FISC（2018），『金融機関等における IT 人材の確保・育成のための手引書』FISC。

(5) IPA（2017），「i コンピテンシディクショナリ 2017」IPA。

(6) IPA（2017），『IT 人材白書 2017 デジタル大変革時代, 本番へ』IPA IT 人材育成本部。

【参考文献】

[1] IPA（2018），『IT 人材白書 2018 Society5.0 の主役たれ』IPA。

[2] FISC（2018），『金融機関等における IT 人材の確保・育成施策の取組み事例（参
　　考事例集 1 ）』FISC。

[3] FISC（2019），『金融機関等における IT 人材の確保・育成施策の取組み事例（参
　　考事例集 2）』FISC。

[4] FISC（2018），『金融機関等における IT 人材の確保・育成施策の取組み事例(サイバー
　　セキュリティ人材　参考事例集 1)』FISC。

[5] FISC（2019），『金融機関等における IT 人材の確保・育成施策の取組み事例(サイバー
　　セキュリティ人材　参考事例集 2)』FISC。

[6] FISC（2018），『平成 30 年度版　金融情報システム白書』財経詳報社。

（市川千尋）

第4章 「益田市文化財保存活用地域計画」政策の導入
——観光拠点づくりをめぐって——

【要旨】

　「文化財保存活用地域計画」が法律上位置づけられたのは，2018年6月に改正された文化財保護法によってであった。2019-2021年度に47件の「文化財保存活用地域計画」が採択された。その第1号が本章のテーマである「益田市文化財保存活用地域計画」であった。

　本章は2つの部分より構成される。本章ではその前半で，①「文化財保存活用地域計画」の取組みの経緯と状況，及び②観光拠点づくりに関する工夫や特色を整理した。

【キーワード】：益田市，文化財保存活用地域計画，観光拠点づくり

1. はじめに

　近年，日本は少子化とともに地域の過疎化が急激に進んでいる。労働力人口の減少と高齢化，市場規模縮小などの結果，地域社会の活力低下や経済のマイナス成長が問題となっている。こうした状況を踏まえ，政府は，2016年3月に「明日の日本を支える観光ビジョン」（明日の日本を支える観光ビジョン構想会議）を策定し，「文化財の観光資源」を政策の一つに定めた。また，2018年6月に改正施行された文化財保護法によって「文化財保存活用地域計画」を法律上位置づけた。この計画については，2019年度に6件，2020年度に17件，

2021 年度に 24 件，計 47 件が採択された⁽¹⁾。本研究の対象である「益田市文化財保存活用地域計画」（以下，益田計画）は初年度に採択され，「文化庁長官から全国第 1 号の認定を受け」た⁽²⁾。

　本章は，「文化財保存活用地域計画」への取組み状況を手掛かりに，益田市が観光拠点づくりの取組みをどう展開させてきたかについて明らかにし，益田市の取組みと課題を踏まえ，観光拠点づくりとその制度のあり方を検討する。益田市だけでなく多くの自治体にとって，まちづくりといった観点から，地域の独自資源の見直しと有効活用を含めた地域の活性化への取組みが求められている。地方支援の政策方向と具体的な推進状況およびその課題を検討することは，他の自治体の在り方を考える上でも，一つの有力な材料となりうる。

　さて，先行研究について述べよう。益田市を対象としたものとしては，文化財保存に関する遺跡・遺構の調査や保存⁽³⁾，市民との協働による景観まちづくりの取組み⁽⁴⁾に関する研究がなされており，また，歴史遺産を生かす取組みやまちづくりを踏まえた検討⁽⁵⁾もなされているが，「文化財保護活用地域計画」に着目したものはない。一方，「文化財保存活用地域計画」に関するものとしては，政策全般紹介したもの⁽⁶⁾や「王寺町文化財保存活用地域計画」⁽⁷⁾に関する事例研究があったが，いずれも益田市に焦点を当てるものではない。全国第 1 号である益田計画に関する研究は現段階では皆無である。

　研究の方法は，益田計画の策定背景や状況，および観光拠点づくりをめぐる独自の取組みの内容に関する資料調査，展開経緯を総合的に把握するためのアンケート調査，取組みの工夫や施策間の関係等を具体的に把握するためのヒアリング調査を行う。

　本章は 2 つの部分より構成する。本章はその前半で，資料調査を通して，①益田計画の取組みの経緯と状況，②観光拠点づくりに関する工夫や特色を整理する。後半は次稿となるが，アンケート調査とヒアリング調査により益田計画における観光拠点づくりの現状と課題を分析する。

2.　益田計画の導入

(1)「文化財保存活用地域計画」の概要

　2019 年 3 月,「文化財保護法に基づく文化財保存活用大綱・文化財保存活用地域計画・保存活用計画の策定等に関する指針」が公表された。指針の冒頭で「過疎化・少子高齢化等の社会状況の変化を背景に各地域の貴重な文化財の滅失・散逸等の防止が緊急の課題となる中, 従来価値付けが明確でなかった未指定を含めた有形・無形の文化財をまちづくりに生かしつつ, 文化財継承の担い手を確保し, 地域社会総がかりで取り組んでいくことのできる体制づくりを整備することが必要となっている」と述べた。こうした指針の下,「文化財保存活用地域計画」は「各市町村において取り組んでいく目標や取組の具体的な内容を記載した, 当該市町村における文化財の保存・活用に関する基本的なアクション・プラン」と定められた[8]。

　つまり,「文化財保存活用地域計画」は, 地域に存在する文化財を, 指定・未指定にかかわらず幅広く捉えて的確に把握し, 文化財をその周辺環境まで含めて, 総合的に保存・活用するためのものであり, 各市町村が目指す目標や中長期的に取り組む具体的な内容を記載したものでもある。

(2) 益田市の現状と課題

　益田市は島根県の東西端部に位置している。日本海に面しており, 韓国や中国に近く, 地政学的に東アジアの交差点と見られる。有形文化財, 無形文化財, 民俗文化財, 記念物, 伝統的景観, 伝統的建造物群という文化財保護法に規定されている 6 種類の文化財を有しており, 埋蔵文化財, 文化財の保存技術, 方言や歴史的な地名, 食文化など多様な文化財を取り巻く周辺環境も備えている。また, 市域には萩・石見空港があるが, 2017 年の入込観光客数は 961,464 人で, 県全体の 3.0% と振るわなかった[9]。

　国勢調査を一瞥すると, 1990 年以後の益田市の人口は減少傾向にあり,

2021年3月までの人口は45,265人で，20年前と比べると17.1％の減となっている。「ここ数年，年間約300人の自然減が続いて」いる[10]。「公共事業の減少等にともなう地域経済の低迷や雇用情勢の悪化により，今後加速度的に人口減少が進み地域が衰退していくのではないかという不安のなか，市民生活の経済基盤を支える産業の振興や雇用の創出が求められて」[11]いる。

　この要請に答えるため同市は地域経済政策体系の再構築を図った。2014年度「人口拡大計画」と「益田市景観計画」，2015年度「まち・ひと・しごと創生 益田市総合戦略」と「益田市の未来を担うひとづくり計画」，2016年度「益田市観光振興・MICE誘致計画」と「益田市ひとづくり協働構想」，2018年度の「益田市歴史文化基本構想」等地域経済政策が次々と実施された。これらを踏まえ2019年度に益田計画を策定した。

(3) 観光の特徴

　益田市のサイトをみると，観光拠点の形成に力を入れていることが分かる。2016年は，1月に「萩・石見空港マラソン全国大会キャラクター『空runちゃん』の特別住民票について」，「オロチくんに『特別住民票』を交付，益田市民の一員に！！」，「ますだの味覚」，「益田までのアクセス」，5月に「周遊バスルート『雪舟・人麿ライン』」，「Masuda City Guide Book」，6月に「益田市観光振興・Mice誘致計画」を発信した。また，関係機関での連携としては，5月に「島根観光ナビ」，「『なつかしの国　石見』−島根県西部公式観光サイト」，「島根県芸術文化センター『グラントワ』」，「島根県立万葉公園」，8月に「萩・石見空港ウェブサイト」，11月に「歴食JAPAN」などさまざなチャネルや媒体，Web，ゆるキャラ等をフル活用し地域おこしをしている。50頁にわたる「益田市観光振興・Mice誘致計画」は市が置かれている現状やSWOT分析，タスク毎の明確なスケジュール，アクションプランが網羅されている。このような積極性が「文化庁長官から全国第1号の認定を受けた」理由の1つとして考えられる。

　益田計画における観光の基本施策は，こだわりの益田ブランドの推進と観光・

交流の促進である。前者に関する具体的な施策として，市内外のアクセスを確保する道路網の整備，魅力ある市街地の形成，ブロードバンド環境の整備などによる地域情報化の推進が取り上げられている。後者に関しては，地域特性を活かした観光開発，地域の観光資源のネットワークづくり，自然や農山村の良さを活かした体験型観光・滞在型交流の推進，国内交流・国際交流の推進が施策として定めている。ここでは SWOT 分析を使ってその特徴を纏めると次の表のようになる。

図表 4-1　SWOT 分析からみる益田市の観光の特徴

S：強さ（経営資源上、競合より優れている）	W：弱さ（経営資源上、競合より劣っている）
■認知度・興味度が高い観光資源 ・石見神楽，柿本人麿，メロン，鴨島はまぐり，高津川の鮎，ゆず，田吾作，荒磯温泉，モンサンミッシェル，宮ケ島と匹須神社，匹見峡，雪舟庭園，水仙の里，グラントワ ■特色がある経験事業 ・「歴食」を主とする多数の事業 ■個性がある地域団体 ・歴史を活かすための優れた組織	■益田市に来訪しない要因の分析 ・域内の観光構造は統一性を欠き，魅力が不十分 ・観光における交通手段の欠如 ■興味コンテンツの分析 ・興味度は高いが，来訪キッカケとなる程の強さを持った素材が荒磯温泉荒磯館のみにとどまる ■持続可能な開発目標の分析 ・文化遺産の修理技術の断絶と伝統行事の担い手不足
O：機会（活用すれば業績拡大する外部環境）	T：脅威（放置すると業績が悪化する外部環境）
■近隣自治体との協働 ・山陰観光の目的第 2 位の津和野町との協働 ■中国や韓国に近い ・海外観光客の誘致	■魅力的な宿泊施設の不足 ■単なる通過点としての役割になる可能性がある ■近隣エリアで目的となる強い観光地 ・出雲大社，津和野城下町，玉造温泉，松江城，萩の町並み

（出所）本図表は 2016 年「益田市観光振興・MICE 誘致計画」に掲載されている
　　　SWOT 分析と，2019 年度益田計画の内容に基づき筆者が作成したものである。

　とりわけ「歴史を活かすための優れた組織」が注目に値する。例えば「一般社団法人益田市観光協会では，地域の稼ぐ力を最大限に引き出すため，民間事業者を中心とした観光地域づくりに取り組んで」おり，SDGs の視座から「観光による持続可能な地域づくりの実現のため」，民間有志の団体と協働している。また，2018 年 11 月には，益田の飲食店街と県立芸術文化センターがコラボし，「中世益田を感じられる一品料理 × 島根県立石見美術館コレクション展『中世の益田氏』」に取り組んだ。2019 年 2 月に行われた「第 2 回歴食JAPAN サミット in 益田」では，「食から活かすふるさとの歴史〜生業，そして誇りへ〜」と題して事例発表を行った。

3. 益田計画における観光拠点づくりの特色 [(12)]

(1)「『境界』の地」と「『過疎』発祥の地」という独自な発想

　観光拠点づくりに関しては，益田市は独自資源の見直しと有効活用に力を入れている。「『境界』の地」と「『過疎』発祥の地」という概念を持ち出したのは，その好例である。「『境界』の地」は地政学的によるものである。いつの時代も「中央」から遠く離れているものの，政治的には幾度となく重要な地域となっており，古墳時代の豪族や中世の益田氏のような領主が活躍した。隣国に近く「日本海交易の最前線」として海上シルクロード交易を積極的に推し進めてきた。それを支えたのは「いつの時代も重要な交易品である山林資源と鉱物」，「鮎やワサビなど」「豊かな山と川の恵み」であった。交易がもたらした富が「中世益田氏と雪舟」の交流を生み，この地における室町文化の開花を支えた。しかし，近代以降における日本海交易の低調に伴い，「境界」の地であることの不便さが際立ち，人口減少と過疎化の問題は他の町より早く露呈し，「『過疎』発祥の地」というもう一つの特色が現れた。

(2) 6つの区域の設定

　「益田市文化財保存活用地域計画」は「ふるさとへの愛着と誇り」を掲げて，「歴史文化を掘り起こし，価値と魅力を知り，共有する」，「歴史文化を守り，次の世代に伝える」，「歴史文化を活かし，さらに輝かせる」という「3つの基本方針」を示している。この方針に従い，原始から現代にいたる豊かな歴史文化を生かし，「中世益田歴史文化保存活用区域」，「柿本神社歴史文化保存活用区域」，「鉱山とまち並み歴史文化保存活用区域」，「縄文遺跡群歴史文化保存活用区域」，「高津川及び匹見川の文化的景観歴史文化保存活用区域」，「旧山陰道歴史文化保存活用区域」という6つの区域を設けた。特に益田中部地域にある「中世益田歴史文化保存活用区域」が6種類の文化財をすべて有しており，「益田氏の政治・文化・経済」を「中心テーマ」とする「中世の益田」という特色を有している。

（3）5つのキーワードによる周遊ルートの整備

　益田市は「『境界』の地」、「中世益田氏と雪舟」、「日本海交易の最前線」、「豊かな山と川の恵み」、「『過疎』発祥の地」という「5つのキーワード」を用いて「市内の周遊ルート」と「広域の周遊ルート」の整備に力を注いだ。その財源は「観光庁補助金，文化財補助金，一般財源」によって賄われた。

　「市内の周遊ルートの整備」は「単体ではなく，複数の観光拠点を，物語性を持たせてつなぎ，売り出そうとするもの」で，「観光客の益田での滞在時間が延長され，観光消費額も増えるという効果が期待」される。「歴史文化基本構想と文化財保存活用地域計画（2019年-2028年）」で「設定した12の関連文化財群や6つの歴史文化保存活用区域」を「歴史文化を共通するテーマや地域でくくり」，「観光コースに発展させること」が目指されている。例えば，雪舟について，彼を招いたとされる益田氏と関連づけながら観光コースが作られた。

　「広域の周遊ルートの整備」は「市外・県外の著名な歴史観光地と益田市内の歴史観光地を，歴史的に共通するテーマで結び，周遊してもらうというもの」で，「益田市の観光地としての知名度の低さをカバーし，なおかつ，萩・石見空港や山陰本線・山口線，バス路線といった公共交通網の利用促進につながるという効果も期待」される。「近隣の浜田市・津和野町，山口県山口市や萩市などの周遊や，さらには大田市や県東部や広島県との広域連携を進め」，「特に中世の時代については，安来市・大田市や津和野町，さらに山口市，広島県では毛利氏に関わる北広島町・安芸高田市・三原市・竹原市などとの広域連携が期待」できる。ルートとして，「古代から幕末歴史周遊ルート：古代出雲―中世益田―近世津和野―幕末萩」，「雪舟ゆかりの地を巡る：宝福寺（岡山県総社市）―毛利邸（山口県防府市）―常栄寺（山口県山口市）―万福寺・医光寺（島根県・益田市）」，「鉱山の歴史：石見銀山（島根県大田市）―都茂鉱山（島根県益田市）―久喜・大林銀山（島根県邑南町）―堀庭園（島根県津和野町）」などがある。

　固有の観光資源に新たな考え方を取り入れて，新しい価値を生み出す益田市の「観光拠点づくり」は，町おこしの原動力となる。まさに観光分野のイノベーションであると言えよう。

4. 結 び

急激な少子高齢化や地域過疎化に伴う地域経済の低迷や衰退の打開策として，益田市は積極的に地域経済政策体系を再構築した。その中で観光拠点づくりによる新たなまちづくりの方向性を示した。

本章は益田計画政策の導入および観光拠点づくりに関する調査研究成果の一部である。資料調査を通して，「文化財保存活用地域計画」の取組みの経緯と状況，観光拠点づくりに関する工夫や特色を整理した。また，SWOT 分析を用いて観光面に関する特徴を纏めた。

市はマイナスをプラスに変える逆転の発想で，「『過疎』発祥の地」を政策の特色として取り上げるという，希望に満ちた政策も含んでいる。また，民間有志の団体と協働し，SDGs の活動を見せる化する努力をし，そのノウハウを模索・蓄積している。文化財資源や市内の状況に基づき，実態として多様な連携方法がとられていることが窺えた。

益田計画の推進体制や実施上の課題，景観計画と文化財保存計画の関係，無指定文化財の保存活用，観光拠点づくり重点区域における土地利用規制等を，アンケート調査とヒアリング調査を通して次稿で解明する。

【引用文献】
(1) 文化庁 (2021)，「『文化財保存活用地域計画』認定市町村一覧（令和 3 年 7 月 16 日現在）」。
(2) 益田市 (2020)，「益田市歴史文化基本構想・益田市文化財保存活用地域計画　概要版」，p.1。
(3) 松岡紘一 (2000)，「国道 191 号沿線資源調査 美都町・匹見町・益田市—『中国ロマンチック街道』の創設を目指して」（地域研究調査報告書 (7), pp.31-61)，井上寛司 (1991)，「益田市三宅御土居跡の保存をめぐる現状と問題点 (動向・文化財保護)」（地方史研究 41(1), pp.89-95)，桜井敏雄・吉信都夫・大草一憲 (1973)，「浄土宗寺院本堂について (Ⅰ) (Ⅱ) (Ⅲ)：萩市及び益田市の遺構 (計画)」，（日本建築学会中国支部研究報告集 (1), pp.93-96, pp.97-100, pp.101-104)。
(4) 小笠原郷太・中尾謙太・梶本希・OUE Tatuya・脇田祥尚 (2012)，「地域住民参

加型の景観形成手法の考察と提案：島根県益田市を対象として (都市計画)」(日本建築学会近畿支部研究報告集 . 計画系 (52)，pp.653-656)，山田美波・大上達也・上段貴浩・村田優・中尾謙太・梶本希・脇田祥尚 (2011)，「自治体・大学・市民の協働による景観まちづくり活動実態：島根県益田市を事例として (都市計画)」(日本建築学会近畿支部研究報告集 . 計画系 (51),pp.645-648)，牛尾郁夫 (2005)，「わが市を語る 益田市 (島根県) 歴史・芸術文化・観光のまちづくり」(市政 54(11)，pp.113-116)。

(5) 古川隼 (2008)，「益田市歴史を活かしたまちづくりについて―都市計画道路沖田七尾線整備事業 (特集 第 60 回都市計画全国大会 島根県)―(歴史・文化的資源を活かしたまちづくり)」(新都市 62(11)，pp.197-202)，米本潔・YONEMOTO Kiyoshi (2018)，「名勝旧堀氏庭園の整備と活用にみる文化財の観光資源としての活用について」(平成 29 年度遺跡整備・活用研究集会 " 史跡等を活かした地域づくり・観光振興 " に関する報告書，pp.49-58)，藤岡麻理子・中西正彦 (2020)「市町村における歴史まちづくりの取組み状況と展開要件に関する研究」(都市計画論文集 55(3)，pp.1409-1416)。

(6) 岡本公秀 (2019)，「文化財保存活用地域計画等文化財保存活用地域計画とまちづくり (特集 文化財を活かしたまちづくりの歩み)」(月刊文化財 (674)，pp.37-43)，岡本公秀 (2019)，「遺跡学フォーラム 行政情報「文化財保存活用地域計画」の概要について」(遺跡学研究：日本遺跡学会誌 (16)，pp.107-112)。

(7) 岡島永昌 (2021)，「『王寺町文化財保存活用地域計画』を作成してみて (特集 文化財保護法改定：その後)―(各地から)」，明日への文化財 (84)，pp.56-59。

(8) 文化庁 (2019)，「文化財保護法に基づく 文化財保存活用大綱・文化財保存活用地域計画・保存活用計画の策定等に関する指針」，p.1，p.4。

(9) 益田市 (2019)，『益田市文化財保存活用地域計画』，p.31。

(10) 益田市 (2016),「平成 26 年度地域少子化対策強化事業『夢広がるライフプラン』を実施しました」。

(11) 益田市 (2017),「益田市産業振興ビジョン～地域の自然，文化を大切にしながら，自立した地域経済を確立～」。

(12) 益田市 (2019),『益田市文化財保存活用地域計画』，p.82，p.133，pp.164-165，p.167。

（韓佳宏・経志江）

第5章　沖縄の反CTS闘争と自立経済志向の挫折

【要旨】

　1968年11月10日の琉球政府行政主席公選で当選した屋良朝苗は，沖縄を基地依存経済から脱却し，自立経済へ移行させることを目指して，「長期経済開発計画」を策定した。基地に依存する以外に基幹産業の無い沖縄で，雇用を生み出す産業の誘致は喫緊の課題であった。その実現に向けて東奔西走していた。

　1972年5月15日の本土復帰における初代沖縄県知事選挙にも当選した屋良は，沖縄開発庁が策定した「第一次沖縄振興開発計画」に基づいて，金武湾に臨海工業地帯を造成することを計画し，石油関連企業の誘致を進めた。それと同時に，環境保全にも取り組むことで，沖縄住民の暮らしを向上させようとした。しかし，沖縄の自立経済志向は，石油備蓄基地（CTS）からの流出した原油による海洋汚染が問題化し，沖縄住民の反発を招いた。本土復帰後，屋良が目指した企業誘致による沖縄県の自律経済政策はCTS問題で挫折し，それが原因で沖縄県知事の職を辞することになった。

【キーワード】：自立経済，長期経済開発計画，金武湾，沖教組の青年部と
　　　　　　　　 婦人部

1.　はじめに

　基地に依存する以外に基幹産業の無い沖縄では，多大な雇用を生み出す産業がないため，貧困に喘ぐ沖縄住民の雇用対策は喫緊の課題であった。そうした中で，琉球政府行政主席公選が1968年11月10日に実施され，革新統一候

補の屋良朝苗が保守の西銘順治を破って当選した。その時の選挙公約が基地の
ない平和な沖縄を取り戻すことであったために，1972年5月15日に本土復
帰を迎えるまでの4年間は，基地依存経済から脱却し自立経済へ移行するこ
とを目指して政府機関や企業との交渉で東奔西走した。1970年9月に自立経
済への移行と本土との経済格差是正を目指して，屋良行政主席を中心とした琉
球政府は，自立経済への移行を目指して「長期経済開発計画」を策定した。そ
の中の重点産業として，重化学工業の開発や観光開発などを取り上げている[1]。

　1972年の本土復帰に伴う初代沖縄県知事選挙にも，屋良は革新統一候補と
して行政主席に引き続き当選した。政府も復帰の初年度に沖縄振興開発特別措
置法を成立させて，総理府の外局として沖縄開発庁を設置した。

　沖縄開発庁は，まず，復帰後10年間の「第一次沖縄振興開発計画」を策定
した。同計画は，「本土と沖縄の経済格差を是正し，自立的発展を可能とする
基礎条件を整備し，沖縄が我が国の経済社会の中で望ましい位置を占めるよう
につとめること」[2] を目指している。その内容が，「拠点開発方式，すなわち
石油コンビナートや原子力発電所などの装置産業を起爆剤とした地域開発と観
光開発を進めるものである」[3] としていることから，「第一次沖縄振興開発計画」
は，屋良行政主席時代の1970年9月に琉球政府が策定した「長期経済開発計
画」の基本構想と共通している。

　そうした第一次沖縄振興開発計画の流れに沿って，金武湾・中城湾の大規模
埋立てと石油関連企業の誘致が行われた。当時，高度経済成長に陰りが出てい
たにもかかわらず，石油は重化学工業等の基盤であるとして，まず石油備蓄基
地（CTS：Central Terminal Station）を建設し，石油化学コンビナートとして発
展させようとした。石油関連企業の誘致には，沖縄県民の「雇用対策」という
避けて通れない側面があったことを付記しておく。

　本章では，石油関連企業の一端が金武湾に誘致される過程での屋良知事の政
策の策定を通じて，軍事基地の全面撤去と，そこで解雇された人々の再雇用を
掲げた革新系の屋良知事が目指した自立経済志向がなぜ挫折したのかについて
考察する。

2.　石油備蓄基地（CTS）建設計画の紆余曲折

(1)　沖縄に CTS が誘致されるまで

　米国のガルフ・オイル社（Gulf Oil Corporation）は沖縄へ進出するため，1966 年 10 月までに金武湾周辺地域を CTS の建設候補地として絞り込んだ[4]。当初の計画では，宮城島に CTS，伊計島に製油所を建設する予定であった[5]。ガルフ社の宮城島進出が周知されると，島内反対派は 1967 年 3 月 16 日に「宮城島の土地を守る会」を，賛成派は同年 3 月 24 日に「工場誘致促進委員会」をそれぞれ結成した[6]。そもそも島内の賛成派は反対派よりも多数であったが，反対派が所有する土地が建設予定地の半分以上を占め，さらに賛成派と反対派の所有地が点在し，用地取得が困難となった[7]。その上，再三にわたる反対派への説得にも誘致の支持が得られず，結局宮城島での CTS 計画は挫折した[8]。伊計島では誘致に概ね賛成であったが，宮城島の CTS 計画が反対運動により挫折したことで，伊計島の製油所建設計画も白紙に戻った[9]。

　つぎに，ガルフ社は，CTS の建設候補地を平安座島へ変更して，誘致の再検討を進めることとした。1967 年 10 月 31 日に平安座の玉栄徳市区長とガルフ社が覚書を取り交わし，1968 年 5 月 17 日にガルフ社が平安座島への CTS 進出を最終決定し，同日に平安座島の住民大会で誘致賛成を表明した[10]。ガルフ社のラフニィー副社長が現地視察で来島した際，当時の平安座の玉栄区長はラフニィー副社長に約 64 万坪の土地貸与に関する同意書を提出した[11]。平安座島での CTS 建設には，平安座島と沖縄本島を結ぶ海中道路の建設を必須条件とした[12]。その理由は，平安座島の島民が建設工事の請負や CTS 操業後の雇用促進による経済効果に期待を寄せていたからである。

　CTS の起工式は 1968 年 12 月 8 日に行われ，約 1 ヶ月後の 1969 年 1 月に着工された[13]。ガルフ社は 1970 年 1 月に「ガルフ石油精製」を創設し，1972 年 5 月に CTS は完成した。海中道路の建設は，道路コースの選定や事務手続きに時間を取られ，1971 年 5 月 2 日に着工し，同年 6 月 6 日に開通した[14]。

しかし，CTS 建設後の雇用効果は予想をはるかに下回り，島内の耕作地が激減し，農業振興地域の指定は解除された[15]。さらに，海中道路の建設により，島周辺の海域は赤土の流出と潮流の変化などで漁業が深刻な打撃を被った[16]。1971 年 10 月に初の原油流出事故が発生して以来，海洋汚染が深刻化した[17]。

1980 年 6 月に出光興産がガルフ社と三菱化成が有する全持株を買い取り，「沖縄石油精製」を出光興産の完全子会社とした[18]。その後，2009 年に数社が合併して沖縄出光を設立し，現在に至る。沖縄出光はあくまで原油の貯蔵が中心で，沖縄が石油化学製品の大量消費地とはあまりにも遠距離に立地するために，コストの関係から石油化学コンビナートの誘致は断念せざるを得なくなった。従って，第二次産業に多人数の雇用も期待できなくなったのである。

(2) 沖縄の自治体が CTS 誘致に動いた背景

沖縄住民を二分した CTS 誘致計画は，米軍統治下という特殊事情が影響したのかもしれないが，最終的に誘致対象地域の自治体が受入れ表明をする形で決着した。沖縄の自治体自ら CTS を誘致したのは，企業からの税収ではないかとする見方もある[19]。CTS が誘致できれば，固定資産税などの市町村税や地方譲与税が増加する。そうして増加した自主財源を基に，自治体は地域住民への子育て・福祉サービスなどを展開することができるので，地域住民の暮らしは CTS 誘致のメリットとなって向上する。ところが，CTS による恩恵は長続きしなかった。CTS は，石油備蓄タンクの減価償却とともに自治体の固定資産税の減収を招いただけでなく，海洋汚染などの公害をもたらす外部不経済の象徴へと変貌していったのである。

上記のような背景のもとで，沖縄の自治体は CTS の誘致に動いたのであるが，琉球政府における外部不経済性の強い石油関連産業の誘致に至る検討過程は次項で明らかにする。

3.　琉球政府の金武湾開発計画と企業誘致

　屋良朝苗は，軍事基地の撤廃を公約に掲げて，1968 年 11 月 10 日の行政主席公選で当選した。しかし，屋良が行政主席に就任すると，在沖米軍は，基地で働く沖縄住民の解雇を発表した。当時米国は，ベトナム戦争による軍事費の増大で財政赤字に苦しんでいた。それゆえ，在沖米軍は，基地機能を維持しながら人員整理を行った。これに対して，在沖縄軍労働組合（全軍労）は，解雇撤回と離職者対策を要求してストライキを決行した。

　基幹産業の無い沖縄では，多大な雇用を生み出す産業がないために，貧困に喘ぐ沖縄住民の雇用対策は喫緊の課題であった。こうした状況の中で，屋良行政主席が推進したのが石油関連企業の誘致であった。

(1)　金武湾臨海工業地帯の具体的検討

　琉球政府は「長期経済開発計画」に基づいてプロジェクトチームを結成し，金武湾が CTS 候補地に最適な理由とその開発の在り方を検討した。プロジェクトチーム結成の端緒は，金武湾・中城湾への企業進出が活発化し，海洋汚染による公害の発生や環境破壊のリスクが予想されるようになったことである[20]。そこで，琉球政府の金武湾プロジェクトチームは，1971 年 11 月 8 日〜11 月18 日にかけて，望ましい金武湾臨海工業地帯の在り方について討議を行った。討議の概要は以下の通りである。

　①長期経済開発計画に基づいて金武湾が果たす役割としては，農水産業の振
　　　興，既存企業の体質改善，戦略産業の開発，社会開発が挙げられる。
　②貧困化した沖縄住民の雇用創出が急務である。
　③誘致したい業種（公害の問題が少ない労働集約型）の動きは不活発であるが，
　　　石油関連業種の動きは活発である。

　以上のような討議を経て，琉球政府の金武湾プロジェクトチームは「金武湾の考察」をまとめた。この考察に基づいて，琉球政府は進出企業の適切な規制と誘致を行なうための基本計画を策定したのである[21]。

（2）琉球政府が金武湾を CTS 候補地とした理由

　琉球政府の金武湾プロジェクトチームがまとめた「金武湾についての考察」には，金武湾を臨海工業地帯とすべき理由が記されている。それによると，金武湾は立地条件の良さと開発の可能性の大きさなどから鑑みて，沖縄における臨海工業地帯の候補地として優れているとしている[22]。

　また，金武湾開発については「混合開発型の工業主導型」が望ましいとし，雇用および経済への波及効果や環境への配慮，立地業種や配置計画，地域住民が利用するレクリエーションの整備の必要性などを指摘した[23]。さらに，金武湾開発における立地業種や配置計画などの具体案についても，以下のような検討がなされていた[24]。

　立地業種は「望ましい業種」「要措置業種」「その他」に３分類した。そして，配置計画は公害防止対策や環境保全などに注意を払いつつ，業種はできるだけ居住地域から分離して配置するとした。
　①望ましい業種
　積極的に誘致する必要のある業種として，造船業，機械・金属工業，食品工業，雑貨工業，電気炉製鋼などを挙げた。
　②要措置業種
　立地にあたって，公害対策や立地地点などについて措置を講じる必要がある業種として，アルミ精錬業，火力発電所，CTS を挙げた。
　③その他
　今後の公害防止に関する総合事前調査および企業の公害対策などを確認し，支障のない限定業種として，石油精製業，石油コークス，石油化学などを挙げた。

　1971 年 11 月 12 日の第 1 回企業誘致推進本部幹事会では，金武湾 CTS 進出計画と金武湾開発構想が議題に上った。CTS 進出計画の金武湾は，広大な浅瀬で埋め立て可能なリーフがあり，外洋波浪の影響を受けにくい最適地であった[25]。また，金武湾は，長期経済開発計画のなかで臨海工業開発地区の一部として位置づけられており，運輸省（現：国土交通省）産業構造審議会による有力な候補地でもあった[26]。その一方で，CTS は，石油漏出や製油所の排煙による海洋汚染の懸念があった。しかし，琉球政府通産局は，汚染防止技術でほぼ完璧に対応できるとの見解を示した[27]。

　琉球政府は，CTS をはじめとする石油関連工業などを沖縄に誘致することで雇用を最大化しようとした。それと同時に，環境保全にも取り組むことで，沖縄住民の暮らしを向上させようとした。しかし，こうした二律背反の矛盾した経済開発政策は，ガルフ社の度重なる原油流出事故（1971 年 10 月〜 1973 年 6 月）が明るみにでると次第に沖縄住民の反発を招くようになった。

4.　沖縄県教職員組合の CTS 問題への対応

　本土復帰後の 1973 年 7 月，屋良朝苗知事は沖縄県議会で CTS 許容基準を 500 万 kℓ とすると答弁した[28]。同年 9 月に金武湾周辺（金武・具志川・石川・与那城・中城）の住民が「金武湾を守る会」を結成した。そして，「金武湾を守る会」は，「県の CTS 誘致政策が自然と住民生活を破壊するものであり，①埋め立ての即時中止・②石油基地の新増設反対・③石油関連企業の誘致反対」[29] と訴えて反 CTS 闘争を展開していった。こうした動きに呼応して，屋良知事を支える沖縄県教職員組合（沖教組）が反 CTS 闘争に参画した。こうしたことも一因となって，屋良知事は沖縄県知事の職を辞する決断をしたと考えられる。

（1）沖教組の青年部と婦人部の反 CTS 闘争

　沖教組が反 CTS 闘争に参画するまでの経緯を整理しておく[30]。1973 年 9 月 22 日の青年部委員会では，CTS の新増設と埋め立てに反対し，沖縄県がそ

れを認可しないよう要請することを決定した。この決定を受けて，同年 9 月 26 日，青年部委員 8 人が CTS 反対の表明と要請書を県に提出した。提出した要請に対して，沖縄県は従来の方針 ⁽³¹⁾ を繰り返すに留まった。同年 10 月 12 日に婦人部も青年部と同趣旨の要請行動をとった。同年 10 月 18 日の沖教組の青年部と婦人部総決起集会において，CTS 基地化に反対する決議を採択した。その後，沖教組としても「CTS 反対」を確認し，幹部三役が県に「CTS 反対」の要請をした。同年 11 月 17 日に沖教組中頭支部の青年部と婦人部は，「CTS による公害と教育労働者の任務」というテーマで学習討論会を開催した。学習討論会には 300 人が参加して，青年部と婦人部の反 CTS 闘争の方向性と決意を固めた。そして，同年 11 月 30 日に沖教組の青年部長と婦人部長が沖縄県庁を訪問して，CTS 反対決議文を手交した。こうして，沖教組は「金武湾を守る会」が組織した反 CTS 闘争に参画していった。

（2）沖教組の青年部と婦人部の反 CTS 闘争の意義と課題

　沖教組の青年部と婦人部の「CTS 討議資料」には，反 CTS 闘争の意義と課題が以下のように記されている ⁽³²⁾。

- ・青年部と婦人部が中心となって沖教組内で CTS 反対闘争を拡げつつある。
- ・CTS 反対闘争を通じて公害の学習をし，組織の強化が一定程度なされた。
- ・CTS 反対闘争を青年部と婦人部が連帯して組んだ。
- ・一連の取り組みを通じて，金武湾を守る会を中心として闘っている住民運動を励ましている。
- ・まだ沖教組で組織的に学習が行われ，闘いの組織化が行われていない。

　1973 年 9 月に「金武湾を守る会」が反 CTS 闘争を組織した時点で，CTS 建設用地の埋め立てが完了し，タンクの設置工事が始まろうとしていた。沖教組に CTS 建設工事を阻止する手段が見出せないまま，工事が急速に進行していったことと，沖教組が屋良知事を支える立場にあったことなどが，沖教組に

CTS 問題への対応を遅れさせた一因であったと考えられる。しかし,「金武湾を守る会」が反 CTS 闘争を組織した時点で, 沖教組の参画が既に避けられない状況に陥っていたことも自明である。

5.　結　び

　本章は, 沖縄県の自立経済を志向した屋良知事の金武湾における CTS 政策を通して, その政策が挫折した要因を考察した。

　まず, 最後の琉球政府行政主席で本土復帰後の初代沖縄県知事である屋良朝苗は, 貧困に喘ぐ沖縄住民の雇用対策と生活の向上を目指して, 石油関連企業を誘致した。屋良の考えでは誘致した CTS を石油化学コンビナートまで発展させることで, 基地労働に頼らない大きな雇用の創成を思考したのではないだろうか。しかし, こうした屋良知事の政策にもズレが生じてきた。CTS と海中道路の建設により, 島周辺の海域は赤土の流出と潮流の変化などで漁業が深刻な打撃を被った。さらに, CTS の雇用効果は予想をはるかに下回っただけでなく, CTS から流出した原油が海洋汚染を引き起こしたことなどが,「金武湾を守る会」を組織させて, 反 CTS 闘争につながった。

　「金武湾を守る会」による反 CTS 闘争を, 屋良知事が良かれと思ってやったことが裏目に出て, 公害につながっただけなので, それを「未必の故意」として片づけてよいのだろうか。県知事としての屋良の判断の甘さが公害を引き起こしただけでなく, 雇用政策をも誤らせた。これは, 屋良知事が招いた政策判断ミスの一例であり, 法的に罪に問われることはない。しかし, 為政者としては, 鼎の軽重が問われる問題であると言えるだろう。

【引用文献・脚注】
(1) 琉球政府 (1970),「長期経済開発計画」, pp.16-20 (沖縄県公文書館所蔵, 資料コード：G80002574B)。
(2) 内閣府沖縄総合事務局「第一次沖縄振興開発計画」, p.1。
(3) 大野光明 (2016),「『沖縄』を問題化する力学―反公害住民運動のつながりと金武湾闘争―」『社会学評論 (日本社会学会)』, 第 67 号第 4 号, p.417。

(4) 松井健編（2002），『開発と環境の文化学―沖縄地域社会変動の諸契機―』，榕樹書林，p.287。

(5) 同上。

(6) 同上書，p.288。

(7) 同上書，pp.289-290。

(8) 同上書，p.290。

(9) 同上書，p.288。

(10) 同上書，pp.290-291。

(11) 同上書，p.291。

(12) 同上書，p.292。

(13) 同上書，p.293。

(14) 同上書，p.295。

(15) 沖縄大百科事典刊行事務局編(1983)，『沖縄大百科事典(下巻)』，沖縄タイムス社，p.433。

(16) 同上。

(17) 金武湾を守る会（作成年不明），「CTS 埋立絶対反対―住民運動の記録《資料》1973 年 9 月～ 1974 年 6 月（闘いの足跡）」，p.2（読谷村史編集室所蔵）。

(18) 沖縄大百科事典刊行事務局編（1983）『沖縄大百科事典（上巻）』，沖縄タイムス社，p.546。

(19) 『琉球弧の住民運動』復刻版刊行委員会編（2014）『（復刻版）琉球弧の住民運動』，合同出版，p.80。

(20) 琉球政府企画局企画部（1971）「金武湾資料」（沖縄県公文書館所蔵，資料コード：R00161340B）。

(21) 琉球政府企画局企画部（1971）「金武湾プロジェクトチーム資料」（沖縄県公文書館所蔵，資料コード：R00161412B）。

(22) 同上。

(23) 同上。

(24) 琉球政府企画局企画部，「金武湾資料」。

(25) 琉球政府企画局企画部（1971）「第 1 回企業誘致推進本部幹事会議案書」（沖縄県公文書館所蔵，資料コード：R00161339B）。

(26) 同上。

(27) 同上。

(28) 『沖縄県議会議事録』(昭和 48 年 7 月 3 日)「昭和 48 年第 3 回沖縄県議会(定例会)第 2 号」www2.pref.okinawa.jp/oki/Gikairep1.nsf/（2021 年 8 月 5 日アクセス）。

(29) 屋良朝苗（1985）『激動八年屋良朝苗回想録』，沖縄タイムス社，p.270。

(30) 沖教組青年部婦人部（1973）「CTS 討議資料」（読谷村史編集室所蔵）。

(31) 沖縄県の CTS 政策の方針は，①500 万kℓで配分，②コンビナートは認めない，③CTS は公害を発生させない，④軍事基地への協力は絶対にさせないというものであった。

(32) 沖教組青年部婦人部，前掲資料。

（村岡敬明）

第6章 『防長教育』に見られる教育と旅
——観光教育に関する史的研究の意義——

【要旨】

　教室に座り教師の授業を聞くというスタイルの近代教育の流れの中にも，子どもの自発性や活動を重視する「経験学習」があった。「校外教授」や「郊外教授」，「遠足旅行」や「修学旅行」はその好例である。教授案を考察すると，「経験学習」が基礎的な学力を確実に定着するための方法論として模索されていたことが分かる。教授案には他者と協働することや自ら考え抜く自立した学びの要素など，今日の社会科における観光養育や観光教育の理念に通底する点があり，まさにアクティブラーニングの先駆けとして提示することができる。

【キーワード】：教育と旅，観光教育，社会科，観光養育の要素，
　　　　　　　　アクティブラーニング

1. はじめに

　2020年（令和2）年3月に公表された国土交通省観光庁参事官（観光人材政策）付「令和元年度改訂学習指導要領の内容をふまえた観光教育のプログラム作成等の業務報告書」には，「観光教育の目的を達成するための要素（学習内容）を整理した」と記されている。具体的には「新たな学習指導要領が小学校においては令和2（2020）年度より，中学校においては令和3（2021）年度より全面実施されることを受け，教員は，新たな教材研究の必要に迫られている」ので，「有識者によるワーキンググループを結成し，改訂学習指導要領と『観光

養育の要素』を照らし合わせ」，社会科授業の充実を図るため具体的な学習指導案を，小学校6点，中学校3点の小単元において作成したのである。

　教育と旅に関する教育内容の研究は，明治期における修学旅行の登場によって始まっている。たとえば，拙稿，野外文化教育学会誌『野外文化教育』第8号に掲載した「明治期愛知教育会機関誌にあらわれた『野外教育』の諸様相」(2010年3月，pp.28-40)，同誌第9号に掲載した「明治期における初・中等教育機関の教科外教育活動の一側面－島根県・鳥取県の教育会機関誌にあらわれた修学旅行・郊外教授の取り組み－」(2011年5月，pp.45-58)，第108回日本観光学会大宰府全国大会受賞論文「明治期福岡県小学校の遠足・修学旅行－観光基礎教育の歴史的基盤とその理論―」[1]は，いずれも教育内容に関する論点の整理であり，中部地方，山陰地方，九州地方の実例を取り上げ，「近代日本における観光教育の歴史的基盤とその理論に関する研究」の一環として行った歴史的研究である。

　本章も上述した研究の一環で，山陽地方の山口県を事例として取り上げる。史料としては，山口県立山口図書館に保管されている山口県教育会発行『防長教育』を用いる。これまで注目されていない『防長教育』に掲載されている「郊外教授」「修学旅行」「遠足旅行」に焦点を当てて，具体的に次の3点を明らかにする。

　(1)『防長教育』に見られる教育と旅の全体像。
　(2)教育と旅に関する教育方法や内容の特徴。
　(3)観光教育に関する史的研究を「経験学習」の視点から行う意義。

2.　『防長教育』に見られる「教育と旅」の全体像

　『防長教育』は山口県教育会機関誌である。1903 (明治37) 年4月1日に『山口県教育会報』として初刊され，計18号まで刊行された。1904 (明治37) 年1月1日から『防長教育』と改名され，第19〜217号まで刊行された。その後は，『防長教育時報』(第218〜244号)，『山口県教育』(第245号〜) と名称を変え刊行され続けた。

　本章では明治・大正期に限定し，『山口県教育会報』と『防長教育』につい
て調査した。教育ジャーナリズム史研究会編『山口県教育会報；防長教育；防
長教育時報；山口県教育』(日本図書センター，1993 年 8 月) という目録集から「教
育と旅」に関する記事を抽出すると 13 点あった。いずれも『防長教育』に掲
載されている。『防長教育』は山口県立山口図書館に所蔵されている。本来な
ら山口県に赴き史料調査を行うべきであるが，新型コロナウイルス感染症の拡
大防止のため，山口県外在住者の来館は不可となっており，レファレンス・サー
ビスを利用した。結果，資料保護のために複写禁止となっている第 62 号（日
置響洋「校外教授の一日」，1905 年 10 月 25 日発行，5 頁）と，欠号となっている
第 75 号（「旅行唱歌」，1906 年 4 月 25 日発行，6 頁）の 2 点を除き，計 11 点の
複写を入手することができた（引用文献参照）。

　この 11 点を概観したところ，4 つの特徴が見えてきた。

　1 つは，『防長教育』における教育と旅に関する記事の掲載時期が，これま
で調べた愛知県，島根県・鳥取県，福岡県の教育会機関誌より全体的に数年遅
かったが，「修学旅行」を「一種の校外教授」[2]，「遠足旅行」を「郊外教授」[3]
として明確に分類していた。

　2 つは，記事の数が他県よりやや多く，教育と旅に対する関心が高かった。
題目から分かるように，「修学旅行」より「遠足旅行」や「郊外教授」の記事
が多かった。また，「修学旅行」に関する記事は明治期より大正期に多かった
ので，山口県における修学旅行の普及は他県よりやや遅いと思われる。そのこ
とについて，「教育行政に関する馬淵本県知事の訓示」で「修学旅行に就て他
府県に於ては之に関し往々非難の声あるが如し。児童をして旅行見学せしむる
の名を籍り，其の実は教員の花見遊山に過ぎずといふ者あり，本県に於ては未
だ斯かる非難を耳にせずと雖も，然かも修学旅行に由りて果して如何なる利益
を占めつつあるかは未だ其の実績の徴すべきなし。花見遊山を為すものなりと
の非難あるは旅行の方法を謬れるに基因するものと認む。…要は唯その方法を
慎むにあり」と指摘し，教育の方法や内容の検討を促していた[4]。

　3 つは，日帰りの修学旅行や遠足旅行および郊外教授の教授内容や実施方法

を多数掲載したものの，宿泊を伴うものがなかった。その背景には，「費用の多きに過ぎたること，服装華美に失したること，行程の遠きに失したること，教師の指導宜しきを得ざりしこと，旅行の利益を知るもの比較的少なきこと」という批判の声があったので，「世間修学旅行としいへば，徒に遠距離に引率し，宿泊せしむべきものの如く思ふものあるは，謬見と謂はねばならぬ，中等教育程度にあっては，宿泊旅行不可ならざるも，小学校にありては日帰旅行の勝れるに若かぬ」という意見が主流であった [5]。これを変えようとするのは，1906 (明治39) 年11月頃に県教育会が議決した「児童修学旅行の寛典」であった。中には「本会第二回総会に於て決議の結果」，「一日間に往復し得る範囲内に於てのみ許可せられ，宿泊を要する旅行は之を禁止せられ居たる」「制度の廃止を其筋に建議せしに，今回二泊以内の宿泊旅行を許可せらるることと為り，既に各郡市に通牒を発せられたり」と記した [6]。ところで，当時の教育旅行の主流は宿泊を伴うものであって，そのことは文部省普通学務局は1900 (明治33) 年11月に刊行した『独国ノ修学旅行』「前編」の冒頭，「修学旅行トハ全校生徒ガ一人以上ノ教師ノ指揮ノ下ニ少クトモ二日（宿泊ヲナシテ）旅行シテ体育知育情育意育ニ等シク益セシムルコトヲイフ」からも理解できる [7]。宿泊を伴う教育旅行の導入に対する姿勢は慎重であったことが伺える。

　4つは，明治41年7月の第104号と8月の第105号に，山縣品三「旅順戦跡視察　郊外教授の概況」[8] と「旅順戦跡視察　郊外教授案」[9] を連載し，県下の教育旅行の記事のみならず，大連小学校まで広い視野で記事を掲載していたことである。本章とは関係ないが，『防長教育』には清国への官費留学生の募集や在清国日本人留学生が寄せた記事が度々掲載されておりこの点も興味深い。

3．教育と旅に関する教育の方法や内容の特徴

(1) 能動的学習の提唱

　修学旅行に対する批判は教育の方法や内容の不足に起因したが，その目的に対して評価は肯定的であった。たとえば，「1」で紹介した「教育行政に関する馬淵

本県知事の訓示」では「修學旅行の目的は固より宜し，畢竟一種の校外教授にして，校門を出でて視聴に触るる所の事物一として教育の資料ならざるはなく，能く此の資料を以て適宜に教授を為すことを得ば，是れ格物致知の良法にして，一日の旅行に由りて児童の脳裡に深く印象を与へたる効果は幾多の日子を費すも到底校内教授に由りて得たる効果の及ぶ所にあらざるべし」と述べた。

　教育方法として度々登場したのは「直観教授」である。コメニウスの感覚的実学主義や，ペスタロッチの感覚による実物教授の視点から，単に受容的な学習より能動的な学習を提唱した。たとえば，町立室積尋常小学校長鳥越亮の「郊外教授」には，「夫れ百聞は一見に如かずと，況や幼年児童に於ておや，さればこそ，直観教授は主張せられたれ，地理博物等を講述のみにて教授するは，之れ死せる教授なりとは彼の樋口教授の所論なり，真に明論と云ふべし，然らば適当の時期を選び目的を定め，教案を作りて児童を郊外に引率し教室に於て教授すると同様の心を用いたらんには，其教授は室内の教授と相俟て寔に偉大の功果を奏すべし」と述べた[(10)]。このような「樋口教授の所論」を引用しながら「直観教授」の意義を述べたものは，前出した熊毛郡三丘校片山梅吉「郊外教授の実際」にもあった。また，吉敷郡小郡校の桐林生「遠足旅行に就き」には「教授上より見たる価値」に「日常教授せし事項の実見又は証明をなすを得ること」，「新奇の環象は勢ひ児童の観察注意の能を増す」，「児童の経験界を豊富にす」，「自然美を感せしめ，風流雅趣の情操陶治の好資料となる等」と述べた[(11)]。田村唯熊「校外教授と教導者の手腕」には「今各種方面より観察して実行する目的は次の項目にして，各其の効果を奏するや否やは教導者の手腕の巧拙に基因するならん」と述べた[(12)]。

　このような子どもの自発性や活動を重視する学習法は「経験学習」と呼ばれ，今日のアクティブラーニングに通底するところがある。

(2) 地域理解の深化・地域への愛着心の醸成向上

　教育内容に関する最大の特徴は，地域理解の深化・地域への愛着心の醸成である。たとえば，前出した町立室積尋常小学校長鳥越亮の「郊外教授」には「我

町後に大嶺の山脈を背ひ，前に鹽海の青瀾を枕み，峨媚の山の松は千秋に歌ひ，
皷浦の海の水は萬古に皷ち，近くに幾多の島嶼を控へ，遠くは豊筑の高峯を望
む，港内水深くして汽船出入し，大小の白帆漁舟を追ひ，象鼻の岬は長く湾中
に突出して天然の浮橋を架す，其風其光実に名状すべからず，昔時狩野画伯の
此景を写さんとして筆を擱ちたるも亦所以ありと謂ふべく…市街甚だ盛ならず
と雖も，県立工業學校のあるあり，警察署，税務署，町役場，さては塩務の役
所より区裁判所の出張所に至るまで，所謂地方の官衙は備れり，有名なる普賢
の寺も早長八幡の社も風色明媚の処に在り」と地元の地理や風貌，施設や観光
名所など誇りをもって紹介した。

　結局，1914 年 6 月の「教育研究大会」で「学校の修学旅行」については「前
号都野県視学の紹介ありたる東京成蹊実務学校の「生徒見学方法」は最も参考
に資すべき好実例といふべし」と述べ，「地方各種学校に於ても，何も必ずし
も遠方へ旅行せすとも，手近き所にて之に類する見学の途なきにあらず，或は
諸会社，工業場等のある所は一層好都合なれども，夫等の機関に乏しき地方に
ありても，或は町村衙に至りて其の町村産業の趨勢，各種団体の状況，納税の
成績，其他凡て自治の有様を聴取し，或は農会，教育会，産業組合等に就き諸
種の調査見学を為す方法あるべし…吾人は各学校の茲に大に意を用ひんことを
望む」と地域中心の修学旅行が推奨されるようになった[13]。

(3) 各教科の学習効果

　1906 年 9 月号の町立室積尋常小学校長鳥越亮「郊外教授（続き）」には，「尋
常第一二両学級第四学年男女郊外教授草案」があった[14]。尋常小学校の年限
（義務教育）が 4 年から 6 年に延長されたのは 1907 年であったため，1906 年
の「第四学年」は義務教育の最後の学年に当たり，今回の郊外教授は生徒たち
にとって記憶に残る大切な「旅」であろう。また，学習内容の濃さからも教員
が全力でこの教育的活動に力を注ぎ，文尾に締め括ったように「修身国語算術
等の諸科に此遠足の観察を応用す」豊かな学習内容であった。「方法」項目に
は 21 点の学習内容が記されており，「九，一〇に付きては実に此の郊外教授の

目的の主要なるを以て左記の要領は必ず大に観察せしむ」と駅の改札口や駅長等の職務，駅の経済効果や団体割引，機関車や貨車客車等への観察を旅のメインの学習と位置付けていた。

　また，「読本」に照らして，「二松原海浜通行の際其風光の美を賞せしめ読本七第七課日本の景色に関して種々発問し所謂瀬戸内海の景色とはかかる所を謂ふなり須磨舞子明石の海辺も斯くの如しと教ふ」，「三茶の木は室積に於ては稀に見る処なるを以て沿道字野原附近の茶園を見せしめ曾て教授せる讀本七第五課の記憶を確む」，「八鉄道踏切の汽車に用心すべしと云ふ立札を見せしめすれは何かとの問を起し読本七第八課公園の立札と対比せしめ之を守るは即ち公徳にして又国憲国法を重んずる人なりと教ふ」，「一一汽車時間発着表は読本七第十七課にて本月末教授の細目なるを以て特に之を説明し時間の正確なることを知らしめ併せて児童も此汽車発着の時間の如く能く厳守すべきことを教ふ」，「一七麦は正に熟せるを以て歩行中麦に付読本五第五課の麦に関する記憶を試験す」という５点の学習内容を設けた。「読本」は『尋常小学読本』のことである。1904 年に実施した国定教科書制度に伴って使用した主な教科書の一つであった。自然主義文学の盛行につれて文体は口語文で，内容としては国民的行事，習慣，趣味あるいは，童話，伝説，神話などが多く取り入れられ，文学読本的なものである。

　その他，「一道路橋上等を通行する時は混雑衝突を避くる為め常に左側を通る習慣を作るべし是れ一種の公徳なりと教ふ」という道徳の学習内容，「一三室積より駅までの里程島田岩田間の鉄道哩数帰路の里数乗車中の間時等に付汽車の速力人馬の速力等の知識を与へ後日算術の時間に於て必ず之を応用す」という算術の学習内容や，「一二島田岩田両駅間に長短二ヶ所のトンネルあるを利用し其構造功用光線の關係等を教ふ」という理科的な学習内容，「一八配布したる地図と実地とを比較せしめ其方角位置距離を知らしむ」や「一九通過せる沿道の町村名境界役場の位置自治の区画等を教へ」という地理的な学習内容，「二〇苗代田の苗の発育せるを見せしめて害虫を捕獲すべきこと田植の時期の迫れること等を問答す」という社会的農業的学習内容など幅広く設定した。

さらに，「二一其他通行中見当りたる面白きこと児童の見聞せしこと等につき互に大に問答し児童の疲労せしめざる様注意す」と，こどもの興味関心を喚起し，自発性を高める学習法を重視していた。いま求められている「自ら課題を発見し解決する力，コミュニケーション能力，物事を多様な観点から考察する力」（アクティブラーニング）に共通するところがあった。

また，前出した吉敷郡小郡校の桐林生「遠足旅行に就き」には「訓育上より見たる価値」に「２．自治並に共同の愉快を感せしむること多し」，「５．児童相互間の情愛を養ふ等」に示されたように，教育旅行には他者と協働することや自ら考え抜く自立した学びの要素が自然に内包されていることが読み取れる。

4. 結 び

明治時代に誕生した近代学校教育制度は，寺子屋で行われていた個人教授の方法を改革し，学級編制による一斉教授の方法を取った。このような教科書を用いて進める一斉授業に対して，アメリカから伝えられたペスタロッチ教育法の原理による生徒の自律活動を尊重する心性開発教授の方法が教育界で注目された。具体的には，実物を用いて，問答教授の方法で行う，いわゆる「経験学習」であった。本章で取り上げた山口県の教育と旅，すなわち『防長教育』における「校外教授」や「郊外教授」，「遠足旅行」や「修学旅行」は，その代表的な実践例である。

『防長教育』に掲載した「教育と旅」に関する記事の数は他県よりやや多く，教育と旅に対する関心が高かったといえる。しかし，掲載時期は，明治末期や大正初頭であり，近辺の島根県や鳥取県，福岡県の教育会機関誌より数年遅かった。それゆえ，「校外教授」や「郊外教授」，「遠足旅行」や「修学旅行」に対する理解も深かった。「修学旅行」に関する記事は明治期より大正期に多く，山口県における修学旅行の普及は他県よりやや遅いと思われる。

記事の特徴としては，「修学旅行」より「遠足旅行」や「郊外教授」の記事が多く，また日帰りの「教育と旅」の教授内容や実施方法を多数掲載したもの

の, 宿泊を伴うものはなかった。修学旅行, とりわけ宿泊を伴う教育旅行の導入に対する姿勢は慎重であったことが伺える。

「教育と旅」の教育方法や内容についても, 顕著な特徴が見えてきた。教育方法としては「直観教授」を主唱し, コメニウスの感覚的実学主義や, ペスタロッチの感覚による実物教授の視点から, 単に受容的な学習より能動的な学習を提唱した。このような子どもの自発的な活動を重視する学習法は, 今日のアクティブラーニングに通底するところがある。

教育内容に関する最大の特徴は, 地域理解の深化・地域への愛着心の醸成である。1914 年 6 月の「教育研究大会」まで一貫して地域中心の修学旅行を推奨した。基礎的な学力を確実に定着させるため,「直観教授」は各教科と結び付き, 深く理解できる「経験学習」の利を生かす教育方法論を模索していた。また, 他者と協働することや自ら考え抜く自立した学びの要素は, 地域理解の教育に自然と含まれることも山口県における「教育と旅」の内在的な特徴だといえよう。

今後は, 四国, 近畿, 関東, 東北, 北海道など各地方に研究を拡大し, 明治期学校教育における「教育と旅」の全体像を解明すると同時に, 観光教育の歴史的基盤を明らかにする。

【引用文献】
(1) 経志江 (2017),「明治期福岡県小学校の遠足・修学旅行―観光基礎教育の歴史的基盤とその理論―」『日本経大論集』第 46 巻第 2 号, pp.203-217。
(2)「教育行政に関する馬淵本県知事の訓示」『防長教育』第 156 号, 1912 年 11 月 11 日発行, p.5。
(3) 熊毛郡三丘校片山梅吉 (1911.05.01),「郊外教授の実際」『防長教育』第 138 号, p.9。
(4) 前掲史料,「教育行政に関する馬淵本県知事の訓示」。
(5) 阿武郡会員三浦重一 (1906.09.25),「修学旅行に就いて」『防長教育』第 82 号, pp.28-29。
(6) 主張「児童修学旅行の寛典」『防長教育』第 84 号, 1906 年 11 月 25 日発行, p.2。
(7) 独国ノ修学旅行 - 国立国会図書館デジタルコレクション (ndl.go.jp),(最終検索日 :2021 年 6 月 5 日)。
(8) 山縣品三 (1908.07.01),「旅順戦跡視察　郊外教授の概況」『防長教育』第 104

号，pp.22-23。

(9) 山縣品三（1908.08.10），「旅順戦跡視察　郊外教授案」『防長教育』第 105 号，pp.8-12。

(10) 町立室積尋常小学校長鳥越亮（1906.08.25），「郊外教授」『防長教育』第 81 号，pp.30-32。

(11) 吉敷郡小郡校桐林生（1912.10.01）「遠足旅行に就き」『防長教育』第 155 号，pp.21-22。

(12) 田村唯熊（1906.10.25）「校外教授と教導者の手腕」『防長教育』第 83 号，p.36。

(13) 「学校の修学旅行」『防長教育』第 176 号，1914 年 7 月 1 日発行，p.3。

(14) 町立室積尋常小学校長鳥越亮（1906.09.25）「郊外教授（続き）」『防長教育』第 82 号，pp.24-28。

（経 志江）

第 7 章　COVID-19 時代の消費者の消費意向
——中国汕尾市におけるアンケート調査を中心に——

【要旨】

2020 年は全世界にとってとても大変な一年であった。COVID-19（以下コロナと略称）の影響で，世界各国でたくさんの人が感染し，命を奪われた人数も多かった。労働力不足により企業活動の停止や売上の減少による企業側の人員削減など，社会経済に厳しい影響を与え続け，その中でも観光業に対する影響が一番大きい。コロナ発生後，中国各地では都市封鎖や交通規制などの措置が採られ，コロナの拡大を防ぎ続けてきた。年を跨いで，コロナが発生する中で，ウィルスと共に生きる可能性もあるために，人々は生活や旅行を慎重に行うようになった。コロナの影響で，消費者の生活状態はどう変わったか？ 消費者の消費生活はどう変わったか？ これらの問題に関心を抱き，筆者は中国汕尾市の消費者を対象にアンケート調査を行った。汕尾市は広東省の東にある広東省 GBA 地域[注-1] に近い小さな都市で，産業経済は未発達であるが，第三次産業の発展潜在力は巨大である。現地で入手した有効サンプル 916 件に基づいて，コロナ時代の消費者の消費意向を明らかにする。

【キーワード】：コロナ時代，中国汕尾市，消費者の消費意向

1.　はじめに

人々の生活水準が向上するにつれて，人々の文化観光に対する需要は徐々に大きくなり，中国の観光業は急速に拡大する傾向を示している。国家統計局の

データによると，2018年中国における観光産業の国内総生産額は6兆元に達した。しかし，2019年末の新冠コロナの発生により，感染者数の急増は世界経済に大きな影響を与えた。コロナ後に行いたい文化観光と消費タイプに関する調査によれば，自然に親しむ，飲食の美食，運動フィットネス，パーティでの交友，映画出演，ショッピング，行楽などは上位7位に位置している。今回のコロナは消費の全面的な停滞を引き起こしたが，微信小プログラム，動画サイト，ネット生放送，短動画APPなどのプラットフォームを通じて，「雲観展」，「雲見劇」などの形式で消費は大いに発展した[1]。30歳以下の若者は体を鍛えること，休暇を過ごすこと，情操を陶冶すること，知識を増やすこと，観光，親戚・友人を訪ねることなどを重視している。コロナ前の消費者の消費意向に関する研究によると，30歳から50歳の間の青壮年はレジャー休暇と観光を重視する。50歳以上は体を鍛えることと観光を重視している。全体的に見れば，動機が多様である[2]。コロナは人々の生活習慣を大きく変え，人々の消費習慣も変え続けている。マクロ的に見ると，コロナは観光業に大きな衝撃を与え，そして産業経済の各方面にも間接的に影響を与えていることは確かである。しかし，ミクロ的には，コロナ発生後の人々の消費意向はどう変化したかはよくわかっていない。そこで，本章はこの問題を解明するために，中国汕尾市の消費者を対象としたアンケート調査の結果を統計分析する。

2. 汕尾市の社会現状と中国におけるコロナの影響

(1) 汕尾市の社会現状

中国汕尾市は1988年成立した，深圳都市圏に所属し，広東省東南部の沿海に位置する。常住人口は約267万人である。2020年，汕尾市の地域総生産額は1,123.81億元である。2020年の経済成長率は全省に比べて2.3ポイント高く，四半期の増速率は全省で第一位である[3]。

図表 7-1　中国汕尾市の地図

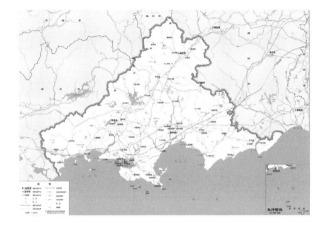

（出所）https://baike, baidu, com/item/ 汕尾 /907466?fr=aladdin。

（2）中国におけるコロナの影響

　今回のコロナは 2019 年末に発生した。感染者数が増える一方，拡大を防ぐ
ために，2020 年 1 月 23 日に武漢は正式に閉鎖された。その後，中国全土の
31 の省でも交通規制やコミュニティ統制などの防御措置が相次いで実施され
た。2020 年 1 月 24 日から「文旅部庁舎」は新型冠状ウィルス感染の肺炎予
防に全力を上げるために，観光企業の経営活動を停止させる緊急通知を発表し
た [4]。続いて，2020 年 2 月 25 日に「観光地の回復開放のためのコロナ予防
措置ガイド」が発表され，2 カ月後にコロナ状況は効果的にコントロールされ
た [5]。データによると，中国全土の観光業は毎日平均 180 億元の損失を被っ
ていることが示されている。中国全土の文化観光産業はコロナの影響を真面に
受けた。国家観光局とオンライン観光会社は観光関連の活動を停止させられた。
国内観光者数と観光収入の伸び率はそれぞれ 56% と 69% も減少し，多くの企
業が巨大な危機と挑戦に直面している [6]。2020 年の下半期からはコロナは効
果的にコントロールされたので，中国国内の住民は基本的に正常な形で移動で
きるようになった。しかし，世界的に見れば，まだコロナが蔓延する傾向が現

れている。コロナの発生はまだ完全には収束しておらず，消費者の恐怖感は消えておらず，消費は依然として抑制されている[7]。

3. 研究方法

(1) 研究課題

　本章の課題は，コロナ時代の消費者の消費意向はどう変化したかを解明することである。本章では中国汕尾市の消費者を事例として分析する。

(2) 分析モデルと仮説

　筆者は個人属性を，年齢，収入，学歴の3つに分けた。本章では分析の焦点をコロナ時代の消費意向に置き，コロナ時代の消費意向をEC（インターネット）消費意向，EC消費程度及びコロナ時代後の消費意向の3つに分け，それぞれ質問項目を設けた。回答は，1－「非常に同意しない」，2－「同意しない」，3－「どちらでもない」，4－「同意する」，5－「非常に同意する」という5段階に分けた。分析モデルは図表7-2，質問項目は図表7-3に示す通りである。

図表 7-2　分析モデル

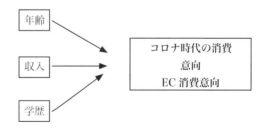

（出所）筆者作成。

図表 7-3　本研究の質問項目

「コロナ時代の消費意向」に関する質問項目	分野
1.　コロナが発生してから，インターネット（パソコン，携帯電話）を使う回数と 　　時間は明らかに長くなった	EC 消費意向
2.　オフラインよりネットショッピングが好きである	
3.　買いたいものをいつも早くネットで見つけられる	
4.　買うべきものがあれば，携帯電話を持って検索して買う	
5.　EC 消費は私の日常消費の 95% を占めている	EC 消費程度
6.　コロナの期間にネットで買った商品の種類がもっとも多くなった	
7.　携帯を持たないとほとんど外出できない	
8.　携帯の生放送やネットショッピングを長く見ていると目が痛くなる	
9.　友達との約束以外や仕事上の用事以外はほとんど外出しない	
10.　コロナが終わったら，もっと散歩やハイキングに行きたい	コロナ時代後 の観光意向
11.　コロナは旅行の回数を大幅に減らした	
12.　コロナは終わっていないけれど，いつも旅行のチャンスを探している	
13.　コロナのせいで，自分の心身の健康にもっと関心を持つようになった	

（出所）筆者作成。

　本章では次の 3 つの仮説を提示する。

　仮説 1　消費者の年齢の違いにより，コロナ時代の消費意向に差異がある。

　仮説 2　消費者の収入の違いにより，コロナ時代の消費意向に差異がある。

　仮説 3　消費者の学歴の違いにより，コロナ時代の消費意向に差異がある。

(3) 調査の概要

　筆者は 2021 年 5 月から 7 月まで中国汕尾市の消費者を対象としてアンケート調査を行った。アンケート調査票 1,200 部を配り，回収した 1,106 部の中から無効回答を取り外し，残った有効数は 916 部であった。アンケートの回収状況は図表 7-4 に示す通りである。本章では，「コロナ時代の消費意向」を EC 消費意向，EC 消費程度及びコロナ時代後の観光意向という 3 つの面に分け，13 項目の質問を作成した。Cronbach's Alpha 値[注 -2]は 0.834 であるから，研究結果は有意であると考える。

図表 7-4　アンケートの回収状況

調査方法	アンケート調査	配布時間	2021 年 5 月から 7 月まで
配布数	1,200 部		
回収数	1,106 部		
回収率	92.1%	配布場所	中国汕尾市内
有効数	916 部		
有効率	82.8%		

（出所）筆者作成。

　KMO と Bartlett 検定によると，kmo 値は 0.852（＞ 0.5），Bartlett 値は 3693.933，顕著性は 0.000 であるから，今回のアンケートは良好な構造効果を持っていることが分かる[注-3]。

図表 7-5　アンケート調査のデータ信頼度

KMO と Bartlett 検定		
KMO 値		0.852
Bartlett 検定	近似カード	3693.933
	自由度	78
	顕著性	0.000

（出所）本研究のアンケート調査分析により作成。

4.　分析結果

(1)　年齢からみた中国汕尾市の消費者の消費意向における差異

　年齢から見ると，アンケートを回収した 18-25 歳の数は 400 人，26-35 歳の数は 199 人，36-45 歳の数は 133 人，46-55 歳の数は 100 人，56 歳以上の数は 84 人であった。顕著性は 0.0001 であるので，汕尾市の消費者は年齢別にコロナ時代の消費意向（F=11.118, p<0.05）に著しい差があることが分かった。平均値から見ると，EC 消費意向，EC 消費程度及びコロナ時代後の観光意向に関して，56 歳以上の消費者を除き，ほとんどの消費者の意向は平均値が 3 を超えている。また，26-35 歳の平均値が一番高い。

図表 7-6　年齢別の回収数

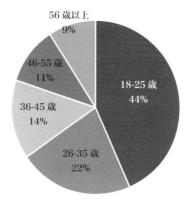

（出所）本研究のアンケート調査分析により筆者作成。

図表 7-7　年齢に関する分析数値

	年齢	データ数	平均値	標準差	Ｆ値	顕著性
消費意向	18-25 歳	400	3.4085	0.63233		
	26-35 歳	199	3.4322	0.59872		
	36-45 歳	133	3.1995	0.61924		
	46-55 歳	100	3.2915	0.59718		
	56 歳以上	84	2.9753	0.71527		
	総計	916	3.3308	0.64139	11.118	0.0001

（出所）本研究のアンケート調査分析により筆者作成。

（2）収入からみた中国汕尾市の消費者の消費意向における差異

　毎月の収入レベルから見ると，アンケートを回収した 2000 元未満の数は 369 人，2,000 元から 5,000 元未満の数は 273 人，5,000 元から 10,000 元未満の数は 188 人，1 万元から 2 万元未満の数は 55 人，2 万元以上の数は 31 人であった。顕著性は 0.021 であるので，収入レベルが違うと，コロナ時代の消費意向（F=2.906, p<0.05）には著しい差があることが分かった。平均値から見ると，EC 消費意向，EC 消費程度及びコロナ時代後の観光意向に関して，ほとんどの消費者の意向は平均値が 3 を超えている。また，収入 1-2 万元の平均値が最も高い。

図表 7-8　収入別の回収数

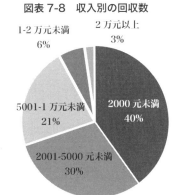

（出所）本研究のアンケート調査分析により筆者作成。

図表 7-9　収入に関する分析数値

	毎月の収入レベル	データ数	平均値	標準差	F 値	顕著性
	2,000 元未満	369	3.3663	0.65978		
	2,000-5,000 元未満	273	3.2387	0.68395		
消費意向	5,000-10,000 元未満	188	3.3302	0.53380		
	1-2 万元未満	55	3.5119	0.63211		
	2 万元以上	31	3.4020	0.55920		
	総計	916	3.3308	0.64139	2.906	0.021

（出所）本研究のアンケート調査分析により筆者作成。

(3)　学歴からみた中国汕尾市の消費者の消費意向における差異

　学歴から見ると，回収した高中及びそれ以下の数は 289 人，大学の学歴の数は 511 人，大学院の学歴の数は 116 人であった。顕著性は 0.0001 であるので，学歴の違いにより，コロナ時代の消費意向（F=20.982, p<0.05）には著しい差があることが分かった。平均値から見ると，EC 消費意向及びコロナ時代後の観光意向に関して，ほとんどの消費者の消費意向は平均値が 3 を超える。また，大学院の平均値が一番高い。

図表 7-10　学歴別の回収数

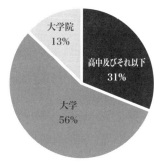

（出所）本研究のアンケート調査分析により筆者作成。

図表 7-11　学歴に関する分析数値

	学歴	データ数	平均値	標準差	F 値	顕著性
消費意向	高中及びそれ以下	289	3.1456	0.64150		
	大学	511	3.3888	0.65249		
	大学院	116	3.5365	0.45902		
	総計	916	3.3308	0.64139	20.982	0.0001

（出所）本研究のアンケート調査分析により筆者作成。

5.　結　び

　最後に，本章はアンケート調査により，コロナ時代の消費者の消費意向を明らかにした。つまり，コロナ時代の中国汕尾市の消費者は EC 消費意向が比較的に高く，EC 消費程度が比較的に高く，そしてコロナ時代後の観光意向が比較的に高い。この結論によって，コロナ時代の EC 産業はますます発展することが見込めるであろう。また，SPSS 統計分析の結果により，コロナ時代の消費者の消費意向は年齢，学歴，収入などが違うと差があることが分かった。これにより，本章の 3 つの仮説を検証することができた。そして，今回の調査結果により，年齢，収入及び学歴から見ると，消費意向が一番高いのは 26-35 歳の消費者，月収が 1- 2 万元未満の消費者及び学歴が大学院の消費者である。つまり，コロナがあっても，中国の汕尾市には学歴が高く，しかも収入の高い

若い年齢層が主な消費力になることが分かった。この分析結果は企業の現地マーケティング戦略の策定に役立つであろう。

　本研究の調査対象は中国汕尾市の消費者であり，統計分析のデータは汕尾市の消費者の中の916人のデータである。サンプルの配布は大学の周辺及び町の中心地域であるので，サンプルの分散度はそれほど十分ではない。今後の研究課題は汕尾市の産業振興戦略と現地消費者の観光満足度の分析であり，そして他地域との比較分析である。

【注釈】

(注-1) GBA 地域：the Greater Bay Area，粤港澳大湾区（Guangdong-Hong Kong-Macao Greater Bay Area），中国の開放度が最も高く，経済活力が最も強い地域の中の一つです。

(注-2) 通常に Cronbach's Alpha 値は 0.6 を超えると研究の信頼度があり，0.8 が超えると信頼度が高いだと言う。

(注-3) 本研究ではアンケート調査のデータを IBM SPSS Statistics 23 を使って統計解析した。

【引用文献】

(1) 秦然然，邓时（2020.06.08），「新冠肺炎疫情对我国文旅消费的影响及对策——基于问卷调查的实证研究」『人文天下』。

(2) 陈明（2006.11.1），「武汉市市民旅游意向，行为分析及其营销对策研究」修士論文。

(3) 百度の辞書により。https://baike, baidu, com/item/ 汕尾 /907466?fr=aladdin。

(4) 李志萌，盛方富（2020），「新冠肺炎疫情对我国产业与消费的影响及应对」『江西社会科学』，3，pp.5-15。

(5) 明庆忠，赵建平（2020），「新冠肺炎疫情对旅游业的影响及应对策略」『学术探索』，3，pp.124-131。

(6) 薛宁，栾智淇，杨娴（2020，03），「浅谈疫情对我国旅游业的影响以及建议」『科学与技术』，7 期。

(7) 金泉，李辉文，苏庆新等（2020），「新冠肺炎疫情突发事件对中小微企业企业家信心的影响及对策——基于中国企业创新创业调查（ESIEC）数据库的分析」『产业经济评论』，2，pp.49-58。

　　※本研究は中国汕尾職業技術学院のプロジェクト「SKRD2021B-007」によるものである。

（廖筱亦林・邓志新）

第8章　中国青海省におけるエコツーリズムの現状と問題点

【要旨】

　環境問題がますます深刻化する中で，人々は環境意識に目覚め，旅行業においても観光資源の持続可能性を考慮したエコツーリズムが注目されている。1983年IUCNによる初めての概念の提起から約40年間の発展を経て，多くの国ではエコツーリズムが展開されており，国内外の研究者による研究も盛んに行われてきた。しかし，青海省のエコツーリズムに関する研究は非常に少なく，空白が存在する。青海省は自然観光資源が豊かであるが，エコツーリズムを発展させる上で多くの問題点に直面していることが研究者によって分析されている。本章では青海省におけるエコツーリズムの先行研究のレビューを通じて，青海省のエコツーリズムを発展させる上で解決すべき問題点を明らかにする。そして，今後の研究の方向性を提示したい。

【キーワード】：青海省，エコツーリズム，問題点

1.　はじめに

　環境問題がますます深刻化している中で，環境に配慮した持続可能な経済活動が求められている。旅行業においても，観光資源の持続可能性を考慮したエコツーリズムが注目されている。青海省には自然に恵まれた独特の生態文化観光資源があり，その優位性を生かした観光発展が推進されてきており，訪れる観光客も年々増加する傾向を示しているが，問題点も顕在化している。本章で

は，青海省におけるエコツーリズムの先行研究をレビューした上で，青海省におけるエコツーリズムの現状を整理し，問題点を明らかにして，今後の研究の方向性を提示することを目的とする。青海省の経済発展において旅行業はますます重要な役割を担っており，青海省は独特な自然観光資源を重視したエコツーリズムを発展させる上で優位性を持っている。しかし，青海省は全体的に経済発展が遅れており，経済基盤が弱く，エコツーリズムを発展させる上で解決すべき多くの問題点に直面している。

2. 国内外のエコツーリズムに関する先行研究

1983 年に国際天然資源保全連合（IUCN）の特別顧問であるチェベロス・ラスカリ氏が初めて「エコツーリズム」の概念を提起して以来，エコツーリズムは世界中から注目されるようになり，約 40 年間の期間を経て，現在先進国だけでなく，発展途上国も含めて多くの国でエコツーリズムが展開されている。海外におけるエコツーリズムに関する研究は，1970 年代から始まった。具体的に，エコツーリズムの産業価値評価，エコツーリズムの旅行者，エコツーリズムの市場，エコツーリズムの行動，エコツーリズムの供給システム，エコツーリズムの発展政策などに関する研究は，多くの視点からなされてきており，多くの研究成果が公表されてきている（陶，2012）。

中国ではエコツーリズムに関する研究は海外よりも遅れ，1990 年代から始まった。エコツーリズム産業の役割と影響要因に関する研究，エコツーリズムの潜在力に関する研究，エコツーリズムの潜在力についての評価指標体系に関する研究などがなされており，近年多くの研究者によって多様な視点から研究がなされている。

エコツーリズムの持続可能な発展に対する主な影響要因として，自然環境要因，政策要因，経済要因，社会要因などが挙げられている（陶，2012）。自然環境要因はエコツーリズムを発展させる上で一番重要な要因であり，独特の自然観光資源はエコツーリズムを発展させる上で基本的な条件となるものであ

る。政策要因はエコツーリズムを発展させる上で有力な保障となるものであり，エコツーリズムの発展には政策による有力な支持が不可欠である。経済要因は自然環境保護とエコツーリズム産業の発展を左右する重要な要因となるものである。社会要因はエコツーリズム産業に影響を与える重要な主観的要因である。

　任（2020）は，青海省におけるエコツーリズム産業の発展潜在力を，①エコツーリズム産業の供給潜在力（旅行資源，旅行産業の発展状況，人材資源など），②エコツーリズムの需要潜在力（旅行需要の層と規模，旅行需要の増加率など），③エコツーリズムの産業保障潜在力（経済環境，社会文化環境，地理的位置，インフラ条件，旅行のコミュニティ基礎など），④生態環境潜在力（生態環境の品質，生態環境の保護など）という 4 つの評価体系を構築し，データを用いて分析を行った。任の分析結果によれば，エコツーリズム産業の供給潜在力において，旅行資源の潜在力が一番大きい。それに，資源規模，資源品質，旅行学校の学生数，専門学校以上の高学歴の人口数，星印をもつホテルの数量，旅行学校の数量，資源の珍しさ，資源の豊かさ，旅行業従業員の人数，旅行業収入が GDP に占める割合，資源知名度などが後に続く。任は分析データに基づいて，青海省に旅行会社数が多いことが青海省の旅行業の供給潜在力の向上を促進しており，豊かな自然資源，星印をもつホテルの数量及び旅行の専門人材は青海省のエコツーリズムの長期発展にとって有利に作用しているが，青海省の少ない旅行業の従業員数によって，青海省のエコツーリズムの発展がある程度阻害されていると述べている。

　任は，青海省内の各市のエコツーリズム産業の発展潜在力と総合潜在力について分析・評価した。任の分析によると，西寧市のエコツーリズム産業の発展潜在力の順位を見ると，エコツーリズムの市場需要潜在力が一番大きく，エコツーリズム産業の保障潜在力，生態環境潜在力，エコツーリズムの供給潜在力が後に続いている。西寧市は環境潜在力を除くと，全体的に上昇する傾向を示しており，エコツーリズムの市場需要潜在力が一番強く，生態環境潜在力が非常に弱い。海東市のエコツーリズム産業の発展潜在力の順位を見ると，エコツーリズムの市場需要潜在力が一番大きく，エコツーリズム産業の保障潜在力，生

態環境潜在力，エコツーリズムの供給潜在力が後に続いている。任の分析によると，海東市は，エコツーリズムの需要潜在力を除くと，全体的に低く，低下する傾向を示している。

　国内外の先行研究をレビューした結果，エコツーリズムへの関心が高まり，国内外でエコツーリズムに関する研究が多様な視点からなされてきており，多くの研究成果が発表されている。しかし，中国国内のエコツーリズムに関する研究は海外と比較すると少ないのが現状であり，特に青海省におけるエコツーリズムに関する研究は非常に少ない。

3.　青海省におけるエコツーリズムの発展の現状

　近年，青海省は独特の地理環境，高原地域の特有の自然観光資源，長い歴史による文化観光資源，数少ない汚染されていない「クリーンな土地」，中国における重要な避暑地などをもつために，エコツーリズムに憧れる観光客から注目されてきた。

　青海省を訪れる観光客の人数（図表8-1）をみると，2015年までは約10％で成長してきたが，2016年からは約20％で成長してきており，2019年には5,080.2万人に達しており，急速に増加する傾向が見られる。2020年には新

図表 8-1　青海省旅客人数と増加率（2012-2020 年）

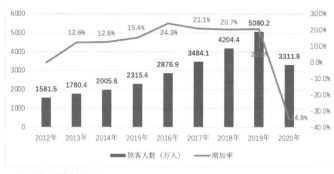

（出所）国家統計局。

型コロナウイルスの影響により観光客数が大幅に減少しているが，これは特殊時期の一時的な現象であり，長期的には成長すると見込まれる。

　青海省の旅行業収入を見ると，2012年から20％以上の増加率で増加しており，2019年には約561億元に達している。近年，青海省の旅行業は急速な発展を遂げており，青海省における重要な産業となっている。

図表8-2　青海省旅行収入（2012-2020年）

（出所）国家統計局。

　2018年の青海省旅行統計報告によると，青海省を訪れる観光客の69.1％はエコツーリズムを観光目的としており，親戚や友人の訪問が11.69％，健康療養が2.61％，その他が16.6％を占める。2011年-2020年Baiduインデックス検索エンジンによると，10年間青海省の観光地検索で多かった観光地検索ランキング10位を見ると，青海湖，塔尔寺，茶卡塩湖，日月山，貴徳国家地質公園，互助土族故土園，玉珠峰，可可西里自然保護区，翡翠湖，察尔汗塩湖などが並ぶ。これらを見ると，長い歴史・文化をもつ観光資源である塔尔寺と互助土族故土園の2カ所を除くと，残りの全部がエコツーリズム観光地である（任, 2020）。観光客による青海省の観光地選択において，自然観光資源へのエコツーリズムの需要が多いことがわかる。

　低炭素経済を推進する国家戦略により，低炭素観光という概念が生まれている。青海省のエネルギー源の多くが低炭素観光の推進に適していることが明ら

かになっており，これは青海省のエコツーリズムの発展に向けた新たな一歩となる可能性がある。

4.　青海省におけるエコツーリズムを発展させる上での問題点

　青海省は自然観光資源が豊かであるが，長期的な旅行業発展を重視しておらず，観光資源の知名度が低く，エコツーリズムの発展を阻害している（任，2020）。近年，青海省の観光業は良好な発展趨勢が見られるが，他の省・市と比較すると，発展がまだ遅れており，各観光指標ではまだ下位にある。

(1)　弱い経済基盤と小さい観光産業規模

　青海省は自然観光資源が豊かであり，全体的にエコツーリズムの需要潜在力は大きいが，エコツーリズムの供給，生態環境の保護などの潜在力は相対的に低く，多くの課題を抱えている（任，2020）。これらの問題を解決するには，インフラの建設，旅行企業のサービスの向上，観光商品の開発，市場開拓などが急務となっている。しかし，これらには膨大な資金が必要である。資本不足は青海省の観光産業を発展させる上で直面している長期的な問題点である。国家統計局によると，2019 年の青海省の GDP は 2,966 億元で全国の GDP の0.3％を占めており，全国 31 の省市・自治区の中で 30 位である。2019 年青海省の観光収入は 559 億元であり，青海省の GDP の 18.8％を占めている。近年，西部開発政策により青海省への投資が優先されているが，青海省は経済基盤が弱く，観光産業の規模も小さいため，民間資本の参入が少なく，政府への依存度が高い。

(2)　エコツーリズムの持続可能な発展に影響を与える開発理念と観光地の
　　　管理不備

　近年，青海省を訪れる観光客が急速に増加しており，エコツーリズムを発展させるための観光開発も多くなされてきている。しかし，自然環境資源の開発

法規に従わず，関係部門からの許可を得ずに勝手に開発を行って急速に成功して利益を得ようとする開発理念があるが，これは地域の生態環境や自然環境に悪影響を及ぼし，エコツーリズムの持続可能な発展に影響を与える。また，観光客の環境意識の未熟さと急増する観光客への観光地管理の対応能力の不備などにより，生態環境が破壊されるという問題が発生している（任，2020）。

(3) エコツーリズムの専門人材の不足

　エコツーリズムの需要が急増する一方，旅行業の専門人材の不足も問題となっている。青海省の旅行学校の数と旅行業の専門人材の人数はエコツーリズムの潜在力にとって重要な評価項目となっている（任，2020）。エコツーリズムの旅行商品の企画担当者，エコツーリズムのガイドなどのエコツーリズムの専門人材は，観光地の生態環境の受容能力を考慮し旅行商品を企画し，観光者に対する観光地に関する適切な説明や案内を通じて，観光者による生態環境の破壊を抑制するという重要な役割を担っている。しかし，青海省はエコツーリズムの専門人材を含めた旅行業の専門人材が不足する問題に直面している。

(4) エコツーリズムの目的地の宣伝不足

　乾燥した気候，高い標高，薄い酸素など，青海省に対する固有の印象により，多くの旅行者は高原反応や気候の問題を心配し，青海省への訪問をあきらめている。従来の青海省への印象を変えるために重要なことは，青海省が優位性をもつ生態資源を新しい方式で展示・活用すること，人々の関心を高め，注目を集めるように宣伝活動に力を入れることなどである。青海省は，多様なチャネルを通じて宣伝に力を入れているが，まだ拡大の余地がある。

　国家統計局のデータによって青海省の旅行収入を見ると，2014 年から旅行収入の 99％は国内観光者による観光収入であり，海外観光者による観光収入の割合が極めて少ない。海外旅行は国内旅行よりも旅行日数が長くかかる。これは直接に旅行収入につながる。

5. 結 び

　本章では，海外におけるエコツーリズムの研究，国内におけるエコツーリズムの研究及び青海省におけるエコツーリズムの研究をレビューした。その結果，青海省におけるエコツーリズムの研究が非常に少なく，研究空白が存在することがわかった。

　青海省のエコツーリズムに関する数少ない先行研究により，青海省のエコツーリズムの現状を整理した上で，直面している解決すべき問題点を明らかにした。青海省は自然観光資源が豊かであり，エコツーリズムへの需要が増加する中で，さらなる成長が期待できる。しかし，青海省のエコツーリズム産業はその潜在力が高いにも関わらず，開発理念の問題，資金不足問題，青海省内の地方都市における旅行者の受容能力の不足，エコツーリズムの専門人材の不足，宣伝活動の不足などの多くの問題に直面している。これらの問題を解決するには，政府による科学的開発計画，関連法規の整備，民間投資の増加，宣伝の強化，旅行企業のサービス向上，旅行専門人材の育成など，多方面による努力と協力が不可欠である。口コミによる宣伝，観光地のサービス向上などは，青海省のエコツーリズム産業を発展させる上で，新規旅行者を呼び込み，リピーター観光客を呼び込むための重要な役割を果たすので，今後において口コミによる旅行地選択のメカニズムに関する研究や，エコツーリズム行動に関する研究を展開していきたい。多様な視点からの青海省におけるエコツーリズムに関する研究は，青海省のエコツーリズム産業の健全な発展に役立つであろう。

【参考文献】

[1] Zhao Hongbin, Wang Zhanlin and Zheng Shuxia (1995), "The tourism resource environment of Qinghai Lake and its protection countermeasures" *Qinghai Resource Environment and Development Seminar*, pp.109-112.

[2] Zheng J. (2003),"The current situation and problems of ecotourism in Qinghai" *Qinghai Science and Technology*, pp.18-19.

[3] Xing Jing Hua (2008),"Analysis of the development countermeasures of

ecotourism in Qinghai Province" *China's business world*, pp.23-26.

［4］ Cui Jina and Chen Xuemei (2012) ,"Research on the development of ecotourism in Qinghai based on SWOT concept" *Value Engineering*, pp.118-119.

［5］ Li Shouchun (2013), "The current situation and planning of leisure agriculture and rural tourism development in Qinghai Mutual County" *Leisure agriculture and beautiful countryside*, pp.13-15.

［6］ Zhang JY (2015), "Reflections on the development of ecological tourism in Haibei Prefecture, Qinghai Province" *Qinghai Environment*, pp.78-79.

［7］ Li Cunxia and Zhu Hailing (2018), "The current situation and countermeasures of ecological agricultural tourism development under the background of green development strategy" *Henan Agriculture*, pp.32-35.

［8］ Jiang, Haixia (2019), "Research on the current situation and countermeasures of tourism in Qinghai Province" *New West*, pp.11-14.

［9］ Zhang Zhuang and Li Bo (2020), "Research on the strategic choice of ecological tourism development in Qinghai Province based on SWOT analysis" *North Economy*, pp.56-57.

［10］ 任奚嫻 (2020),「青海省エコツーリズム産業発展潜在力に関する研究」『青海師範大学修士卒業論文集』,pp.18-37。

［11］ 陶表紅 (2012),「持続可能なエコツーリズム産業の発展に関する研究」『武漢理工大学博士卒業論文集』, pp.68-92。

(李 蹊)

第2編　東アジアの経営

第9章　アジア展開における中小企業の
　　　　　経営自立化

【要旨】

　本章では，中小企業の「国際化と自立化」に焦点を当て，アジア展開を通じて中小企業の自立経営の経営行動を分析し，国際企業へ変身する可能性を考察するものである。中小企業の経営者がグローバル対応のマインドを持ち，足りない経営資源を外部から取り込み，アジア展開を通じて，自立経営の国際企業へ成長する成功要因を探る。

【キーワード】：中小企業，アジア，海外展開，国際化，経営自立化，経営行動

1.　はじめに

　近年，後継者不足，人材採用難，大手企業の海外移転など，中小企業を取り巻く経営環境は年々厳しさを増している。政府の産業構造ビジョンや新成長戦略において，中小企業の海外展開は重要な政策課題に位置づけられ，中小企業の海外進出支援が強化されている。そこで中小企業の海外展開が進む中で，「中小企業は国際化可能か，どのように国際化すればよいか」といった問題意識の下，筆者らは 2014 年度からアジアの 10 カ国・地域に進出している 100 社以上のものづくり中小企業の海外進出の実態調査を行ってきた [1]。その結果，中小製造企業の海外進出のきっかけとしては，大手取引先の海外進出に伴い，進出を要請されたという事情が最も多かったことを明らかにした。さらに，変化の激しいアジアへの進出において，足りない経営資源を外部から取り込み，

海外で中小企業の自立経営による国際企業になった事例もあった。中小企業の経営自立化は，今後の企業成長と事業承継に向けた鍵になる。

　大企業だけでなく中小企業においても，成長著しいアジア新興国や開発途上国への海外展開を拡大する傾向が見られている。このような状況下で，本章は，日本の中小企業を対象として，アジア新興国・開発途上国への海外展開において，自社に適した進出方法による経営の自立化を考察し，アジア展開における中小企業の経営自立化のメカニズムを究明することを目的とする。研究方法としては，経営学に関する先行研究を整理し，アジア進出している２社の中小企業の事例を取り上げ，進出の成功要因を分析する。最後に，事例研究の結果を踏まえて，中小企業が海外展開を通じて，自立経営の国際企業へ成長する成功要因を探る。

2.　先行研究

　中小企業は全国に 358 万社存在し，日本の全企業数の約 99.7％を占める。さらに中小企業は，従業員数で全体の７割を，生産額では５割を占め，日本の経済において大きな役割を果たしている [2]。人口減少，高齢化，海外との競争激化といった構造変化に直面しており，経営者の高齢化に伴う事業承継等の課題を抱えている。

(1) 下請構造と中小企業の自立化

　日本の高度経済成長は，大企業である元請けと下請けとの持ちつ持たれつの社会構造によってもたらされてきた。政府は下請事業者の独立性を高めるとともに，下請中小企業の能力が最大限に発揮されることを目的として，「下請中小企業振興法」や「振興基準」が制定された。「下請」とは，一般には，「特定の事業者に依存する程度が高く，その事業者の発注に応じて，その事業者の必要とする物品の全部または一部について，製作，加工，組立，修理などを行っている全ての場合のこと」を指すとされている。下請中小企業振興法において

は、「下請中小企業」とは、「自社よりも資本金又は従業員数の大きい他の法人
から、製品・部品等の製造・加工や、発注企業が他社に提供する役務等を受託
している中小企業」とされている。多くの中小企業は、長らく大企業の元請け
の言うとおりに、良いものを言われた品質、価格と納期で作れば事業が継続で
きたものである。特に製造業をはじめとして、グローバル化の進展に伴い親企
業の海外進出が進むことにより、中小企業を取り巻く環境は一層厳しい状況に
直面し、大企業に依存した中小企業の経営自立化を図ることが生じている。

　下請および自立化に関する先行研究は多く存在している[3][4]。自立化の方
法としては、自社製品を持つことのように（「独立型中小企業」）、下請であって
も自立化は可能である。すなわち、取引形態は親企業との取引となるが、自立
的な要素を下請が持つことで価格交渉力を有することになり、「自立型下請」
となることができる。下請企業の位置と自立化への経路は図表9-1に示す[5]。
価格交渉力を有するには、技術力、加工能力、提案力、営業力などその企業に
しかない能力が備わっている必要がある。

図表 9-1　下請企業の位置と自立化への経路

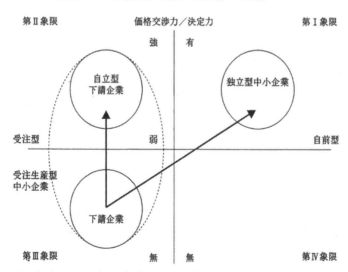

（出所）髙田 など（2009）「現代中小企業論」同友館，p.44。

その中では，世界初となる「オンリーワン」の製品を開発し，国内市場は
もちろんのこと，世界市場で高いシェアを獲得している「革新的中小企業」[6]
が見られる。中小企業庁の「元気なモノづくり中小企業300社」や経済産業
省が選定した「グローバルニッチトップ（GNT）100選」にも多くの中小企業
が含まれている。難波[7] によれば，GNT 企業が特定の製品分野を海外に展開
する製品戦略としては，「国内でニッチ製品からスタートし，海外市場に進出
した」が最も多く，「国内で汎用製品からスタートし，国内でニッチ製品に特
化した後，海外市場に進出した」が次に多くなっている（図表9-2）。国内市場
への製品供給の段階で特定分野の技術を磨いた企業が，何らかのきっかけに
よって製品を海外に展開することで，GNT 企業となるケースが多くなってい
る。しかし，国内市場で成功していない製品を海外市場へ展開するに関しては
ほとんど研究されていない。この点については，近年，ボーン・グローバルと
呼ばれる，創業初期から急速に世界展開をするベンチャー企業が注目されてい
る。「国際化と自立化」に焦点を当て，中小企業の自立経営の企業行動として

図表 9-2　グローバルニッチトップ企業の製品戦略

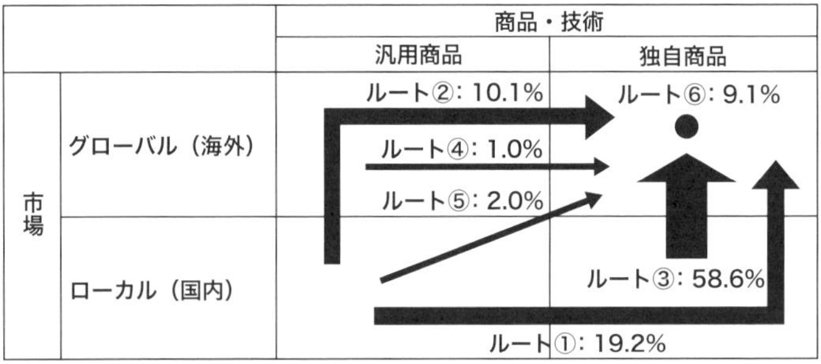

備考：1．ルート①：国内で汎用製品からスタートし，国内でニッチ製品に特化した後，海外市場
　　　　に展開した。ルート②：国内で汎用製品からスタートし，汎用製品で海外市場に進出し
　　　　た後，ニッチ製品に特化した。ルート③：国内でニッチ製品からスタートし，海外市場
　　　　に展開した。ルート④：海外で汎用製品からスタートし，海外市場でニッチ製品に特化
　　　　した。ルート⑤：国内で汎用製品を扱っていたが，海外進出と同時ににニッチ製品に特
　　　　化した。ルート⑥：最初からニッチ製品に特化し，最初から海外市場に展開した。
　　　2．回答企業数は 99 社。
（資料）立命館アジア太平洋大学・難波正憲氏の作成資料をもとに経済産業省が作成。
（出所）2014 年版ものづくり白書, p.67.

も分析する必要がある。

(2) 中小企業の海外展開の現状と理論研究

　経済産業省が従業者50人以上かつ資本金額又は出資金額3,000万円以上の企業を対象に実施した「企業活動基本調査」によると，中小企業の輸出企業割合は長期的に増加し，輸出額と売上高に占める輸出額の割合の推移も長期的にはいずれも増加傾向にあることが分かる。企業規模別の海外現地法人の保有率の推移を見ると，海外子会社を保有する中小企業の割合は長期的に増加傾向にあることが分かる。また，海外直接投資を行っている中小企業が進出した国・地域の構成の推移を見ると，2000年代は進出先として中国が最も多かったが，近年の構成比では減少傾向となっている。その中国に代わってASEANへの進出が増加しており，2017年は全体の約3分の1を占めている[8]。

　企業の国際化とは企業の経営活動の範囲が国内から海外へ拡大することで，グローバル化とは，世界規模で経営活動の相互依存関係が進んで行く状態を指している[9]。国際経営論では企業の海外展開に関する様々な理論構築が進んでいる。近藤[10]によれば，日本の大手製造企業の国際化の発展は海外の国々との取引から，現地生産，さらには現地販売，第三国輸出までとグローバル化を進化させていくものである。赤松，小島[11]の雁行型経済発展論でも，国際的伝播が日本 → NIEs → ASEAN → 中国といった順序で実現されたことが証明されている。ただし，こうした理論は，大企業を主な研究対象として導き出されたものであり，中小企業にも当てはまるのかどうかは検証が十分にはなされていなかった。中小企業の海外投資(FDI)に関する理論的アプローチで，バックレイ (Buckley, 1989)[12]は「企業成長の経済理論」，「発展段階のアプローチ」，「意思決定論」の諸理論を紹介する中で，中小企業は大企業に比べて経営資源に制約があることを指摘している。

　企業戦略分野においては，ポーター (Porter, 1998)[13]のポジショニング論とバーニー (Barney, 2002)[14]のリソース・ベースト・ビューが議論されることが多かった。しかし，経営資源の制約が強い中小企業では，戦略の立案か

ら実行までの経営全般において，経営者個人の考えや意思決定が大きく影響すると考えられる。そのため，中小企業を対象とした分析をするには，あらためて中小企業の特徴を考慮することが必要となる。中村[15]によれば，日本の中小企業の特徴は「異質・多元」の個性と，その「多様性」にあると指摘されている。そこで中小企業が海外展開において，個々の企業事例研究の意義が生じる。

3. 事例研究

企業の海外展開にはさまざまな形態があり，特に業種や進出の目的，進出先の投資関連法制を考慮しなければならない。次に，中国やミャンマーに進出している2社の中小企業の事例を取りあげ，中小企業の自立経営の企業行動を分析する。

(1) 中国，ミャンマーへの進出により国際企業となった中小企業 G 社

G 社（本社：東京都，資本金 1,000 万円）の創業者は，中国語，韓国語が堪能で，2002 年に単身で中国の広東省にわたり，貿易業を始めた。2006 年香港で創業し，中国・広東省，ミャンマー・ヤンゴン，バゴーに工場を持ち，生活雑貨品の縫製加工，樹脂成型などをはじめ，現在は IoT・AI 技術を活用したデバイスの開発と製造業務を行っている（図表 9-3）。

図表 9-3　G 社の企業沿革

2006 年 11 月	中国	香港・中国現地法人を設立
2007 年 2 月	中国東莞	中国広東省東莞にて精密な筐体成型を中心とした製造業開始
2007 年 5 月	日本	日本法人設立
2014 年 12 月	ミャンマー	ミャンマー法人設立―プラスチック成型部門・縫製部門を開設
2014 年 9 月	ミャンマー	工業団地を創設（5 万㎡の土地を取得し生産ラインの提供サービスを開始）
2015 年 1 月	ミャンマー	アライアンス事業＆レンタル工場貸出業務開始
2017 年 12 月	中国	深圳先進技術研究開発拠点を増設
2017 年 12 月	ミャンマー	ハードウェアの開発拠点の増設

（出所）G 社ホームページ（2021.8.28）。

　2006 年には中国の広東省東莞市で工場を立ち上げた。中国で順調に生産が拡大していく一方で，現地の人件費上昇から，2012 年 4 月にはミャンマーで工場を立ち上げた。2012 月 6 月からヤンゴン工場にて生活雑貨の縫製業を開始し，中国そしてミャンマーで日本のメーカーからの委託生産を受けている。2014 年，ミャンマー南部バゴー市近郊の軍関連企業があった約 40 ヘクタールの敷地と建物を「日本企業専用の工業団地」として 50 年間の借地契約を結び，日本の中小企業向けに工業団地の運営を始めた。土地や建屋を賃貸するほか，自己投資で金型工場や成型工場も建設することで金型製造なども請け負うこともできる。

　中国工場から技術者を派遣し，中国語が通じるミャンマーの華僑が生産現場で管理し，中国工場の生産技術をミャンマーで展開している。これらの製造プロセスに対応するために，プラスチック製品等の樹脂金型成型品や，シリコン射出成型部品，ブロー成型部品，金属加工製品，電子製品組み立てなど設備を所持し，多機能型の工場を運営している。中国で生産していた製品の生産をミャンマー工場に移管する製品は，基本的に製造原価のうち 5 割以上を人件費に依存する製品を優先対象としている。例えば縫製関連の製品でも，材料費の比率が高いものはミャンマー生産の対象にはならない。2021 年 2 月 1 日に起きた国軍による軍事クーデターによるミャンマー経済への打撃は甚大で，クーデター政権を資金面で支えないよう，ミャンマーに進出する外国企業に対して，ビジネスの見直しが求められている。「アジア最後のフロンティア」と呼ばれ，世界中の注目を集めるミャンマーに多額の資本を投資してきた多くの日本企業は進退などの経営判断に苦慮している。

　現在，G 社は東京，中国の深圳に自社の R&D 拠点を置き，最先端の IoT+AI の技術で社会課題解決のための IoT ハードウェア・AI ソリューションの開発に挑んでいる。インテリジェントな統合型クラウドシステム，ビッグデータプラットフォーム，ディープラーニングによるアルゴリズムから人・モノ・場所のデータを構築し，運用効率を完全リモートによる無人化レベルまで向上させ，新たな時代を担う DX と UX を創出することを目指している。

(2) 海外ビジネスを成功させた中小企業 D 社

　D 社（本社：東京，資本金9,000 万円）は，水分子活性化を研究し食材の鮮度保持装置を開発・販売する中小企業（図表9-4）。2004 年設立以来，肉や魚，野菜などの鮮度維持と長期保存を可能とする特許技術を基に，鮮度保持電場装置を主体に製造・販売を手掛けている。現在，水分子活性化技術を活用し，環境・流通・食・美容・医療など様々な分野に参入，展開している。

図表 9-4　D 社の企業沿革

2004 年 4 月	会社設立
2013 年 8 月	鮮度保持電場装置製造販売開始
2015 年 1 月	空間電位を利用した鮮度保持装置の日本特許取得
2016 年 2 月	空間電位発生装置の中国特許取得
2017 年 2 月－9 月	空間電位を利用した鮮度保持装置の台湾，米国，韓国特許取得
2017 年 11 月	空間電位発生装置搭載した家庭用冷蔵庫発売（中国大手メーカ）
2018 年 5 月	ヘルスケア製品の発売開始
2019 年 11 月	鮮度保持電場装置搭載したコンテナ発売開始

（出所）D 社ホームページ（2021.8.28）。

　空間静電波システムによる鮮度保持装置は，装置本体と放電板とシステムで構成されている。用途は鮮度保持，冷凍，解凍などで，冷蔵庫，コールドテーブル，プレハブ冷蔵庫などへの組込型と業務用冷蔵・冷凍庫や冷凍車などへの後付けも可能となっている。投資額が少なくて済み，優れた省エネ性能を有し，コンパクトであるといった多くの特質を持ち，日本をはじめ，中国，台湾，米国でも空間電位発生装置を利用した鮮度保持装置で特許を取得している。また，東京都中小企業振興公社から支援認定商品，海外販路開拓支援認定商品としての指定を受けている。

　日本で開発，製造された製品にもかかわらず，日本では売上実績が上がらないことから，海外事業展開に注力した結果，中国，台湾，韓国などでは大手顧客が本格導入に踏み切るなど，販売実績が急速に上がってきている。日本家電メーカーの白物やテレビ，パソコン分野などが中国メーカーに続々と買収されるなかで，中小企業である D 社は中国の大手家電製品に独自技術を売り込むことに成功した。2017 年 11 月に年間 600 万台から 700 万台の冷蔵庫を生

産している中国大手家電メーカーの新型家庭用冷蔵庫には，空間電位発生装置が搭載されている。

　同社は鮮度保持の能力を比較検証するため，空間電位発生装置を搭載した冷蔵庫と未搭載の通常の冷蔵庫を用意し，扉にテープを張り封印した。17 日目に両冷蔵庫を開け，鮮度保持比較を行った。その様子を 24 時間ネット中継し，空間電位発生装置を搭載した冷蔵庫に入っている食材はすべて新鮮なままであったという結果を大いにアピールした。

　また，2019 年にコンテナ製造販売の世界大手である中国国際海運集装箱（集団）股フン有限公司の子会社と業務提携し，D 社の技術をコンテナに搭載したことで，日本や中国内外の関連業界から注目されている。そして，日本国内でのビジネスも順調に拡大しはじめ，冷凍食品物流を手掛ける運送企業とも業務提携ができた。もちろん，海外企業と提携することによって技術漏洩や模倣される心配も考えられるが，D 社は自社技術に自信を持ち，日本企業の商品の高い信頼性を用いて，ブランド価値として中国ビジネスを展開しようとしている。

4.　考　察

　上記のような中小企業によるアジア展開の事例を通じて，自立経営の経営行動を分析し，事業の成功要因を考察する。

　中小企業の海外進出のきっかけとしては大手取引先の海外進出に伴って，進出を要請されたという事情が最も一般的であるが，G 社，D 社はともに「市場開拓型」であり，成長が見込まれる進出先のマーケットの開拓により，自社製品を販売することを主な目的として海外進出を行うケースである。

　G 社の社長は語学力を生かし，中国華僑系のネットワークに乗り込んで情報収集を行い，中国，ミャンマーにおける現地パートナーとの WIN-WIN 関係を構築したことでビジネスを拡大してきた。また，D 社は自社のコア技術である水分子活性化を活かし，空間電位発生装置にフォーカスした製品戦略を展開している。両社ともグローバルな視点を持ち，政治・経済・社会情勢等の国際

ビジネス環境の情報収集を行い，差別化戦略を策定していることがわかる。

　G 社の日本本社の従業員は十数名であるが，中国やミャンマーと合わせると1000 人を超える企業になっている。さらに中国に研究開発の拠点を設置し，中国で開発された製品を中国や日本市場へ販売している。D 社も十数人規模の企業であるが，海外では大手企業を相手にビジネス開拓をしている。両社とも自社が足りない経営資源を外部から取り込むことが経営自立化を成功する要因といえる。

　海外展開の製品戦略については，従来の先行研究による「国内のニッチ製品から海外市場へ」，あるいは「国内での汎用製品からニッチ製品に特化して海外市場へ」が多かったが，D 社は汎用製品を開発し，初期から海外市場でビジネスを成功させた。また，G 社は創業初期から海外展開を狙い，グローバルビジネスを通じて国際企業となった。

5.　結　び

　本章では，中小企業の自立化と国際化に関する先行研究を整理し，アジア展開の日系中小企業への現地インタビュー調査の結果を踏まえ，事例研究から中小企業のアジア展開における経営自立化を考察した。中小企業の経営者がグローバル対応のマインドを持ち，足りない経営資源を外部から取り込み，アジア展開を通じて，自立経営の国際企業へと成長できると結論付ける。アジア展開における自立化経営の中小企業が目指すべき姿は：

1 ）独自の技術や商品を有する
　　独自に開発した高付加価値商品や他にない技術，サービスにより，高い競争力を有するオンリーワン企業。
2 ）着実に海外市場開拓・拡大の事業パートナー関係を構築する
　　海外市場開拓・拡大に戦略的に取り組み，人材，資金を含め，信頼できるパートナー企業を有する企業。

３）イノベーションの取り組みに果敢に挑戦する

　成長が見込まれる新分野や新事業に積極果敢にチャレンジする企業。

　海外進出には，日本では想像できないような多種多様なリスクも存在する。近年，安全保障に関する取組が経済・技術分野に一層拡大してきている。そのような中，昨年から継続している新型コロナウイルスの流行はサプライチェーンの混乱を招いたほか，企業の国際事業活動にも影響を及ぼしている。中小企業にとって，海外事業展開先の政治・経済・社会情勢等の国際ビジネス環境のリスクに迅速に対応し続けることは容易ではない。各国の経済安全保障の政策動向を強く意識した上で，自社の国際戦略を策定することがますます重要になってきている。今後さらに研究を進めるべきと考える。

謝　辞

　本研究は令和 2 年度科研費（基盤研究（C）18K01783「アジア展開における中小企業の経営自立化のメカニズム研究」）の助成を受けたものである。

【引用文献】
(1) 櫻井敬三・高橋文行・黄八洙・安田知絵（2017），『成功に導く中小製造企業のアジア戦略』文眞堂。
(2) 中小企業庁（2019），『中小企業白書 2019 年版』。
(3) 北九州中小企業自立化研究実行委員会（2005），「中小企業の自立化」に関する調査研究報告書。
(4) 櫻井敬三（2015），「日本の下請型中小製造企業実態調査結果に基づく考察」日本経済大学院紀要，3（2），pp.67-82。
(5) 高田亮爾・上野紘・村社隆・前田啓一編（2009），『現代中小企業論』同友館。
(6) 土屋勉男・金山権・原田節雄・高橋義郎（2015），『革新的中小企業のグローバル経営「差別化」と「標準化」の成長戦略』同文舘出版。
(7) 難波正憲・福谷正信・鈴木勘一郎（2013），『グローバル・ニッチトップ企業の経営戦略』東信堂。
(8) 中小企業庁（2020），『中小企業白書 2020 年版』。
(9) 浅川和広（2003），『グローバル経営入門』日本経済新聞社。
(10) 近藤文男（2004），『日本企業の国際マーケティング』有斐閣。
(11) 小島清（2003），『雁行型経済発展論』文眞堂。
(12) Peter J. Buckley（1989），"Foreign Direct Investment by Small and Medium

Sized Enterprises: The Theoretical Background", *Small Business Economics*, 1 (2), pp.89-100.

(13) Porter, Michael E. (1998), *On Competition*, Harvard Business School Press. 竹内弘高訳 (1999), 『競争戦略論Ⅱ』, ダイヤモンド社。

(14) Barney, Jay B. (2002), *Gaining and Sustaining Competitive Advantage,* Second Edition, Pearson Education Inc. 岡田正大訳 (2003), 『企業戦略論 (上)』, ダイヤモンド社。

(15) 中村秀一朗 (1992), 『21 世紀型中小企業』岩波新書, p.10, p.162。

(高橋 文行)

第10章　地方自治体における中小企業の海外進出支援
——ベトナムでのレンタル工場の活用を中心として——

【要旨】

　近年，日系中小企業が東南アジア諸国に製造部門を移転する際に，進出先の工業団地に併設されるレンタル工場を利用するケースが増えている。その際に，入居予定団地の運営者，地方自治体やその外郭団体の産業支援財団（以降，併せて地方自治体），取引金融機関などによって多かれ少なかれ支援が行われるが，調査を行った神奈川県は 2015 ～ 2019 年のわずか 5 年間で製造業を中心に 12 件の中小企業のベトナムへの進出支援を果たした。そこで，本章では神奈川県による支援活動の実態について調査分析を行った。

　まず，神奈川県では進出検討企業が入居を希望するレンタル工場に対して，外郭団体である公益財団法人神奈川産業振興センター（以降，KIP：Kanagawa Industrial Promotion Center）がインフラの充実度などの適正調査を自ら実施し，提携先を確定していた。そして KIP が主催するセミナーにおいて，最初に入居した企業の関係者が経験談を講演したり，それら先行企業の工場を見学する投資環境視察ミッション（以降，投資ミッション）と呼ばれる視察ツアーを円滑に実施することによって，ツアー参加企業の入居が追随するといった好循環が形成されていた。

【キーワード】：地方自治体，産業支援財団，ベトナム進出支援，
**　　　　　　　　レンタル工場，投資環境視察ミッション**

1.　はじめに

　近年，中国やタイに代わってベトナムに製造部門を移転させる日本の製造企業が増えている。現在のベトナムは，安定した経済成長，経済協定数の増加，末広がりの人口ピラミッド，割安な人件費，急ピッチで進むインフラ整備の充実など，投資先として十分な魅力を有している。そして，そのベトナムには稼働する工業団地が 258 カ所あり，東南アジア諸国内でもマレーシアに次いで多い。これら工業団地への進出において，大手企業であれば自社で工場を設立することは容易であろうが，社内リソースが限られる中小企業においてはその限りではない。そのような中小企業に対し，一部の工業団地は購入用物件 (注-1) に加え，スケルトンの小規模レンタル工場施設を併設し，進出検討段階から入居に至るまでをワンストップで支援している。また，一部の地方自治体はこれら団地運営者と協定契約を締結し，さらに事前相談，セミナー開催，投資ミッションを開催して中小企業の進出支援を行っている。著者はこれら地方自治体による中小企業の進出支援の実態や最適な投資ミッション運営の理解のために，KIP が 2019 年 11 月 17 日〜 22 日に実施したベトナムへの投資ミッションに参加し調査を行った。本章ではこれら調査結果を起点に，レンタル工場ビジネスの概要，地方自治体による中小企業への具体的な進出支援活動，さらに地方自治体とベトナム現地機関との経済協定の実態について調査を行った。

2.　先行研究と本研究の所在

　地方自治体における中小企業の進出支援に関する代表的な研究として領家（2015）があげられる。領家（2015）は大阪府商工労働部中小企業支援室での勤務経験に基づいて進出支援業務を区分けし，各業務の円滑運営方法について論じている。なかでもセミナーや投資ミッションが進出決定に重要な役割を担っていると指摘している[1]。また，地方自治体が支援する集団海外直接

投資に関しては，近隣諸国の事例ではあるが，浜松ら（2010）がタイのバンコク近郊に立地するアマタシティ・チョンブリ工業団地内のレンタル工場に2006 年に開設された大田区産業振興協会によるオオタテクノパーク構想について，開設の経緯からプロジェクトの運営実態に至るまでを報告し，さらに浜松ら（2019）では浜松ら（2010）における調査対象企業のその後の進展について報告している[(2)(3)]。一方，ベトナムにおいては大野（2015a, b）などホーチミン近郊に立地するロンドウック工業団地内のレンタル工場やビーパンテクノパークを活用した，近畿経済産業局を中心とする 11 の支援機関による「関西裾野産業集積支援モデル事業」に関する先行研究が少なからずあるが[(4)(5)]，それらの多くはプロジェクトの事例紹介に留まっている。そこで本章では，地方自治体によるベトナムへの進出支援活動の具体的な取り組み活動について，とくにレンタル工場の活用に焦点を充てて調査分析を行うことで先行研究不在の間隙を埋める。

3.　工業団地と併設するレンタル工場の概要

　2020 年 1 〜 3 月時点において，ベトナムには稼働する工業団地が 258 カ所あり，総面積は 68,800ha，入居率は 74.3% に達し，少なくとも 83 個の工業団地にレンタル工場が併設されている[(注-2)]。団地各社の入居幹旋資料によると，1 区画あたりのレンタル工場の大きさは概ね 250 〜 1,000㎡であり，2,000㎡以上が基本である購入用物件と比較すると小規模である。入居時の初期費用や賃貸・管理費は，立地，日本人あるいは日本語が話せるスタッフの有無，運営母体のブランド，そしてそれに伴うインフラの充実度に比例する。2012 年時点の北部 28 カ所のレンタル工場における諸費用等の平均は，保証金 5.29 カ月，最短契約年数 3.5 年，賃貸料 3.85 ドル /㎡ / 月，管理費 0.35 ドル /㎡ / 月，水道料金 0.46 ドル /㎡，排水処理費用 0.26 ドル /㎡であったが[(注-3)]，契約年に応じて賃貸料は上昇傾向にある。ただし，近年都市部での購入用物件の土地リース料が著しく上昇しており，それに比べるとレンタル工場の賃貸料の上昇

率は低い。このように規模が小さく少額の初期費用でスケルトン物件を借りられるレンタル工場ビジネスは中小企業の進出にとって有意義なものであり，中小企業の進出支援を行う地方自治体においても有望なレンタル工場との協定契約は重要な意味を持つ。なお，地方自治体と協定を結ぶレンタル工場に入居した場合，支援活動の一環として，予約金・保証金，一定期間の賃貸料・管理費，さらに投資ライセンス取得手続き費用の免除・減免が受けられるケースが多い。

4. 地方自治体による中小企業への直接的な進出支援活動

地方自治体による進出検討企業への直接的な支援活動には，時系列に事前相談，セミナー開催，投資ミッションがある。事前相談では大手商社や大手製造業での海外駐在経験者が豊富な実務経験に基づき，進出予定国の経済・雇用・商習慣，製品や技術の競争優位性，現地での人材の確保・育成など，海外進出に関連する経営全般へのアドバイスが行われる。セミナーでは現地情報（経済情勢，雇用環境，税制や法規，優遇策等）や貿易実務に関する情報が提供される。投資ミッションでは現地の複数の工業団地や付帯するレンタル工場の見学に加え，地方自治体の首長自らがトップセールスを実施したり，首長に帯同した企業と海外現地企業とのビジネスマッチングが実施されるケースもある[6]。そして，KIP ではベトナム進出を検討する中小企業を対象に年4回のペースで勉強会を開催しているが，現地人材確保や登記など現地法人設立時に必要な情報が提供されるだけではなく，すでに進出した企業の経営者や担当者による経験談が講じられる。また，著者が参加した投資ミッションでは，ビジネスツアーに精通した大手総合商社系旅行会社の取扱により，KIP が契約する4つのレンタル工場に進出した9社の工場見学に加え，「KANAGAWA FESTIVAL in HANOI」の一環として，神奈川県知事である黒岩祐治氏やベトナムの計画投資省副大臣である H. E. Nguen Van Trung 氏らも参加した「神奈川投資セミナー＆ネットワーキング」が併せて開催された。

5.　現地機関との経済協力や団地運営者との提携の現状

　地方自治体におけるベトナム現地機関との経済協力活動のうち，地元企業の進出支援を目的にしたものに焦点を充てると，2006 年の岡山県と計画投資省外国投資庁との経済交流に関する覚書を皮切りに複数の中央官庁や各省庁との覚書が締結されている（図表 10-1）。しかし，当該地方自治体，団地運営者，団地入居企業，業界誌の Web 情報を調査した限りでは，ベトナム現地機関やその傘下の団地運営者との覚書締結や投資ミッションに関する記事やプレスリリースは多々あるものの，これら覚書が起点となって実際に地元企業が進出したことが掲載されているケースは非常に少なく，神奈川県と兵庫県でそれぞれ 6 件と 2 件の事例が確認された程度であった。そして，著者が調査を行った KIP は神奈川インダストリアルパーク事業として，神奈川県，ジェトロ，横浜銀行，大手損害保険会社，大手人材会社などと連携して[注-4]，4 つの団地運営者と協定を締結し，製造業を中心にわずか 5 年で上記 6 件を含む 12 件の中小企業の進出支援を果たした（図表 10-2）。そこで，次節にて KIP の活動実態について分析を行った。なお，図表 10-1 に掲載されている地方自治体のうち，少なくとも岡山県，愛知県，埼玉県，浜松市は地元企業の進出支援に関してコンサルティング会社に業務を委託し，そのなかには自社でレンタル工場を運営している企業もある[注-5]。一方，神奈川県と兵庫県は外郭団体である公益財団法人が自前で進出支援を行っている。また，両県が覚書を締結したハナム省が資本参加するドンバン 3 工業団地は，日系企業や各種団体への誘致活動について当該業務に精通したコンサルティング会社である BTD 社に業務を委託している。

148

図表 10-1　地方自治体と現地機関との進出支援に関する経済協定の覚書締結事例

締結時期	日本側	締結先	締結時期	日本側	締結先	締結時期	日本側	締結先
2006 年	岡山県	計画投資省 外国投資庁	2014 年	滋賀県	ホーチミン市	2016 年	群馬県	計画投資省
				浜松市	計画投資省		四日市市	計画投資省 外国投資庁, ハイフォン市
2007 年	横浜市	ホーチミン市		山口県	ビンズオン省			
2008 年	愛知県	計画投資省	2015 年	秋田県	ビンフック省		兵庫県	ハナム省
2012 年	埼玉県	計画投資省		神奈川県	フンイエン省		富山県	計画投資省
2014 年	神奈川県	計画投資省		新潟県	ハイフォン市			

（出所）複数資料(注-6)を参考に作成。

図表 10-2　KIP が提携する工業団地・レンタル工場の比較

工業団地名	フォーノイA	第二タンロン	ドンバン3	タンキム
レンタル工場名	IDI 1・3	同上	同上	KIZNA2・3
地域とアクセス	北部フンイエン省 ハノイ近郊 ハノイ中心部南東24km 車で約40分	北部フンイエン省 ハノイ近郊 ハノイ中心部南東33km 車で約45分	北部ハナム省 ハノイ近郊 ハノイ中心部南40km 車で約45分	南部ロンアン省 ホーチミン近郊 ホーチミン中心部南19km 車で約40分
アクセス	ハノイ中心部より南東24km 車で約40分	ハノイ中心部より南東33km 車で約45分	ハノイ中心部より南40km 車で約45分	ホーチミン中心部より南19km 車で約40分
月額賃料(㎡)	4.0ドル	6.0 ドル	4.5ドル	3.9～4.8ドル(管理費込み)
月額管理費(㎡)	0.5ドル	1.0ドル	約0.3ドル(年間)	
水道料金	0.24ドル/㎡	0.54ドル/㎡	11,500VND/㎡	—
排水料金	0.29ドル/㎡	0.23ドル/㎡	9,600VND/㎡	—
特記すべきインフラ		4.4mの輸中堤防を設置し、盛土で海抜3.5～3.55mまで嵩上げ、排水ポンプも設置	整地高は海抜 3.5m	
日本人スタッフ有無	有り	有り	有り	有り
地域最低賃金	392万ドン(18,476円)	392万ドン(18,476円)	343万ドン(16,166円)	392万ドン(18,476円)
地域における作業員の月額給与	208ドル	208ドル	173ドル	238ドル
団地内購入物件有無	無し	無し	有り	無し
団地完成年	2004年	2006年	2017年	2008年
土地使用期限*	2054年	2056年	2087年**	2058年
支援内容	①敷金減免(賃料3か月→1.5か月) ②投資ライセンス取得手続き費用減免	①管理費免除(1期:1ドル/㎡を1年間、2期:5,000ドル/unitを1年間) ②投資ライセンス取得手続き費用減免	①賃料6か月免除および減免(4.5→3.8ドル/㎡) ②管理費(約0.3ドル/㎡/年)1年間免除 ③予約金・保証金減免(55→53ドル/㎡)	①賃料減免1か月 ②投資ライセンス取得手続き費用減免 ③ベトナム進出相談の2時間無料
入居企業とおもな事業内容	タカネ電機(事務用機器部品) ファシリティ(プリント基板製造設備) シンメイ(食品容器)	ダイニチ電子(ポータブルDVD組立) 多摩川電子(電子通信・放送用機器) フコク物産(ゴム部品等)	セーコウ(事務用機器部品製造) 東京特殊印刷工業(電気/電子・成形品) 杉孝(足場機材レンタル)	エムデン無線工業(電子機器部品) リード技研(精密金型部品加工) MIND(生鮮食品包装)

＊　購入用物件を購入した場合の使用期限時期。
＊＊政府指定の裾野製品製造認定を受けた場合の年数。

（出所）各種資料(注-7)を参照して作成。

6.　KIP の活動実態の特徴

(1) KIP によるレンタル工場選定と進出企業の立地の妥当性

　まず，南北に長いベトナムを 3 つの地域に大別すると，2016 年の地域別工業生産額比率は北部 33%，中部 19%，南部 57% で，各地域の商工会議所の会員企業数は北部 793 社，中部 130 社，南部 1,054 社である[注-8]。また，近年精密機械あるいは輸送機械関連企業が北部に進出する傾向が高いことや，近年の米中貿易摩擦や製造コスト上昇に伴う中国からの工場移転が北部に多いことを鑑みると，KIP による地域選定（北部 3 カ所，中部 0 カ所，南部 1 カ所）はバランスが取れているといえる（図表 10-2）。当該 4 つのレンタル工場の 1㎡/ 月あたりの賃貸料と管理費であるが，IDI 1・3 レンタル工場はそれぞれ 4.0 ドルと 0.5 ドル，第二タンロン工業団地は 6.0 ドルと 1.0 ドル，ドンバン 3 工業団地は 4.5 ドルと約 0.3 ドル（管理費は年間），KIZUNA2・3 レンタル工場は 3.9 〜 4.8 ドル（管理費込み）であった。賃貸・管理費については住友商事が開発した第二タンロン工業団地は比較的高いが，それ以外は地域間比較において平均的な設定価格であった。これらにより KIP が契約したレンタル工場は立地的にも経済条件的にも概ね好物件であるといえる。

　次に，進出企業のサプライチェーンマネジメントの視点から立地状況を俯瞰する。北部フンイエン省のフォーノイ A 工業団地内の IDI 第 3 レンタル工場に最初に入居したタカネ電機は川崎市に本社を置き，おもに事務用機器のワイヤーハーネスを製造する企業で取引先はキヤノングループが中心である。キヤノンは 2001 年よりベトナム北部ハノイ市やバクニン省に進出し，さらにキヤノン電子はタカネ電機が工場を設立したフォーノイ A 工業団地内に 2009 年に進出している。北部ハナム省のドンバン 3 工業団地（レンタル工場の入居ではなく物件を購入）に最初に入居したセーコウも川崎市に本社を置き，おもに事務用機器のゴムローラーを製造する企業で取引先は多岐に渡る。取引先の進出状況として，京セラはハイフォン市とフンイエン省，富士ゼロックス（富士フ

イルムビジネスイノベーション）とリコーはハイフォン市，キヤノンはハノイ市
とバクニン省，キヤノン電子はフンイエン省，ブラザー工業はハイズオン省と
いった北部地域にそれぞれ工場を立地しているが，ドンバン3工業団地から
各取引先工場へは高速道路や国道を使って2時間以内の距離である。そして，
南部ロンアン省のKIZUNAレンタル工場に最初に入居したエムデン無線工業
は藤沢市に本社を置き，おもに電子機器機構部品を製造する企業であるが，主
要取引先がロンアン省に隣接するホーチミン市やタイのバンコク近郊に立地し
ており，ベトナム南部とバンコク近郊は2006年に東西回廊で結ばれアクセス
は年々向上している。すなわち，KIPが契約したレンタル工場は，最初に入居
した企業が自社の最適なサプライチェーン構築を視野に入れて決定した物件で
あるといえる。

(2) KIP による進出支援モデル

　多くの地方自治体は進出支援に際し，まず現地機関あるいはその傘下の団地
運営者と協定契約を締結し追って誘致活動を行う。なかにはコンサルティング
会社と包括的な契約を締結し，それらコンサルティング会社が管理運営するレ
ンタル工場や大手総合商社などが出資開発した団地と協定を締結するケースも
ある。それらレンタル工場は確かに安心安全で相対的にクオリティが高いが，
相応に賃貸・管理費が高く，製造コストにシビアな中小企業のニーズに合致し
ているとは限らない。一方，KIPはコンサルティング会社に頼らずすべて自前
で支援業務を行っている。そして進出検討企業が希望するレンタル工場に対し
て，インフラの充実度などの適正調査を行い，一定の条件を満たしたレンタル
工場の運営者と協定を締結し当該企業の入居が行われる（図表10-3）。すなわち，
団地運営者との契約締結のタイミングが多くの地方自治体と異なる。次にその
入居企業の経営者や実務者がセミナーで経験談を講演し，投資ミッションでは
それら先行企業の工場を中心に見学スケジュールが設定され，ツアー参加企業
の入居が追随するという好循環が形成される。追随して入居した企業の経営者
によると，先に入居した企業の本社が同じ神奈川県内にあるため，進出までに

図表 10-3　KIP による進出支援モデル

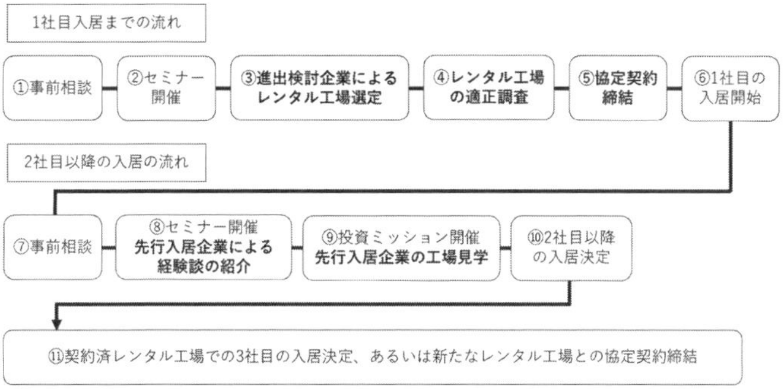

| 1社目入居までの流れ |
| ①事前相談 | ②セミナー開催 | ③進出検討企業によるレンタル工場選定 | ④レンタル工場の適正調査 | ⑤協定契約締結 | ⑥1社目の入居開始 |

| 2社目以降の入居の流れ |
| ⑦事前相談 | ⑧セミナー開催 先行入居企業による経験談の紹介 | ⑨投資ミッション開催 先行入居企業の工場見学 | ⑩2社目以降の入居決定 |

⑪契約済レンタル工場での3社目の入居決定、あるいは新たなレンタル工場との協定契約締結

太字：KIPによる特記項目

（出所）著者による作成。

複数回先行企業と相談を行い多くのアドバイスを受けたとのコメントもあった。また，これら好循環要因の補足として，KIP は外郭団体であるため，職員の外部異動が少なく，固定した職員が長期に渡って団地運営者や団地側のコンサルティング会社と折衝を行っている点があげられる。とくにベトナム側のコンサルティング会社は限られているため，進出支援活動の積み重ねによって経験知が蓄積され，キーパーソンとなるコンサルタントとの強固な人脈も形成される。

7.　結　び

現在のグローバル経済の進展に伴い，企業の国際化がより顕著化する一方で，多くの中小企業は社内リソースの不足によりその機会を逸している。本章は，この課題に合致した KIP によるレンタル工場を活用した中小企業のベトナム進出の優位性について論じた。なかでも，進出検討企業が希望するレンタル工場と契約を締結し，その後のセミナーや投資ミッションを最適に実施している点に KIP の優位性があった。さらに遡ると，自治体本体ではなく外郭団体の固定した職員がコンサルティング会社に委託せず，自ら進出支援業務を継続して実

施することによって経験知が蓄積されていた点にその優位性の源泉があった。

【注釈】

(注 -1) ベトナムでは土地は全人民のものであり，正確には土地を購入することはできない。また，外国企業による土地のリース期間は原則 50 年で，使用開始年は企業が団地に入居した時点ではなく工業団地開発の投資ライセンスが発給された時点からカウントされる。

(注 -2) 工業団地数，総面積，入居率は NNA ニュース（2020/08/20）「工業団地，北部は入居率 9 割 物流・工業インフラの課題（下）」による。レンタル工場数は，日本アセアンセンターによる「ベトナムの工業団地リスト」のうち，レンタル工場有りと記されている団地数をカウントしたが，実際にはそれ以上存在すると思われる。https://www.asean.or.jp/ja/invest/country_info/vietnam/industrialestate/（2020年 8 月 10 日閲覧）

(注 -3) JICA（2015），「ベトナム社会主義共和国 第 2 バ・ティエン工業団地 日系中小企業向けレンタル工場整備運営事業準備調査（PPP インフラ事業）ファイナルレポート」第 4 章 pp.15-24 による。

(注 -4) KIP「神奈川インダストリアルパークサポート体制」による。https://www.kipc.or.jp/business-support/internationalization/industrial/（2021 年 8 月 8 日閲覧）

(注 -5) 自治体国際化協会(CLAIR)報道資料「自治体の海外拠点一覧(2019 年 9 月現在)」による。http://www.clair.or.jp/j/houdou/r1.html（2020 年 8 月 20 日閲覧）

(注 -6) 小林恵介（2017），「ベトナム自治体が対越進出を後押し」『ジェトロセンサー（9 月号）』pp.58-59，JETRO 配信レポート（2020/3/30）「日本の地方自治体とベトナム，交流が多様化」，VIETJO 配信記事（2020/2/1）「【第 3 回】活発化する地方自治体とベトナム政府機関による経済交流」を参考に作成した。https://www.jetro.go.jp/biz/areareports/2020/dd2a2e3f91713f1a.html, https://www.viet-jo.com/news/column/200130173534.html（2020 年 8 月 20 日閲覧）

(注 -7) 日本アセアンセンターによる「ベトナムの工業団地リスト」，JETRO「アジアの労務コスト比較，意外に大きい賃金水準の地域差」，各団地の Web 情報を参考に作成した。https://www.asean.or.jp/ja/invest/country_info/vietnam/industrialestate/, https://www.jetro.go.jp/biz/areareports/2020/cbdf0cefc691ae25.html（2020 年 8 月 20 日閲覧）

(注 -8) 各商工会議所の Web 情報による。北部と南部は 2021 年，中部は 2019 年のデータである。

【引用文献】

(1) 領家誠（2015），「ものづくり中小企業の海外進出と地方自治体の役割」，大野泉編『町工場からアジアのグローバル企業へ』中央経済社，pp.71-102。

(2) 浜松翔平・浜松竜司（2010），「タイ・オオタテクンパークで胎動する中小企業－オオタテクノパークにおける海外進出支援の貢献と課題－」『赤門マネジメント・レビュー』9 巻 10 号，pp.761-782。

(3) 浜松翔平・中野竜司（2019），「ものづくり中小企業のグローバル経営戦略：タイ・

オオタテクノパークで成長した中小企業の取り組み」『商工金融』69 巻 12 号, pp.5-23。
(4) 大野泉（2015a），「新段階を迎えた中小企業の海外展開支援―「つながり力」を高めるための支援策と事例」，大野泉編『町工場からアジアのグローバル企業へ』中央経済社, pp.35-68。
(5) 大野泉（2015b），「アジアとの「ものづくりパートナーシップ」に向けて―進出後の支援と現地とのつながり構築」，大野泉編『町工場からアジアのグローバル企業へ』中央経済社, pp.201-232。
(6) 領家（2015），pp.75-85。

【参考文献】
［1］星野三喜夫（2019），「アジア経済分析～ベトナム経済と外国直接投資」『新潟産業大学経済学部紀要』54, pp.47-62。
［2］前田啓一（2013），「ベトナム北部日系工業団地における日系中小企業の事業展開について―ハノイ市とハイフォン市を中心に―」『同志社商学』64（6），pp.910-936。
［3］前田啓一（2016），「ベトナム北部での進出日系企業の存立形態とベトナム地場企業の勃興」，前田啓一・池部亮編『ベトナムの工業化と日本企業』同友館, pp.15-35。
［4］安栖宏隆（2016），「ベトナム南部進出日系企業の現状とベトナムの裾野産業育成」，前田啓一・池部亮編『ベトナムの工業化と日本企業』同友館, pp.35-54。
［5］長崎利幸（2004），「工業団地の展開と日本企業」，関満博・池部亮編『ベトナム／市場経済化と日本企業』新評論, pp.84-125。

（広崎　心）

第11章 非常時に向けたサプライチェーンマネジメント（SCM）の課題
——半導体の供給・生産・対応を中心として——

【要旨】

　半導体供給におけるサプライチェーンの現状を見ると，自然環境の影響や火災などの人為的な事象により機能不全に陥る頻度が高まっているといえる。生産と物流はセットで考えていく必要があり，貨物船座礁によるスエズ運河航行不能は，このことを再認識する事案である。工場火災の頻度も高く，半導体生産メーカーのルネサスエレクトロニクスの工場火災は，半導体供給の逼迫に拍車をかける事態となり，自動車生産メーカーは減産又は生産調整を余儀なくされた。平常時は効率的な生産を前提に経営されるが，最近の度重なる非常事態の発生には，非常時を想定した安全優先の経営の視点が求められる。具体的な対応は，企業レベル，企業間レベル，国レベルの政策レベルでの夫々の対応が急務である。

【キーワード】：ロジスティックス，平常時，非常時，効率，安全

1.　はじめに

　我々の経済活動は，社会環境の下で成り立っており，社会は地球環境系の制約を受けている。その地球環境の動態変化が著しい。地球温暖化の影響で，気候変動の幅が大きくなり，日本においても大型台風による集中豪雨により河川の氾濫や洪水などの被害が多発している。近年の傾向として，温暖化の影響もあり海水

温が上昇し，大量の水蒸気が大きな上昇気流を発生させ，付近に山地があると積乱雲が発生するが，これが連続して発達すると線状降水帯となり，長時間にわたり大量の雨を降らすことになり，水害の大きな原因のひとつとなっている。

　例えば 2018 年の西日本豪雨（「平成 30 年 7 月豪雨」）では，西日本を中心に北海道や中部地方を含む全国的に広い範囲で被害が発生し，河川の氾濫や浸水害，土砂災害が多数発生し，死者も 200 人を超える大きな災害を引き起こした。ライフライン（上水道網や通信等）の被害に加えて，交通網にかかる障害が広域的に発生した。2 年後の 2020 年 7 月の九州豪雨（「令和 2 年 7 月豪雨」）でも，凡そ 1 か月にわたり熊本県を中心に九州・中国地方などへ大きな災害をもたらした。

　近年，このような自然災害が発生する頻度は高く，社会・経済活動に大きな影響を与えている。本章は，自然災害が生産や物流など経済活動に大きな障害となっている現状について，注視すべきであるとの問題意識をもっており，以下では供給問題を物流とのセットで捉え，非常時を想定した生産・供給体制とリスクの許容について，「産業のコメ」といわれる半導体に着目して考察する。

2.　需給バランスと供給制約問題

　2021 年において供給不足・ロジスティックスの問題での顕著な事例としては，新型コロナウイルス対策であろう。重症化した感染者を治療する受入病床不足のほか，新型コロナウイルス用ワクチンの確保及び，都道府県を通じての各自治体へのワクチン供給が滞り，感染対策への障害になっていたことがあげられる。

　このワクチン供給不足やものづくりでの半導体供給不足を例にあげれば，生産が供給に追いつかないことは，経済学的には需給ギャップ問題である。その要因として，①需要急増のため供給が追いつかない（需給バランス）或いは生産が集中していて代替が効かない「ボトルネック」問題，②半導体生産の多くのシェアを持つ工場での生産に問題が生じている（工場メンテナンスによる操業停止，ストライキや従業員の感染症罹患による操業停止，火災・水害など物理的停止），③電力供給不足（途上国での電力供給不足，災害による送電線・発電所の被害），④

契約上の納期に間に合わないロジスティックス問題（輸送用道路遮断，海洋交通網の遮断，航空物流網の遮断など），⑤突発的・偶発的な事故・事案の発生（生産施設での大規模爆発や感染症発生），⑥戦争・紛争・テロ活動など治安状態の悪化による生産停止（工場労働者の安全確保のための操業停止）など，需給ギャップが生じた背景として幾つかの要因として分類できよう。

　現在生じている新型コロナウイルスワクチンや半導体の供給不足を代表例としてみられる需給バランス問題の背景には，マクロレベルでは地球環境の影響（地球温暖化に伴う自然環境の変化と大型台風や集中豪雨など自然災害の発生頻度増大）があり，ヒトの社会生活環境で重要な要素である生産活動に限定したミクロレベルでは，人（労働者）の問題，ロジスティックス問題，生産現場における稼働条件問題に集約できよう。

　地球温暖化と気候変動の激変化（異常気象・永久凍土の解凍・海面上昇・砂漠化・気温上昇）の結果，自然災害の規模も件数も増加しつつあり，立地する工場地域の外的環境によっては，自然被害により生産に支障が生じ，操業停止となる件数も増えている。我々は，自然環境の変化に伴うリスクも十分考慮して，生産計画や物流網の構築・維持を考えていかねばならない。

　需給ギャップの解消は，単に工場など生産施設の増設や新たな生産機械の導入により，供給能力を増加させることで対応できるものならよいが，これでは対応できないために需給ギャップが生じている事案については，改めて考えておく必要がある。特に，生産施設の被災による生産能力の低下については，生産要素ごとに，復旧までの期間が異なるため，業種別に個別対応が必要となる。

3.　物流の視点からの供給問題

　ここでは物流の視点から論じることとし，物流として海路におけるロジスティックスの抱える問題について考察する。物流は陸路・航路・海路に大別される。陸路では，鉄道または貨物車を利用した輸送，航路では航空貨物便を利用した輸送，そして海路では船舶（貨物船）を利用した輸送となる。海路につ

いては，大陸と海洋の分布の中で，海上輸送ルートとして狭まった地域の海峡，
人工的に海路として造られた運河があげられ，運河の運航にリスクが生じてい
る。スエズ運河では，2021年3月23日，大型コンテナ船（愛媛県の会社が所有）
が座礁し，他の船舶の通行ができなくなった[1]。

　大型コンテナ船の座礁により航路がふさがれたため，スエズ運河を通行しよ
うとした船舶150隻近くは，足止めとなった。スエズ運河は，アジアとヨーロッ
パを結ぶ海上輸送の要衝であり，日本郵船によると，世界全体のコンテナ輸送
のうち，アジア—欧州間は1割を占め，そのほぼ全てがスエズ運河経由とみら
れ，トヨタ自動車や日産自動車，三菱自動車は輸出にスエズ運河を利用してい
るとされる[2]。

　この世界的な物流の停滞が長期化しかねない座礁事案は，7日後の3月30
日になって，ようやく通航再開となり，待機船113隻が通過可能となったが，
この時点で航路不通のため運河や周辺海域には420隻以上の船舶が待機して
いた。

　船主は，賠償責任リスクを負うことについて当然，考えておかなければなら
ない。そして，所有する船舶の被害だけなら損害額は限定的になるが，当初エ
ジプト政府は，1日当たり最大1,500万ドル（約16億5,000万円）の通航料収
入損失に加え，復旧作業や損壊部分の工事費なども合わせた額を請求する方針
を示していた[3]。

　このようにスエズ運河でのタンカー座礁は，通航再開（復旧）まで1週間を
要することとなり，ロジスティックス範囲（距離）の安定的確保を再認識させ
るとともに，生産と物流の一体性を明らかにする事案であった[4]。

4.　非常事態の発生とリスク認知及び範囲

　寒波，噴火・噴煙，集中豪雨，洪水・河川氾濫など自然災害によって，工場
の操業停止や物流網の寸断による供給不足に陥るケースが増えており，これに
加えて，人為的な要因による操業停止のケースも，近年，多くなっている。

図表 11-1　工場での火災事例（2020 年）

工場での火災発生は相次いでいる		
企業名	発生年月	概要
東海カーボン	2020年7月	豪雨の影響で黒鉛化炉で火災が発生、該当設備を撤去予定
東洋紡	20年9月	愛知県の工場で火災、従業員が2人死亡
旭化成マイクロシステム	20年10月	宮崎県の半導体製造工場で発生、復旧には数カ月以上かかる見通し
ダイハツ工業	20年11月	共同出資会社の塗装ラインで火災、2万台程度の自動車生産に影響
日本製鉄	20年12月	愛知県の自動車用鋼板などの製鉄所で火災が発生、影響は精査中

（出所）2020 年 12 月 7 日付「日本経済新聞」（電子版）。
　https://www.nikkei.com/article/DGXZQODZ074X20X01C20A2000000/

　図表 11-1 でもわかるように，2020 年だけでも，工場での火災は相次いで発生している。

　製造業者が，生産財購入者（他の製造業者や卸売業者などの業者）が求める数量分を提供できるかは，需要に対応した生産能力（契約履行可能な生産能力）と購入者までのロジスティックスの確保が最低条件である[(5)]。

　従って，非常事態の発生頻度が高まっている現在，生産計画を考える際に，予め操業停止リスクを考慮していかなければならない。事業継続計画（BCP）の策定は当然のことであるが，「予期せぬ自然災害」の視点から「災害被害を前提」としたものづくりに移行することが必要であろう。先のコンテナ船座礁に伴う損害賠償は，船主が加入している保険で大半が賄われる様子であるが，ものづくりにおいて，製造中止や物流の障害により納期に間に合わず契約不履行となった際の「信用」の棄損について考慮しておかねばならない。

　もっとも標準的な物流のテキストでは，戦略的なロジスティックスと効率的

な流通ネットワークの構築があげられているが，基本的な考えは平常時の経済活動をいかに効率的に運用していくかの視点である。企業側でも非常時を想定しなかった理由は，これまで，このような事態の頻度が著しく低かったためで，非常時における損害規模はそんなに大きくないと考えているか，或いは想定せずとも発生した時点である程度，対処できると考えられているからであろう[6]。

　しかしながら，自然災害を起因として生産がストップする事案も増えており，工場火災など人為的な生産施設の被災を含めると，事業規模の大小を問わず，大規模な被災をある程度，想定しておく必要がある。

　よって，リスク想定も生起確率が大きいものとして，非常時対応の構築を進めていくことに迫られる。例えば，自動車メーカーの対応として「フォルクスワーゲン（VW）は，半導体の調達戦略を見直し，半導体在庫を積み増す」こととし，部品在庫を必要最小限にする「ジャスト・イン・タイム（JIT）方式」を改め，供給網全体で従来より多くの在庫を持つことで，天災など一時的な影響を抑える方針を打ち出している[7]。

5.　半導体供給不足に伴う生産現場への影響

　半導体は，電化製品一般，自動車制御部品など広く使われ，製造業での必須の部材である。半導体需要は，世界的に拡大しており，ゲーム機やスマートフォンなどモバイル機器向けに供給が優先される部分も多く，自動車製造部材の調達が逼迫する中，2021年3月19日に発生したルネサスエレクトロニクス那珂工場（N3棟は自動車向けのマイコンなどが主力）の火災が大きな影響を与えている。

　半導体メーカーの工場の非常事態（2021年上半期）は，図表11-2のとおりの状況で，供給に多大な影響が出ている。原因は，自然災害（2021年2月中旬に寒波が米南部テキサス州に襲来し，大規模停電を起こしたため，車載用半導体の合計売上高で世界首位の独インフィニオンテクノロジーズと同2位のオランダNXPセミコ

図表11-2　生産停止となった半導体メーカー（2021年）

想定外の事態に見舞われる車載半導体メーカー			
順位	社名	売上高（ドル）	備考
1	インフィニオンテクノロジーズ（独）	46億900万	テキサス寒波で正常化は6月に
2	NXPセミコンダクターズ（オランダ）	36億6000万	テキサス寒波で約1カ月分の生産が失われる
3	ルネサスエレクトロニクス（日）	30億5200万	主力工場で火災

（注）2020年ベース、売上高は車載半導体のみ
（出所）英オムディア

（出所）2021年3月21日付「日本経済新聞」（電子版）。
https://www.nikkei.com/article/DGXZQODB2021J020032021000000/

ンダクターズの工場が軒並み停止）や，火災による生産停止（ルネサスエレクトロニクス）など異なるが，工場火災の場合は，復旧に多くの時間を要することになる。

　ルネサスエレクトロニクス那珂工場（茨城県ひたちなか市）での半導体生産は，ルネサス全体の3割を占め，うち自動車向けが6割で，世界的な半導体不足でフル操業していた中で発生した[8]。

　このルネサスエレクトロニクスの那珂工場の操業停止により，一気に国内半導体供給は逼迫し，主要な自動車メーカーは相次いで減産を余儀なくされた。

　さらに，世界的な新型コロナウイルス感染症の拡大は，アジア地域の自動車生産にも影響を与え，工場労働者の感染により工場での生産の遅れや操業の一時停止などから，自動車製造のアセンブラーへの部品供給が滞り，自動車生産の停止が生じた。特に日系メーカーの多くが進出している東南アジアでは，新型コロナウイルス感染再拡大に伴う部品調達の停滞で，自動車各社が減産や生産中止に追い込まれた。例えば，スズキは2021年5月に入りインドの四輪車3工場での生産や7月にはベトナムの4輪車の工場を一時停止，ホンダはマレーシアでのロックダウン（都市封鎖）の影響で2021年6月から同国の4輪と2

輪車の工場を停止するなど，現地生産稼働に影響が出ている。

6.　企業対応と政策対応

　半導体の製造と供給は，一国の産業競争力を左右するもので，国家主導での産業政策の中で，サプライチェーンの確保の動きがある。バイデン・アメリカ大統領は，重要サプライチェーン確保に関する大統領令を発出し，記者会見でサプライチェーン危機を未然に防ぐことの必要性，緊急時にすぐに生産を増やすことができるサージキャパシティを特定・構築することを述べている（図表11-3 参照）。

図表11-3　米国重要サプライチェーン確保　大統領令概要

（参考）米国重要サプライチェーン確保　大統領令概要

1　国家安全保障担当大統領補佐官及び経済政策担当大統領安全保障補佐官が関係省庁の本大統領令の執行をコーディネートする。各省庁は、執行にあたって、要すれば、産業界、学術界、労働界、州政府等と協議を行うことを促動。（第2条）

2　大統領令署名後100日以内に、以下の4分野のサプライチェーンについて、担当省庁は、脆弱性リスク及びそれに対する政策関連に関するレポートを国家安全保障担当大統領補佐官及び経済政策担当大統領安全保障補佐官を通じて大統領に提出。（第3条）（注：以下、括弧内が担当省庁）
（1）半導体産業及びアドバンストパッケージング（商務省）
（2）電気自動車用を含む大容量電池（エネルギー省）
（3）レアアースを含む重要鉱物及び戦略物資（国防省）
（4）医薬品及び医薬品有効成分（保健福祉省）

3　大統領令署名後1年以内に、担当省庁は、以下のサプライチェーンに関するレポートを国家安全保障担当大統領補佐官及び経済政策担当大統領安全保障補佐官を通じて大統領に提出。（第4条）（注：以下、括弧内が担当省庁）
（1）防衛産業基盤（国防省）
（2）公衆衛生と事事対処（biological preparedness）産業基盤（保健福祉省）
（3）情報通信技術産業基盤（商務省及び国土安全保障省）
（4）エネルギー産業基盤（エネルギー省）
（5）輸送産業基盤（運輸省）
（6）農作物及び食糧（農務省）

4　上記2及び3のレポートは以下の項目のレビューを含む（第4条(c)）
（1）サプライチェーン上の重要物資、材料
（2）製造能力力
（3）防衛、インテリジェンス、サイバー、衛星、気候変動、市場、地政学、人権侵害等のサプライチェーン上のリスク
（4）サプライチェーンの強靭性及び「製造能力」（生産能力ギャップ、単一供給者問題、製造断点、非友好国・不安定国への依存度、代替供給可能性、国内人的資本、研究開発能力、輸送能力、気候変動リスク）
（5）同盟国・パートナー国のアクション（含む国際連携の可能性等）
（6）具体的な政策動向（国内回帰等、同盟国等の供給多様化・備蓄、金融支援、研究開発等の連携策等）
（7）法令、規制等の改正の必要等

5　上記3のレポート提出後、国家安全保障担当大統領補佐官及び経済政策担当大統領安全保障補佐官は、前年に執られた措置レビュー及び以下の項目を含む勧告を大統領に提出する。（第5条）
（1）米国サプライチェーン強靭化のための方針
（2）効果的なサプライチェーン分析のための制度改正等
（3）4年ごとのサプライチェーン見直し
（4）同盟国・パートナー国との協働のための外交、経済、安全保障、通商、情報流通等の分野における措置
（5）国内及び国際通商ルール、協定等の改正
（6）教育、労働市場改革
（7）重要物資等への投資を呼び込むための連邦政府支援策及び連邦調達規制の改正　等

（出所）経済産業省資料「半導体戦略（概略）」（2021 年 6 月），51 頁。
　　https://www.meti.go.jp/press/2021/06/20210604008/20210603008-4.pdf

　日本の経済産業省も図表11-4（政策当局が半導体産業のポートフォリオとレジリエンスの強化を図っていく二段構えの政策が求められる）のように，国内での取り組みを進めていこうとしているが，これとは別に，企業レベルでは日常の経済活動を左右するような突発的な非常事態に対する対処方針を各企業が設定し，企業間での連携を行っていく必要がある [9]。

　日本での対応として本章では，「企業レベルでの対応」「企業間ネットワークでの対応」「産業政策としての政策当局による対応」の３つのレベルにおいて，それぞれの主体ごとに非常時におけるシステムやネットワークの安定性を確保する仕組みづくりを急ぐことを提案したい。供給網確保のためには，半導体生産の分散・立地など，大局的な立場から政府による計画的な支援・援助は必要な要件であるが，現場対応重視の視点も重要であって，個別企業相互間の非常事態への対処方針の共有化も進めていく必要があろう。

　また，企業レベルと企業間ネットワークでの対応のイニシアチブは，当該業界団体（自動車の場合は，自動車工業会など）や，アセンブラー企業（自動車の場合は，トヨタ，日産など）ほか，生産ネットワークにおけるサプライヤー（ティア１など）が，まとめ役として期待される。日常の安定的な生産と供給の確保は企業レベルが担い，長期的な視野に立って産業全体の競争と安定供給を確保し，そのための資金も確保する主体は，政府（政策当局）が担うこととし，役割分担をそれぞれが意識して取り組むことが必要である。

図表 11-4　国内半導体産業のポートフォリオとレジリエンスの強靱化

（主な取組・施策）国内半導体産業のポートフォリオとレジリエンス強靱化

- **サプライチェーンの強靱化**
  サプライチェーン補助金等を活用し、製造装置や材料・部材を含めた半導体産業のサプライチェーン上重要な製品の生産拠点を国内に確保。

- **ハイエンド・ミドルレンジ工場の立地対策**
  先端ロジック半導体の国内製造基盤の確保について、ハイエンドは固より、自動車・産業機械・家電等向けの国内産業に不可欠なミドルレンジについても国内立地を支援。

- **既存工場の刷新**
  半導体の安定供給を確保するため、我が国の既存半導体工場を刷新。マイコン・メモリ・センサ・パワー・アナログについて、既存工場の改修やファウンドリビジネスの集約による活性化。

- **ユーティリティコストの低減等**
  再エネ賦課金の減免措置等によるユーティリティコストの低減、事業化支援のファンド出資等によるエクイティ・金融支援、投資促進税制や研究開発税制支援。

- **半導体分野における技術開発目標の共有**
  NEDO技術戦略研究センター（TSC）において、半導体、材料・製造装置等の技術戦略を策定し、技術ロードマップを通じて産学官で目標の共通認識を図る。

- **大学等の半導体研究を支える環境整備**
  半導体製造等に係るアカデミアの先端技術開発と人材育成、産学連携を推進するため、技術開発から技術評価・実証までを可能とする海外からも魅力的な拠点の整備を推進するとともに、ナノテクノロジープラットフォームやマテリアル先端リサーチインフラなどを通じて、最先端の研究設備とその活用ノウハウ・プロセスデータを蓄積・提供する全国的な共用体制を充実・強化。

- **人材育成・技術継承**
  日本の半導体産業の維持・強化のため、大学等の先端共用設備の場を活用した人材育成を強化するとともに、多様な人材を確保し、次世代の若手技術者へノウハウや技術を継承。（例：AIエッジコンテスト、ミニマルファブ等）

37

（出所）経済産業省資料「半導体戦略（概略）」（2021 年 6 月），37 頁。
https://www.meti.go.jp/press/2021/06/20210604008/20210603008-4.pdf

7. 結　び

　供給不足問題は半導体だけではない。北米で起きた寒波（2021年2月）により，米南部に集積する石油化学プラントが一時停止し，汎用エンジニアリングプラスチックの一つであるナイロンの供給不足が発生した。このためトヨタは米国内の工業の生産の一部停止，メキシコの完成車2工場でも一部稼働を停止し，生産調整を行っている[10]。

　新型コロナウイルス対応では，日本国内で開発・製造したワクチンの供給体制をとることができなかった。国内で一貫した開発・生産体制の構築ができていないことは，世界レベルでの技術力を持っていないことの証左であろう。ワクチン供給においても海外製薬会社からの供給頼みであるし，そのワクチンのロジスティックスにも課題が生じている。

　供給体制の確保と物流（ロジスティックス）は，平常時では効率性重視の経営を主軸とし，非常時には，非常事態からの影響を最小限に留めるよう生産ネットワークとロジスティックスの強靱化を図っていく必要がある。ものづくりにおいて，平常時の効率性と非常時の継続性は二律背反的な側面があることは否定できない。ジャストインタイム（JIT）など，在庫を減らしつつ受注生産を行う平常時の効率的な生産体制と，非常事態を想定した在庫の積み増しは，相反するものである。

　しかしながら，ある程度効率性を犠牲にしながら在庫数量を上積みし，供給不足時に代替生産（製品）にシフトできる体制を構築することは可能であろう。

　問題は，契約の相手方の企業がBCPなど緊急時対応をどのレベルまで設定しているかによる。相手企業が，こちらの非常事態に呼応した体制が構築できるかが焦点となる。

　企業内でのBCPの構築と，企業間で共同してBCPを策定するなど，BCP運用の共通化・共同化を通じた仕組み造りが必要である。中小の企業におけるBCP設定の割合はまだ十分ではなく，その割合を増やす取り組みから始めて

いく必要がある。今後は「効率より安定」した経営が求められる。

【注釈】

(1) スエズ運河庁によれば，悪天候による視界不良と強い砂嵐が原因とみられる。
時事ドットコムニュース（2021 年 8 月 27 日アクセス https://www.jiji.com/jc/article?k=2021032401172&g=int）

(2) 時事ドットコムニュース（2021 年 8 月 27 日アクセス https://www.jiji.com/jc/article?k=2021032601181&g=eco）

(3) 限定的といっても，船主は，船の復旧作業や第三者に対する（賠償）責任に関する費用，船体の損傷などの責任を負うことになる。今回は，運河通航利用料として不通であった期間の遺失分の請求も受けることになるほか，エジプト運河庁は「（運河の）評判を損ねた」とする風評被害で 3 億ドルを要求し，当初の損害賠償金額は 9 億 1,600 万ドル（約 996 億円）に上るものであった。船主の正栄汽船は，今回の賠償金について「ある程度は保険でカバーできる範囲内」と見解を示し，「大きな業績影響はない」としている（2021 年 7 月 13 日付「日本経済新聞」）。

(4) さらに，賠償金で折り合いがつかず，運河庁が地元裁判所に提訴し座礁したため，船舶（エバーギブン）は差し押さえられることになった。船の所有者（正栄汽船）とエジプト政府との訴訟は長引き，和解まで 3 カ月を経て，7 月 8 日に漸く航行可能になった（2021 年 7 月 8 日付「朝日新聞」）。

(5) これに，適切な時期（需要発生時期）に生産財を届けることができるか，在庫調整のための物流倉庫など，サプライチェーンの構築のネットワークの維持が要件となる。

(6) 非常時を想定した論文は少ないが，災害時の自動車産業の対応については，佐伯（2011）が参考になる。また，事業継続計画（BCP）の策定でさえ，大企業は BCP 設定済であるが，中小を含む大多数の企業で設定は進んでいない状況にある。2020 年 6 月～7 月に実施した NTT データ経営研究所の「企業の事業継続に係る意識調査（第 6 回）」によれば，BCP を策定済み と回答した企業は約 4 割に留まり，策定中まで含めれば 約 6 割の企業が BCP を策定している状況であった。報告によれば「BCP の策定状況について，前回の第 5 回調査（2018 年）と比較し，BCP 策定済み企業は減少しており，策定状況に後退が見られる。」としている。(2021 年 8 月 30 日アクセス https://www.nttdata-strategy.com/assets/pdf/newsrelease/200828/supplementing01.pdf)
　　帝国データバンクにおいても同時期に，BCP に対する企業の見解について調査を実施しているが，こちらの調査結果では「策定している」と回答した企業は 16.6%（前年度比 1.6 ポイント増）となった。「現在，策定中」（9.7%），「策定を検討している」（26.6%）もそれぞれ増加し調査開始以降で最も高くなり，BCP の策定に対する意識は高まっている一方で，大企業は 30.8%，中小企業は 13.6% となり企業規模で大きく差が表れている。」となっている（2021 年 8 月 30 日アクセス https://prtimes.jp/main/html/rd/p/000000130.000043465.html）。

(7) 2021 年 5 月 23 日付「日本経済新聞（電子版）」（2021 年 8 月 3 日アクセス https://www.nikkei.com/article/DGXZQOUC222P2022052021 000000/）

(8) 東日本大震災で同工場が被災した際は，生産再開に約 3 カ月，全面復旧には約半年を要している。今回の火災後の復旧生産においても，検品など各種手続きに時間が必要で，出荷が火災前の水準に回復するには 3 〜 4 カ月ほどかかる見込みとされている。

(9) このことを踏まえた企業レベルでの成果の例として，テクニカルレポート（山崎伸晃・手塚大 2007）がある。

(10) 2021 年 3 月 19 日付「日刊工業新聞」。

【参考文献】

［1］佐伯靖雄（2011），「ものづくり立国日本の再興と現下の課題：東日本大震災の対応に見る自動車産業の SCM と TPS の考察」『立命館経営学』，第 50 巻第 2-3 号，pp.57-89。

［2］山崎伸晃・手塚大（2007），「サプライチェーンに関わる事業継続性評価シミュレータの研究」『日立 TO 技報』，第 13 号。

（石田 幸男）

第 12 章　鹿児島の長寿お茶企業の経営理念

【要　旨】

　日本は世界最大の長寿企業国である。2019 年，創業 100 年となる企業を含め，長寿企業は 3 万 3,259 社がある。その中で，鹿児島県の長寿企業占有率は 1.36％であり，全国での順位は第 45 位である。鹿児島の暖かい気候を利用した特殊な製品はたくさんあるが，その中で最も長い歴史を持つ事業はお茶であり，2019 年から全国のお茶の生産量において第 1 位を占めている。さらに，鹿児島県農業部門でも，その生産量は第 1 位を占め，鹿児島県農業の将来を担う重要な産業となっている。しかし，鹿児島の長寿企業に関する研究は極めて少ない。そこで本章では，先行研究に基づいて，鹿児島の長寿お茶企業である「合同会社さかもと」に対して訪問調査を行い，その経営管理の特徴を解明する。

【キーワード】：長寿企業，お茶企業，経営理念，経営管理

1．はじめに

　世界各国と比較すると，日本には業歴の長い企業が多く存在している。2019 年，業歴 100 年以上となる長寿企業は全国に 3 万 3,259 社もあり，全国の会社全体に占める割合は 2.27％である。2016 年の時点では，長寿企業は 2 万 8,972 社あったが，3 年間で 4,287 社増加した[1]。その中で，鹿児島県の長寿企業は 235 社があり，1.36％の占有率として全国順位で第 45 位を占めている。2021 年の「周年企業」と「長寿企業」の実態調査のデータから見ると，鹿児島県の長寿企業数は 253 社であり，18 社増加している[2]。

　日本の長寿企業に関する研究者はたくさんいるが，そのほとんどは長寿企業の出現率が高い地域を対象に研究しているため，鹿児島県の長寿企業に関する研究は極めて少ない。

　本章は鹿児島県のお茶産業において，長寿企業の一社である「合同会社さかもと」を対象に，その経営者はどのような経営管理を行っているのかを解明する。

2.　先行研究

(1) 長寿企業の定義

　「長寿企業」の重要な側面を表す言葉として「老舗」があり，関連する言葉として「のれん」がある。両者はどちらも長寿企業の長寿性の要因の一つを示していることから，まず，その意味を見ておく。

　老舗という言葉には，「信用や伝統，暖簾のように由緒ある正しさといった意味が内包されている。その一方で，古くさい，保守的，閉鎖的，頑固といった，ややネガティブなイメージも時につきまとう。それだけ老舗という言葉の持つ響きには固有で神聖なものがある」。広辞苑によれば，老舗とは「先祖代々から続いて繁盛している店であり，またそれによって得た顧客の信用・愛顧」とされ，一般的には「先祖代々にわたって伝統的に事業を行っている小売店・企業（会社）等のこと」とされる。

　老舗の「老」は長い経験を意味し，「舗」は店舗を意味することから，当て字として用いられるようになったと推測される。それにより，老舗を「寿命を過ぎても存続し，かつブランドとして資産価値を持つ長寿企業」と解することができる。では，長寿企業とされるその年数は，どの程度であろうか。IT 企業のように新しい業種では，10 年でも長寿と呼ばれることがあるが，このような特殊な業界を除くと，概ね企業の寿命は平均 30 年程度と言われるため，東京商工リサーチでは長寿企業を「創業 30 年以上事業を行っている企業」としている。東京商工リサーチは，登録されている企業が倒産した場合の「主要産業別平均寿命」を集計している。2018 年の集計によれば，倒産した企業の

平均寿命は 23.9 年で，最も長いのは製造業の 33.9 年であり，卸売業の 27.1 年と運輸業の 25.9 年が続き，短いのは金融・保険業の 11.7 年となっている。業種によってバラツキはあるものの，最長が 33.9 年である。また，東京のれん会（老舗の会）の入会基準を「江戸・東京で 3 代，100 年以上継続，盛業」と定めており，「100 年」という年限を目安に決める[3]。

(2) 長寿企業と老舗の概念に関する研究

　横澤利昌（2012）は『老舗企業の研究』において，長寿企業が長期的に経営を維持できる要因と特性について，以下のように述べている[4]。

　老舗企業の本質は，核となる不易の基本理念を継承し，同時に顧客ニーズの変化に対応して常に革新を行うという意味において，ビジョナリー・カンパニーそのものであると言える。長寿企業の基本理念は，顧客第一主義・本業重視・品質本位・従業員重視等である。そして，長寿企業は，核となって変化しない伝統を継承すると同時に，顧客ニーズの変化に合わせた革新を常に行うという，明確な二つの面を持っている。基本理念として利益等財務的な目標が語られることはないが，顧客が真に満足していれば，企業活動の成果である利益・売上等を増大させることができる。時代の流れに対応した変化は商品・サービスに関する顧客ニーズの対応，時代の半歩先を行く，販売チャンネルを時代に合わせて変更，本業の縮減を前提とした新規事業の確立，家訓の解釈を時代に合わせる等である。

(3) 経営理念と経営方法に関する研究

　鶴岡公幸（2012）は，長寿企業は長期的な視点を持ち，社会的にも，社内的にも人を重視した経営に取り組んでいると指摘し，この点に関連する項目として，『老舗時代を超えて愛される秘密』の中で次の内容を挙げている[5]。

　経営理念の継承，長寿企業の強みの源は，経営理念がしっかりと根づいており，一時的な経済環境の変化にあってもそれは変わらず，決してブレないことである。人材育成と教育は人材育成に熱心に取り組み，人を大切にし，人の成

長がなければ企業の成長もないという考え方を持つことである。従業員満足の向上は顧客満足および従業員満足，ならびに企業満足（収益）とは相互に矛盾なく一体化させることである。取引先との共存共栄の関係は売り手よし，買い手よし，世間よしの「三方よし」を実践することである。売上規模の拡大や他社との競争ではなく，「三方よし」を基本路線とする。積極的な設備投資は長寿企業のブランド力で金融機関から借入を行い，他社に先行して積極的な設備投資を行うことである。時代に合わせたマーケティングは優良顧客を選択し，営業活動のプロセスに応じて適切にコミュニケーション量を配分することである。当たり前のことを，徹底して継続してやり抜くことが，結果として圧倒的で絶対的な差となる。清掃，挨拶，顧客への定期訪問等凡事も徹底すれば，それは立派な差別化戦略となり，凡事徹底は企業の基礎，基盤である。

　100 年，200 年，300 年と続く長寿企業の特徴の一つがファミリービジネス（同族経営）企業である。ともすると「独裁政治」「既得権益を固持」「一部の人間が実権を握る」等，ファミリービジネス企業はネガティブな印象を抱かれることもあり，既存の経営陣との衝突等がニュースで報じられた例も過去にあった。

　後藤俊夫（2011）は，「先代から受け継いだ事業の承継こそ当主の最大の責務である。創業時からリスクマネジメントを事業に組み込む。長寿を実現する6 つの定石がある」と指摘した [6]。企業は長期的な視点に立って経営し，短期の急速成長を戒める身の丈経営を行うべきである。大事なのは，自己優位性の構築・強化，コアコンピタンスとドミナント経営を重視，利害関係者との関係の長期にわたる重視と安全性への構え，また次世代へ継続する強い意志を持つことである。

　神田良（2012）は，老舗の知恵を簡潔に「らしさ」のマネジメントとしてまとめた [7]。「らしさ」のマネジメントは，5 つの要素から成り立っている。中核的な要素は，「志のマネジメント」で，創業時からの理念やそれを反映する経営方針に関するものである。これを基盤に，競争力を構築する「強みづくりのマネジメント」と取引先や顧客との良好な関係を構築する「関わりのマネ

ジメント」がある。これらのマネジメントは人を通して実現される。そこで,「人づくりのマネジメント」も不可欠となる。しかも, 社会とのつながりにも配慮する「縁のマネジメント」も忘れてはならない。

3. 研究課題

(1) 先行研究の不足点

　先行研究から見ると,企業が長生きする要因として,創業者,暖簾,家訓,屋号,伝統的商品や技術,戦略等,現在まで伝承されてきた特徴的な要素をピックアップし, 共通する点を洗い出し, そこから総括的表現を抽出することにより, 長寿に至る法則を見いだそうとするものが多い。

　本章では上述の先行研究を踏まえる上で, 訪問調査を通じて, 鹿児島長寿企業「合同会社さかもと」の経営管理の特徴を解明する。

(2) 研究方法

　本章では事例研究方法を採用する。事例研究は, 統計的研究とは異なり, 物事の傾向や法則を解き明かす研究には不適切であるが, 実際にある事例を通じて, 現在存在する理論等の正しさを検証するには適した研究方法である。本章は神田良の「らしさ」マネジメント理論に基づき, 先行研究を整理し, 訪問調査の質問表を作成する。

　合同会社さかもとを事例研究の対象としたのは創立から現在まで100年以上の歴史を持つからである。筆者は 2021 年 4 月 12 日に, 鹿児島県志布志市松山町新橋 4517 番地にある合同会社さかもとの本社を訪問調査した。

(3) 企業概要

　さかもとは鹿児島県大隅半島の北部曽於地域に立地している。合同会社さかもとの前身である坂元製茶は昭和初期に創業され, 祖父の代から数えると 100年以上茶業に携わる地域でも有効の茶業者である。大正時代に設立された共同

工場から昭和初期の独立を経て今日に至る。会社の主な事業内容はお茶の栽培，生産，販売と有機発酵肥料の生産と販売である。また，3代目の坂元修一郎は現在，全国茶生産団体連合会副会長と鹿児島県茶業振興会会長の要職を務めている。

昭和50年代，会社は節水型スプリンクラーによる散水氷結法を考案し，全国への普及を図った。昭和後期，栽培面積を6haから半分に縮小しながら循環型農業（有機栽培）高品質へ移行した。平成初期，有機栽培に使える肥料が市場に売られていなかったため「ボカシ工房」を設立し，地域に眠る資源を活かした発酵肥料の製造・販売を始めた。平成27年，会社は「合同会社さかもと」へと法人化し，自社で作った有機肥料を使い，「鹿児島の有機玉露」としてアメリカやヨーロッパを中心に直接または商社の経由で輸出を開始した。さかもとのコンセプトは，「土の健康は作物の健康，作物の健康は人の健康」であり，有機玉露で「世界の人を健康に」することを目指し，自社の理念を人の健康を守ることとしている。

4. 訪問調査のまとめ

下記はインタビューの内容と関連資料を整理してまとめたものである。

就農当時はお茶の生産が全国的に拡大していく時期であり，周囲が規模拡大に取り組む中，さかもとは高品質のお茶づくりを求めていた。さかもとが生産したお茶は現在ではヨーロッパの五つ星レストランで使用されるなど，高級ブランドとしての地位を確立している。また，坂元は母と姉の病死を契機に，お茶の栽培には，食の健康が欠かせないと考えた。そこで，人の健康を守れるのは農家であることを悟り，段階的に有機栽培への転換を始めた。現在は，家族の健康は「健康的な土と植物」がもたらし，「人の健康を守るのが農家の仕事」ということを経営理念とし，「日本茶」の生産を通じて医療費削減と人類の健康に貢献したいと考えている。最終的に，会社は有機栽培に使用する高品質・安価な肥料の開発に成功した。自社製肥料を使用したお茶は市場でも高く評価

され，高価格での有利販売につながった。

　さかもとは自社製肥料の供給を通じて連携しているお茶農家に玉露の生産を普及し，鹿児島の高品質・安全なお茶として，世界中での販売拡大を試みている。自社製肥料の材料は，主に地域の廃棄物を利用しており，循環型農業を担う部分もあるため，肥料品質の改良を継続しながら，安定した生産を進めていく計画である。このように，さかもとは自家製有機肥料の生産を通じて，地域や人の健康を守ることに貢献している。

　従業員の待遇に関しては，さかもとは女性の働きやすい環境を整備し，女性を積極的に登用する等，人材を重用する。

5.　合同会社さかもとの経営管理の特徴

　インタビューと関連資料から見ると，合同会社さかもとは一貫してきた経営管理方法があると考えられる。本節ではその経営管理を内部管理と外部管理に分け，各自の特徴について論じる。

(1) 内部管理の特徴

　内部管理は「志のマネジメント」，「強みづくりのマネジメント」と「人づくりのマネジメント」に分けられる。

　「志のマネジメント」は，「経営理念は存在するだけでは有効でない」ことである。さかもとを見ると，理念を活用する意思があり，理念を社内で共有化しており，将来へも継承し続ける志を持ってチラシ，サイト等に公表し，宣伝している。経営方針としては，ブランドとの一貫性を重視し，その価値に重きを置きながら，個性のある商品サービスを提供する。

　「強みづくりのマネジメント」は競争力の強化である。商品やサービスは競争優位性を生み出す源泉であるが，さかもとは素材や原料に関する知識を活かし，さらには物語という付加価値を付けることで競争力を上げている。今まで蓄積してきた技術を活かし，細部にこだわることで差別化するなど，商品とサー

ビスに独自の魅力を付け，真似されない商品・サービスの提供を目指している。もう一方では，時代への適合性も常に考えている。世代交代するたびに，大きな変革を起こす。その変革は長期戦であるため，日常でもたゆまぬ改善を続けている。さかもとは継承すべきものを，原材料，技術，商品とサービスのそれぞれで意識している。

「人づくりのマネジメント」は従業員の尊重である。さかもとは従業員に自社の歴史，伝統や理念等を熱心に教えている。また，従業員が喜んで働ける環境を作り，従業員の能力開発と生活福祉に努め，従業員一人ひとりの幸せを追求している。

(2) 外部管理の特徴

外部管理は「関わりのマネジメント」と「縁のマネジメント」に分けられる。

「関わりのマネジメント」は顧客重視である。さかもとは自社の固定顧客を把握し，顧客との対話を通じて顧客を知り，自社の商品・サービスが最高の状態で消費・使用されるように尽力している。

「縁のマネジメント」は関係づくりである。さかもとは業界活動等の社外活動に積極的に参加し，人脈づくりに心かけ，そこで学ぶ姿勢を持つ。地域においては，その価値を認識し，地域に貢献するとともに，地域価値のさらなる向上にも関与する。そのように形成された地域ブランドは，巡り巡って自社のビジネスにも好影響を及ぼすと考えられる。

6. 結　び

合同会社さかもとの事例は，企業のあるべき姿として，功利主義ではなく，利他主義であることを示唆している。言い換えると，企業は社会から離脱して孤独に存在することはできない。社会的責任活動については一見すると収益性には直結しないのではないか，と考えがちである。なぜならば，市場経済社会では企業の経済性が社会性よりも優先されているからである。しかし，同企業

の事例は,収益性のみ狙う経営では長続きしないことを明示している。つまり,企業の役割には経済的役割を担うと同時に社会性,公益性,公共性を有した社会的役割が強調されている。そして,企業の経済・社会活動の観点から経営そのものが社会的責任であるという認識を持ち,持続可能な発展に向け,経営者は企業活動を行わなければならない。

【引用文献・脚注】

(1) 帝国データバンク(2019),『老舗企業の実態調査』。
(2) 帝国データバンク(2020),『2021年の「周年企業」と「長寿企業」の実態調査(九州・沖縄地区)』。
(3) 尾形哲也・小倉幸雄(2015),『わが国における長寿企業のサステイナブルマネジメント』岐阜経済大学論集49巻2・3号。
(4) 横澤利昌(2012),『老舗企業の研究〔改訂新版〕』生産性出版。
(5) 鶴岡公幸(2012),『老舗時代を超えて愛されるの秘密』産業能率大学出版部。
(6) 後藤俊夫(2011),「企業の長寿性の国際比較;ファミリービジネス研究の視点から」『組織学会研究発表大会報告要旨集』271-274頁。
(7) 神田良(2012),「老舗から何を学ぶか」東京商工会議所,東商新聞2012年8月20日号。

(袁　駿)

第13章　ライフスタイルとエコ購買態度の
　　　　関連性
——デザイン性への影響力における日・台比較分析——

【要旨】

　日本と台湾の消費者のライフスタイルを明らかにするため，本章において因子分析とクラスタ分析を行った結果，それぞれ異なる5因子と4つのセグメントに分けることができた。

　また，日本と台湾の両地域においてエコ購買態度の新要因として実証された「デザイン性」に対して正の影響を与えるライフスタイル因子を実証した。

【キーワード】：ライフスタイル，デザイン性，エコ購買態度，日本，台湾，
　　　　　　　　消費者

1.　はじめに

　温暖化現象に代表される地球の環境問題は，世界共通の問題として認識されている。しかし，環境配慮行動についての先行研究は数少なく，消費者の環境配慮製品の購買行動に関する先行研究は日本と台湾の両地域において極めて不足している状態にある。

　そこで，本章では消費者のライフスタイルとエコ購買態度の影響要因として新たに認められた「デザイン性」の関係性に着目し，この2要因に関する考察を行った。

　本章の課題は，日本と台湾の消費者を対象として，環境配慮製品の購買の観

点から，ライフスタイルの態様を明らかにし，ライフスタイルとデザイン性という2つの変数間の関係性を定量的に分析し，2地域間の比較分析を行うことを目的とする。

　本章では，まず先行研究とその問題点を明らかにし，分析モデルと仮説を構築し，アンケート調査の結果に基づいて仮説の検証を行い，最後に研究課題に対する解答を述べる。

2.　ライフスタイルの定義

　ライフスタイルの概念は，もともと社会学者の間で使われてきたものであり，社会学の分野では，ライフスタイルは，通常，社会階層ないし社会的地位との関連において取り上げられてきた。その代表的な例が Max Weber である[1]。ウェーバー社会学の基本的なテーマは宗教（聖なるもの）と経済（俗なるもの）との相互関連である。この2つの世界を媒介するものが社会層または社会階層である[2]。ウェーバーは，社会階層を経済的諸関係からのみ理解するのは不十分であるとして，社会層の生活様式，生活態度，人生観などの心理的，精神的要素を特に強調している。これが，"ライフスタイル"観念の端緒であり，その基本的意味内容である[3]。

　ライフスタイルとは，消費者の生活スタイルへの考え方を示すもので，モティベーションリサーチの持つ質的研究とパーソナリティ研究の持つ量的な研究を合わせもち，消費者に対して既存の文献などから作成された質問項目を質問し，それをデモグラフィック要因の分析と同様に，数量的に処理できるようにしたのが特徴である[4]。

　個人差という概念を導入し，それを規定している個人特性を明らかにすることは，消費者行動研究において重要な意味を持ち，マーケティングの遂行という実務的な立場からは，マーケットセグメンテーション（市場細分化）を実施するための個人差研究の必要性が指摘される[5]。

　ライフスタイル研究は，生活意識，生活行動，価値観といった心理的変数，

行動的変数に基づいて消費者を分類する。心理学や社会学からのいわば「借り物」といえるパーソナリティ概念では消費者行動の個人差を充分に説明できないという認識が一般的なものとなり，それに代わるものとしてでてきた[6]。

3.　先行研究

(1)　環境配慮行動の影響要因に関する先行研究

　先行研究において，環境配慮行動の規定要因として，当初は，年齢，性別，世帯，収入等の人口統計要因が取り上げられていたが，一貫した結果が見出されておらず，最近の研究では，人の個性に関する要因を加え，態度，有効性評価，社会的規範，ベネフィットなどの心理的要因が中心となってきた。

　たとえば，Webstar Jr. (1975)[7]，野波他 (1997)[8]，Straugahan and Roberts (1999)[9] の研究で，有効性評価が環境配慮行動を促進する要因であることが実証された。

(2)　デザイン性

　環境配慮製品の購買行動について，製品のデザイン性についての実証研究を確認したところ，先行研究は極めて少なく，ほとんど見当たらない。消費者が環境配慮製品を選ぶ際に，何を重視するかについて調査を行ったもので，葛本 (2007) の研究があげられる。葛本 (2007) は，耐久消費財の環境配慮型製品購入時の重視項目について，ウェブ上で国内約2,000人のアンケート調査を行った。その結果，「環境に配慮され，かつデザインも良い製品を選択する」が18.9%，「デザイン重視で製品を選択する」が51.9%となっており，デザインを重視しているのは，全体の約70%であることが実証された[10]。

　また，環境配慮製品とデザイン性についての数少ない先行研究の一つとして，前田 (2012) は，大学生187名を対象にアンケート調査を行い，調査の結果，エコバッグの使用動機を測定する19項目について，因子分析を行い，6因子を抽出した。そして，エコバッグの使用を促進する新たな要素として，「ファッション性」の可能性をあげている[11]。

　葛本（2007），前田（2012）の研究結果から，デザインは環境配慮製品を選ぶ際に重要な役割を果たすと予想され，國﨑（2017）の研究で環境配慮製品の購買行動の規定要因として，新たに「デザイン性」を提案し実証された[12]。

（3）台湾の先行研究

　台湾の消費者行動研究において，環境配慮行動の研究を行ったものは数少なく，孔方正（2002）以外に見当たらない。この研究では，消費者のホテル選択における優先事項，ホテルの環境管理措置，ホテルの環境管理への理解について，アンケート調査を行った。調査対象は台北の男女370人である。

　その結果，人口統計変数によって，ホテルの環境への取り組み方でホテルのイメージや選択肢が変わることが実証された。また，消費者はホテルの環境マネジメントの受容度は高いが，知識が浅いという結果であった[13]。

　以上のように，台湾の消費者の環境配慮行動に関する研究は極めて少ないという現状にある。

4.　先行研究の問題点

　日本と台湾での環境配慮製品の購買行動の影響要因に関する実証研究が不足しており，両地域の比較を行ったものも見当たらない。これが第1の問題点である。

　また，研究者が各々新しい要因の実証分析を行うことで環境配慮行動の要因に関する研究は深化してきており，環境配慮行動の規定要因の解明のためには，更なる実証研究が必要である。新たな影響要因を加え，環境配慮製品の購買行動モデルを策定し，影響要因について幅広い年代を対象として実証研究を行い，モデルの適合性を実証することが求められる。これが，第2の問題点である。

　消費者のライフスタイルがエコ購買態度の影響要因に与える影響について実証的に分析した先行研究は見当たらない。これが第3の問題点である。

　そこで，本章では環境配慮製品の購買に関して，日本と台湾の消費者のライ

フスタイルの態様とエコ購買態度の新要因として実証された「デザイン性」へのライフスタイルの影響について以下のモデルと仮説を構築した。

5. 分析モデルと仮説

図表 13-1　分析モデル

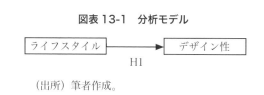

（出所）筆者作成。

　　仮説　H1　ライフスタイルはデザイン性に顕著な影響を与える

6. アンケート調査の概要

(1) アンケート設計

　本章では文献整理に基づいて，調査項目を「ライフスタイル」「デザイン性」の2つとした。「ライフスタイル」に関する項目は，古木・宮原・山村 (2008) [14]，寥 (2014) [15] を参考に 23 問設定した。「デザイン性」は，葛本 (2007) [16]，前田 (2012) [17] の研究を参考に独自に6問設定した。個人属性に関する項目を除き，「同意する」を5，「同意しない」を1とする5段階評価の解答様式とした。

(2) アンケート調査の実施概要

　本章では，日本と台湾の消費者を対象にアンケート調査を行った。日本においては，2015 年7月から11月にかけて 930 部のアンケートを配布し，その結果，解答未記入や無効分を除いた有効解答数は 821 部となった（有効回収率：88%）。

　また台湾においては，同年7月から10月にかけて 700 部のアンケートを配布し，その結果，解答未記入や無効分を除いた有効解答数は 574 部となった（有

効回収率：82%）。

（3）分析方法

　分析ソフト SPSS17.0 を用いてデータの統計分析を行い，研究仮説の検証を行う。

7. 調査結果

（1）サンプルの因子分析

　日本のサンプルの中で共通度が低い項目（＜ 0.4）を除き，固有値が 1 を超える共通因子を残し，残りの 20 個の変数について最尤法で因子抽出を行った。因子の回転方法においてはバリマックス直行回転で分析した。その結果，KMO 値が 0.831 であったのでサンプル抽出が適切であることを示している。

　また，日本のサンプルは，バートレットの球面性検定の X^2 値が 3301.001 であり，有意確率が 0.000（P 値＜ 0.05 で結果が有意を表す）であったので，因子分析に適した数値が出ている。そして，バリマックス法直行回転の後，5 つの因子を抽出し，累積寄与率が 35.986% に達した。

　因子分析の結果，5 つの因子が抽出され，先行研究を参考に，因子分析の結果に基づき，因子 1「社交的・熟考」，因子 2「好み優先」，因子 3「優柔不断」，因子 4「流行・知名度」，因子 5「自己解決」と命名した。

　台湾のサンプルでは，共通度が低い項目（＜ 0.4）を除き，固有値が 1 を超える共通因子を残し，残りの 20 個の変数について最尤法で因子抽出を行った。因子の回転方法においてはバリマックス直行回転で分析した。その結果，KMO 値が 0.701 であったのでサンプル抽出が適切であることを示している。

　また，台湾のサンプルは，バートレットの球面性検定の X^2 値が 1866.635 であり，有意確率が 0.000（P 値＜ 0.05 で結果が有意を表す）であったので，因子分析に適した数値が出ている。そして，バリマックス法直行回転の後，5 つの因子を抽出し，累積寄与率が 30.523% に達した。

　台湾は，因子分析の結果，5 つの因子が抽出され，先行研究を参考に，因子分析の結果に基づき，因子 1「効率性」，因子 2「興味・関心」，因子 3「優柔不断」，因子 4「自己実現」，因子 5「家族保守」と命名した。

(2) クラスタ分析による消費者のセグメント化

図表 13-2　各グループのケース表（日本）

グループ名	ケース数	パーセント
雰囲気影響型	126	15.3 %
トレンド重視型	64	7.0 %
自立幸福型	402	48.9 %
積極的社交型	229	27.8 %
合計	821	100.0 %

（出所）本研究により筆者作成。

　前述の 5 つの因子を用いて，Ward 法によるクラスタ分析を行い，4 つのクラスタを得た。

　統計分析の結果により，グループの数の大きさの順番からみると，第 1 グループを「雰囲気影響型」，第 2 グループを「トレンド重視型」，第 3 グループを「自立幸福型」，第 4 グループを「積極的社交型」と命名した。

　日本のサンプルの中で，最も多いのは「自立幸福型」で全体の 48.9% を占め，二番目に多いのは「積極的社交型」で全体の 27.8% を占める。三番目は，「雰囲気影響型」の 15.3% で，四番目は「トレンド重視型」の 7% という順番である。

図表 13-3　各グループのケース表（台湾）

グループ名	ケース数	パーセント
好奇心型	403	70.2%
必要最低限型	163	28.4%
現状維持型	5	0.8%
利便性追求型	3	0.5%
合計	574	100.0%

（出所）本研究により筆者作成。

　台湾においても Ward 法によるクラスタ分析を行い，4つのクラスタを得た。

　統計分析の結果により，グループの数の大きさの順番からみると，第1グループを「好奇心型」，第2グループを「必要最低限型」，第3グループを「現状維持型」，第4グループを「利便性追求型」と命名した。

(3) ライフスタイルからデザイン性への影響力分析

図表13-4　ライフスタイル因子⇒デザイン性の影響力分析表（日本）

係数[a]

モデル	標準化されていない係数		標準化係数	t 値	有意確率
	B	標準偏差誤差	ベータ		
1　（定数）	3.564	.020		179.931	.000
社交的・熟考	.211	.024	.264	8.686	.000
好み優先	.189	.026	.225	7.353	.000
優柔不断	.103	.026	.120	3.911	.000
流行・知名度	.252	.025	.299	9.893	.000
自己解決	-.009	.027	-.010	-.338	.736

a. 従属変数 デザイン性
F 値 = 65.994
R^2 = .288
注：***p<.001
（出所）筆者作成。

　この結果によると，デザイン性に対するライフスタイル因子の重判定係数（R^2）は 0.288 で，これは予測変数（ライフスタイル因子）が従属変数（デザイン性）の 28.8% を説明できることを表している。すなわち，「ライフスタイルはデザイン性に影響を与える」ことを検証した。具体的には，「自己解決」の因子は「デザイン性」に明確な影響がなく，因子「社交的・熟考」，「好み優先」，「優柔不断」，「流行・知名度」の4つは「デザイン性」に正の影響を与えている。

　すなわち，自分のことは自分で解決しようとする因子は，デザイン性への影響が顕著ではない。また，外部の世界と繋がることを好む因子，好きなものをすぐに買おうとする因子，他人の意見に影響されたり，買ったあとに後悔することが多い因子，流行やファッションに興味があり商品の知名度を重視する因子を持つことは，デザイン性に正の影響を与える。

図表13-5　ライフスタイル因子⇒デザイン性の影響力分析表（台湾）

係数 [a]

モデル	標準化されていない係数		標準化係数	t 値	有意確率
	B	標準偏差誤差	ベータ		
1　（定数）	3.603	.024		149.065	.000
効率性	-.020	.024	-.030	-.809	.419
興味・関心	.305	.031	.371	9.748	.000
優柔不断	.127	.034	.143	3.746	.000
自己実現	.098	.034	.110	2.918	.004
家族・保守	.112	.035	.117	3.160	.002

a. 従属変数 デザイン性

F 値＝ 35.286

R^2 = .237

注：***p<.001

（出所）統計数値に基づき筆者作成。

　この結果によると，デザイン性に対するライフスタイル因子の重判定係数（R^2）は 0.237 で，これは予測変数（ライフスタイル因子）が従属変数（デザイン性）の 23.7% を説明できることを表している。すなわち，「ライフスタイルはデザイン性に影響を与える」ことを検証した。

　具体的には，「効率性」「自己実現」「家族・保守」の 3 因子はデザイン性に明確な影響がなく，因子「興味・関心」「優柔不断」は「デザイン性」に正の影響を与えている。

　つまり，場所の効率性と商品の機能を重視する因子，物事を自分で解決し自己啓発への意識が高い因子，家族を重視する因子はデザイン性への影響が顕著ではない。

　また，好奇心が大きく自分で商品を選ぶ因子，値引き券をよく使い他人の意見に影響される因子を持つことは，デザイン性に正の影響を与える。

　以上の結果により，日本と台湾において仮説 1 が支持された。

8. 考 察

　本分析の結果，日本の消費者のライフスタイルに関して「流行・知名度」「自己解決」等の5因子が抽出され，クラスタ分析の結果，「自立幸福型」，「積極的社交型」等4つのグループに分類できることがわかった。また，「流行・知名度」がデザイン性に対しては最も影響力が強いという特徴がある。台湾においては，「興味・関心」「優柔不断」等の5因子が抽出され「興味・関心」がデザイン性に対して影響力が最も強いという結果であった。これにより，デザイン性への影響において，日本の消費者は流行やファッションに興味があり商品の知名度を重視する因子，台湾においては好奇心が大きく自分で商品を選ぶ因子が関連があるという特徴が明らかとなった。

　日本と台湾の共通点として，ライフスタイルからデザイン性への影響力が実証されたことがあげられる。相違点としては，ライフスタイルについてそれぞれ異なる5因子と4クラスタに分けられた。また台湾は，「好奇心型」，「必要最低限型」，「現状維持型」，「利便性追求型」の4クラスタのうち，日本と異なり「好奇心型」と「必要最低限型の」実質2グループに集約されるという特徴があることが判明した。さらに，ライフスタイルからデザイン性への影響力は，台湾よりも日本の方が大きいということが実証された。

　その理由としては，ライフスタイルからデザイン性への影響力において，自分よりも他人との関わりという要素が強く影響し，日本と台湾の相違点として，デザイン性に正の影響を与える因子に相違点があるからだということが考えられる。分析結果では，デザイン性への影響が顕著ではない因子は，自分のことは自分で解決しようとする因子（日本），物事を自分で解決し自己啓発への意識が高い因子（台湾）であった。それに対し，デザイン性に正の影響を与える因子は，日本は，外部の世界と繋がることを好む因子，流行やファッションに興味があり商品の知名度を重視する因子等であるが，台湾は，好奇心が大きく自分で商品を選ぶ因子が最も影響力が強いため，この「自分で商品を選ぶ」因

子によって，台湾は日本よりもデザイン性への影響力が弱いという結果になったのではないかと推察できる。

9.　結　び

　これまでの先行研究では，有効性評価などのエコ購買態度の影響要因のみを実証する研究であり，本章ではこれにライフスタイルの観点を加味し，新要因である「デザイン性」への影響力を実証することができた。これにより，日本と台湾の消費者のライフスタイルの態様と「デザイン性」へ影響を与えるライフスタイル因子を定量的に明らかにした。

　今後は複数の要因について日台における研究を発展させ，比較分析を行う予定である。

【引用文献】
(1) 山口和男・犬伏宣宏訳 (1946)，『マックス・ウェーバー』ミネルヴァ書房，pp.153-154。 H.H.Gerth & C.W.Mills (1946), From Max Weber;Essay in Sociology, A Galaxy Books. 原文参照。
(2) 塩田静雄 (2002)，『消費者行動の理論と分析』中央経済社，p.32。
(3) 山口和男・犬伏宣宏訳 (1946)，前掲書，pp.153-154。
(4) 清水聡 (2004)，『新しい消費者行動』千倉書房，p.55。
(5) 杉本徹雄 (2009)，『消費者理解のための心理学』福村出版，p.179。
(6) 杉本徹雄 (2009)，『消費者理解のための心理学』福村出版，p.179。
(7) Webster, F. E. Jr. (1975), "Determiing the Characteristics of the Socially Conscious Consumer", *Journal of Consumer Research*, 2, pp.188-196.
(8) 野波寛他 (1997)，「資源リサイクル行動の意思決定における多様なメディアの役割：パス解析を用いた検討」『心理学研究』68 巻 4 号，pp.264-271。
(9) Straughan, R.D. and Roberts, J.A. (1999), "Environmental segmentation alternatives", *Journal of Consumer Marketing*, Vol.16, No.6, pp.558-575.
(10) 葛本直央哉 (2007)，「消費者から見た環境配慮型製品に求められる要件」『デザイン学研究・第 54 回研究発表大会概要集』，pp.142-143。
(11) 前田洋光 (2012)，「エコバッグの使用動機が環境配慮行動に及ぼす影響」『産業・組織心理学研究』25 巻 2 号，pp.172-175。
(12) 國﨑歩 (2017)，「日本におけるエコ購買態度への影響要因—有効性評価，独自性，デザイン性の分析を中心として—」原口俊道監修 / 張慧珍・寥筱赤林・李建霖編著『アジアの産業と企業』五絃舎，pp.57-68。
(13) 孔方正 (2002)，「ホテル産業のグリーンマーケティング：消費者行動」『九州産

業大学商学研究』1巻1号，pp.49-59。

(14) 古木二郎・宮原紀壽・山村桃子（2008），「環境配慮製品における購買層の特性と環境性能の価値評価に関する調査研究」『三菱総合研究所所報』49巻，pp.128-141。

(15) 寥筱亦林（2014），「地域消費者のライフスタイルと購買後行動に関する研究：日本鹿児島市と中国武漢市の化粧品購買者を例として」鹿児島国際大学博士論文。

(16) 葛本直央哉（2007），前掲論文，pp.142-143。

(17) 前田洋光（2012），前掲論文，pp.172-175。

（國﨑 歩）

第 14 章　新収益認識基準が旅行業に及ぼす影響
——募集型企画旅行における収益認識のタイミングの統一可能性の検討——

【要旨】

　日本ではこれまで，募集型企画旅行は出発日による収益認識と帰着日による収益認識を共用してきた。設例を通じて，募集型企画旅行の異なる収益認識のタイミングで差異が生じるかを検証した結果，旅行期間を会計年度を跨ぐ場合，出発日による収益認識と帰着日による収益認識の財務諸表に差異が現れた。新収益認識基準は 2021 年 4 月 1 日から適用することとなっている。募集型企画旅行の契約内容を新収益認識基準の収益認識のステップに従い検討した結果，帰着日を基準にする収益の会計処理が妥当であると思われる。

【キーワード】：新収益認識基準，募集型企画旅行，出発日基準，帰着日基準，統一可能性

1.　はじめに

　日本ではこれまで，企業会計原則のもとで，実現主義による収益の会計処理が行われてきた。旅行業において，実現主義に関する考え方や認識は統一しておらず，募集型企画旅行は出発日による収益認識と帰着日による収益認識を適用する会社が混在していた。新収益認識基準は日本では存在しなかった包括的な会計基準であり，2021 年 4 月 1 日から適用することとなっている。新収益認識基準の適用による各業界への影響に関する研究は多くなされてきた。小売業に関しては古市・高橋 (2018)[1]，山本 (2018)[2][3]，桜井 (2018)[4]，鈴木 (2017)[5]

がある。建設業・ソフトウェア業では石原（2018）[6]，鈴木（2017）[7] があるが，旅行業への影響に関する研究は見当たらない。

　本章の目的は，設例を通じて，募集型企画旅行の出発日による収益認識と帰着日による収益認識の財務諸表の比較を行い，異なる収益認識のタイミングで差異が生じるかを検証し，新収益認識基準の適用に伴い，収益認識のタイミングの統一可能性を検討することである。

2.　設例を通じた出発日による収益認識と帰着日による収益認識の財務諸表の比較

　企業会計原則の下で，旅行業では募集型企画旅行において，出発日による収益認識と帰着日による収益認識の会計処理が共用されてきた。本章では，異なる収益認識のタイミングで差異が生じるかを検証するため，旅行期間が会計年度を跨ぐ場合と旅行期間が会計年度を跨がない場合に分けて設例を設け，それぞれを出発日基準と帰着日基準で会計処理を行い，損益計算書と貸借対照表を作成し，比較を行った。本章では，ページ数の制限により，会計処理の流れを省略し，損益計算書と貸借対照表の比較だけを行う。

（1）旅行期間が会計年度を跨がない設例

　設例 1-1 は，旅行期間が会計年度を跨がない募集型企画旅行であり，設例 1-1 を出発日基準と帰着日基準で会計処理を行い，財務諸表を作成した。

設例 1-1

前提条件

(1)　会計期間　自 X1 年 4 月 1 日　至 X2 年 3 月 31 日

(2)　X1 年 12 月 1 日，航空会社から 20,000 円 / 人，割り戻金なしの往復航空券を 40 席仕入れ，現金で支払った。

(3)　X1 年 12 月 1 日，ホテルから 10,000 円 / 人で宿泊券を 40 枚仕入れ，

旅行終了後の月末に現金で支払った。

(4)　X1 年 12 月 1 日，出発日 3 月 1 日，3 泊 4 日の 40 名のパッケージツアーを企画・造成し，100,000 円 / 人で販売し始めた。

(5)　X1 年 12 月 10 日，募集の広告を掲載し，広告費として 100,000 円を現金で支払った。

(6)　X1 年 12 月 15 日，バス会社からツアーの協賛金 20,000 円を獲得し，ツアー用バス会社と指定した。協賛金はツアー終了後の月末に支払われた。

(7)　X1 年 12 月 15 日，保険会社から保険販売促進のための販促金 50,000 円を獲得し，優先順位で旅程保険をお客様に販売した。販促金はツアー終了後の月末に支払われた。

(8)　X1 年 12 月 31 日，従業員の 12 月分の給与 300,000 円を現金で支払った。

(9)　X2 年 1 月 31 日，従業員の 1 月分の給与 300,000 円を現金で支払った。

(10)　X2 年 2 月 10 日，旅行代金の全額 4000,000 円を受け取った。

(11)　X2 年 2 月 11 日，バス会社に 80,000 円 / 日で大型貸切バスを手配した。

(12)　X2 年 2 月 11 日，航空券と宿泊券の発券を行った。

(13)　X2 年 2 月 28 日，従業員の 2 月分の給与 300,000 円を現金で支払った。

(14)　X2 年 3 月 1 日，ツアーは計画どおりに出発した。

(15)　X2 年 3 月 1 日，ショッピングコミッションを 1 名当たり 500 円と契約したお土産施設に寄った。

(16)　X2 年 3 月 4 日，羽田空港に到着し，ツアーは順調に行い，無事に終了した。

(17)　X2 年 3 月 31 日，割戻金として宿泊費の 10 ％＝ 120,000 円を差し引いて，ホテルに現金で宿泊費を支払った。

(18)　X2 年 3 月 31 日，バス代金 320,000 円を現金で支払った。

(19)　X2 年 3 月 31 日，お土産施設から手数料 20,000 円を現金で受け取った。

(20)　X2 年 3 月 31 日，従業員の 3 月分の給与 300,000 円を現金で支払った。

(21)　X2 年 3 月 31 日，バス会社が協賛金を 20,000 円現金で支払った。

(22)　X2 年 3 月 31 日，保険会社が販促金を 20,000 円現金で支払った。

(2) 旅行期間が会計年度を跨がない設例の財務諸表の比較

旅行期間が会計年度を跨がない場合の設例で，出発日による収益認識と帰着日による収益認識で会計処理を行った結果，損益計算書と貸借対照表に差異は見られていない（図表 14-1，図表 14-2，図表 14-3，図表 14-4）。つまり，旅行期間が会計年度を跨がない場合，出発日で収益を認識するか，あるいは帰着日で収益を認識するかは，損益計算書と貸借対照表に影響を与えていない（図表14-1，図表 14-2，図表 14-3，図表 14-4）。

出発日基準
図表 14-1　損益計算書(X2 年 3 月 31 日)

単位：千円

科目	金額
売上高	4,090
売上原価	2,300
販売費及び一般管理費	1,200
営業利益	590

（出所）筆者が作成。

帰着日基準
図表 14-2　損益計算書(X2 年 3 月 31 日)

単位：千円

科目	金額
売上高	4,090
売上原価	2,300
販売費及び一般管理費	1,200
営業利益	590

（出所）筆者が作成。

出発日基準
図表 14-3　貸借対照表 (X2 年 3 月 31 日)

単位：千円

資産の部		負債及び純資産の部	
科目	金額	科目	金額
流動資産		**流動負債**	
現金	590	―	―
固定資産		**固定負債**	
―	―		
		純資産	
		利益余剰金	590
合計	590	合計	590

（出所）筆者が作成。

帰着日基準
図表 14-4　貸借対照表 (X2 年 3 月 31 日)

単位：千円

資産の部		負債及び純資産の部	
科目	金額	科目	金額
流動資産		**流動負債**	
現金	590	―	―
固定資産		**固定負債**	
―	―		
		純資産	
		利益余剰金	590
合計	590	合計	590

（出所）筆者が作成。

(3) 旅行期間が会計年度を跨ぐ設例

設例 1-2 は，旅行期間が会計年度を跨ぐ募集型企画旅行であり，設例 1-2 を出発日基準と帰着日基準で会計処理を行い，財務諸表を作成した。

設例 1-2

前提条件

(1)　会計期間　自 X1 年 4 月 1 日　至 X2 年 3 月 31 日

(2)　X1 年 12 月 1 日，航空会社から 20,000 円 / 人，割戻金なしの往復航空券を 40 席仕入れ，現金で支払った。

(3)　X1 年 12 月 1 日，ホテルから 10,000 円 / 人で宿泊券を 40 枚仕入れ，旅行終了後の月末に現金で支払った。

(4)　X1 年 12 月 1 日，出発日 3 月 30 日，3 泊 4 日の 40 名のパッケージツアーを企画・造成し，100,000 円 / 人で販売し始めた。

(5)　X1 年 12 月 10 日，募集の広告を掲載し，広告費として 100,000 円を現金で支払った。

(6)　X1 年 12 月 15 日，バス会社からツアーの協賛金 20,000 円を獲得し，ツアー用バス会社と指定した。協賛金はツアー終了後の月末に支払われた。

(7)　X1 年 12 月 15 日，保険会社から保険販売促進のための販促金 50,000 円を獲得し，優先順位で旅程保険をお客様に販売した。販促金はツアー終了後の月末に支払われた。

(8)　X1 年 12 月 31 日，従業員の X1 年 12 月分の給与を現金で支払った。

(9)　X2 年 1 月 31 日，従業員の X2 年 1 月分の給与を現金で支払った。

(10)　X2 年 2 月 10 日，旅行代金の全額 4,000,000 円を受け取った。

(11)　X2 年 2 月 11 日，バス会社に 80,000 円 / 日で大型貸切バスを手配した。

(12)　X2 年 2 月 11 日，航空券と宿泊券の発券を行った。

(13)　X2 年 2 月 28 日，従業員の X2 年 2 月分の給与を現金で支払った。

(14)　X2 年 3 月 30 日，ツアーは計画どおりに出発した。

(15)　X2 年 3 月 30 日，ショッピングコミッションを 1 名当たり 500 円と契約したお土産施設に寄った。

(16)　X2 年 3 月 31 日，従業員の X2 年 3 月分の給与を現金で支払った。

(17)　X2 年 4 月 2 日，ツアーは順調に行い，無事に終了した。

(18)　X2 年 4 月 30 日，割戻金として宿泊費の 10 ％＝ 120,000 円を差し引

いて，ホテルに現金で宿泊費を支払った。

(19) X2年4月30日，バス代金320,000円を現金で支払った。

(20) X2年4月30日，お土産施設から手数料20,000円を現金で受け取った。

(21) X2年4月30日，バス会社から協賛金20,000円を現金で受け取った。

(22) X2年4月30日，保険会社から販促金50,000円を現金で受け取った。

(23) X2年4月30日，従業員のX2年1月分の給与を現金で支払った。

(4) 旅行期間が会計年度を跨ぐ設例の財務諸表の比較

　以上の設例1-2の出発日基準で収益認識する場合，出発日による収益認識と帰着日による収益認識で会計処理を行った結果，損益計算書と貸借対照表に差異は見られる（図表14-5，図表14-6，図表14-7，図表14-8，図表14-9，図表14-10，図表14-11，図表14-12）。X1年4月1日からX2年3月31日の損益計算書の営業利益として現れるのに対して，帰着日基準で収益を認識する場合，X2年4月1日からX3年3月31日の損益計算書の営業利益になる。決算日を跨ぐツアーは，収益認識のタイミングで前年度の収益になるか次年度の収益になる。つまり，決算日を跨ぐ場合，出発日による収益認識か，帰着日による収益認識かで，損益計算書に影響を与える。

出発日基準
図表 14-5　損益計算書(X2年3月31日)

単位：千円

科目	金額
売上高	4,090
売上原価	2,300
販売費及び一般管理費	1,200
営業利益	590

(出所) 筆者が作成。

帰着日基準
図表 14-6　損益計算書(X2年3月31日)

単位：千円

科目	金額
売上高	20
売上原価	0
販売費及び一般管理費	1,200
営業利益	-1,180

(出所) 筆者が作成。

出発日基準

図表 14-7　貸借対照表（X2年3月31日）

単位：千円

資産の部		負債及び純資産の部	
科目	金額	科目	金額
流動資産		**流動負債**	
現金	1,900	営業未払金	1,400
未払手数料	90	**固定負債**	
固定資産		—	
—			
		純資産	
		利益余剰金	590
合計	1,990	合計	1,990

（出所）筆者が作成。

帰着日基準

図表 14-8　貸借対照表（X2年3月31日）

単位：千円

資産の部		負債及び純資産の部	
科目	金額	科目	金額
流動資産		**流動負債**	
現金	1,900	営業未払金	1,520
旅行前払金	2,420	旅行前受金	4,000
未収手数料	20	**固定負債**	
固定資産			
—			
		純資産	
		利益余剰金	-1,180
合計	4,340	合計	4,340

（出所）筆者が作成。

出発日基準

図表 14-9　損益計算書（X3年3月31日）

単位：千円

科目	金額
売上高	0
売上原価	0
販売費及び一般管理費	0
営業利益	0

（出所）筆者が作成。

帰着日基準

図表 14-10　損益計算書（X3年3月31日）

単位：千円

科目	金額
売上高	4,070
売上原価	2,300
販売費及び一般管理費	0
営業利益	1,770

（出所）筆者が作成。

出発日基準

図表 14-11　貸借対照表（X3年3月31日）

単位：千円

資産の部		負債及び純資産の部	
科目	金額	科目	金額
流動資産		**流動負債**	
現金	-1,310	営業未払金	-1,400
未収手数料	-90	**固定負債**	
固定資産		—	
—			
		純資産	
		利益余剰金	—
合計	-1,400	合計	-1,400

（出所）筆者が作成。

帰着日基準

図表 14-12　貸借対照表（X3年3月31日）

単位：千円

資産の部		負債及び純資産の部	
科目	金額	科目	金額
流動資産		**流動負債**	
現金	-1,310	営業未払金	-1,520
旅行前払金	-2,420	旅行前受金	-4,000
未収手数料	-20	**固定負債**	
固定資産			
—			
		純資産	
		利益余剰金	1,770
合計	-3,750	合計	-3,750

（出所）筆者が作成。

(5) まとめ

　旅行期間が会計年度を跨がない場合，出発日であっても帰着日であっても，損益計算書と貸借対照表は差異が存在しなかった。しかし，旅行期間が会計年度を跨ぐ場合，出発日による収益認識と帰着日による収益認識で作成された損益計算書と貸借対照表は差異が現れた。

3.　募集型企画旅行における収益認識のタイミングの統一可能性

　募集型企画旅行における異なる収益認識のタイミングは，設例を通じて財務諸表に差異が生じるのを検証した。新収益認識基準の適用に伴い，募集型企画旅行における収益認識のタイミングは統一可能であろうか？

　これまで，旅行業の企画旅行は企業会計原則の下で，出発日による収益認識と帰着日による収益認識が旅行業の慣行的な会計処理として共有されてきた。出発日による収益認識が妥当であるという考え方には，①役務提供のほとんどは交通機関と宿泊施設の手配であり旅行催行前に手配は完了している，②出発日に旅行前の手配に係る債権は実質的に確定するという理由などがあげられる。帰着日による収益認識が妥当であるという考え方には，①旅程保証責任と特別補償責任が付かされている，②添乗員による現地での役務提供が想定されるという理由などがあげられる[8]。

　しかし，収益認識に関する会計基準は収益認識のための５つのステップを設けており，そのステップに従うと，募集型企画旅行は帰着日を基準に収益認識することになると考える。

　募集型企画旅行契約において，旅行会社は旅行に関するサービスの手配，旅程管理を引き受ける。旅行管理において，「旅行会社は旅行者が安全かつ円滑な旅行の実施を確保する」，「旅行中の旅行者が，疾病，傷害等により保護を要する状態にあると認めたときは，必要な措置を講ずる」という責任があり，旅程保証責任と特別補償責任がある。また，添乗員による現地での役務提供が付随しており，旅行者は，旅行開始後旅行終了までの間において，団体で行動す

るときは，旅行を安全かつ円滑に実施するための当社の指示に従わなければならない[9]。

　募集型企画旅行の契約内容を新収益認識基準の収益を認識する 5 つのステップに当てはめて収益認識のプロセスを行った。取引価格に関連するステップ 3，4 を除いて，本章ではステップ 1，2，5 を検討する。

ステップ 1　顧客との契約の識別

　契約の識別は募集型企画旅行契約である。

ステップ 2　契約における履行義務の識別

　履行義務は，旅行に関するサービスの手配と旅行管理である。旅行に関するサービスの手配は旅行開始の前に行われる。旅行管理は，「旅行会社は旅行者が安全かつ円滑な旅行の実施を確保する」，「旅行中の旅行者が，疾病，傷害等により保護を要する状態にあると認めたときは，必要な措置を講ずる」の責任があり，旅程保証責任と特別補償責任がある。また，添乗員による現地での役務提供が付随しており，旅行者は，旅行開始後旅行終了までの間において，団体で行動するときは，旅行を安全かつ円滑に実施するための当社の指示に従わなければならないなどである。旅行管理は，旅行開始から旅行が終了するまで顧客に対する責任がある。

ステップ 5　履行義務を充足した時に又は充足するにつれて収益を認識する。

　収益認識に関する会計基準では，一定期間にわたり充足される履行義務に関して，次のように規定されている。

　次の要件を満たす場合，資産に対する支配を顧客に一定の期間にわたり移転することにより，一定の期間にわたり履行義務を充足し収益を認識する。

　1）企業が顧客との契約における義務を履行するにつれて，顧客が便益を享受すること

　2）企業が顧客との契約における義務を履行することにより，資産が生じる又は資産の価値が増加し，当該資産が生じる又は当該資産の価値が増加するにつれて，顧客が当該資産を支配すること

３）次のいずれも満たすこと

①企業が顧客との契約における義務を履行することにより，別の用途に転用することが出来ない資産が生じること

②企業が顧客との契約における義務の履行を完了した部分について，対価を収受する強制力のある権利を有していること

（収益認識会計基準第 38 項）⁽¹⁰⁾

収益認識に関する会計基準では，一時点で充足される履行義務について以下のように規定されている。

前項１）から３）の要件のいずれも満たさず，履行義務が一定の期間にわたり充足されるものではない場合には，一時点で充足される履行義務として，資産に対する支配を顧客に移転することにより当該履行義務が充足される時に，収益を認識する。

（収益認識会計基準第 39 項）⁽¹¹⁾

資産に対する支配を顧客に移転した時点を決定するにあたっては，第 37 項の定めを考慮する。または，支配の移転を検討する際には，例えば，次の（1）から（5）の指標を考慮する。

１）企業が顧客に提供した資産に関する対価を収受する現在の権利を有していること

２）顧客が資産に対する法的所有権を有していること

３）企業が資産の物理的占有を移転したこと

４）顧客が資産の所有に伴う重大なリスクを負い，経済価値を享受していること

５）顧客が資産を検収したこと

（収益認識会計基準第 40 項）⁽¹²⁾

募集型企画旅行において，通常の場合，旅行代金は事前に支払い，キャンセル料金は，旅行開始当日の契約解除は旅行代金の 50％，旅行開始後の解除は旅行代金の 100％である。旅行開始後，旅行会社は顧客に提供したサービスに関する対価を収受する現在の権利を有していると考えられる。

　また，募集型企画旅行において，履行義務は旅行に関するサービスの手配と旅行管理である。旅行会社の履行義務は旅程管理，旅程保証責任，特別補償責任等であり，旅行会社は旅行終了した時点で履行義務が終了すると考えられるため，帰着日を基準にする収益の会計処理が妥当であると思われる。

4.　結　び

　本章では，新収益認識基準の適用による旅行業への影響についての研究が空白であることから，新収益認識基準に適用による募集型企画旅行における収益認識の統一可能性について検討した。

　具体的に，設例を通じて，募集型企画旅行の出発日による収益認識と帰着日による収益認識の財務諸表の比較を行い，企業会計原則の下での異なる収益認識タイミングの差異を確認した。旅行期間が会計年度を跨がない場合，出発日であっても帰着日であっても，損益計算書と貸借対照表は差異がなかった。しかし，旅行期間が会計年度を跨ぐ場合，出発日による収益認識と帰着日による収益認識で作成された損益計算書と貸借対照表は差異が表れた。

　企業会計原則の下での募集型企画旅行における異なる収益認識タイミングは差異が見られていることに踏まえ，新収益認識基準の適用による収益認識タイミングの統一可能性について検討した。募集型企画旅行の契約内容を新収益認識基準の収益認識のステップに従い検討した結果，帰着日を基準にする収益の会計処理が妥当であると思われる。

【引用文献】
(1) 古市岳久・高橋正明（2018），「消化仕入の会計処理・実務対応」『企業会計』第70巻9号。
(2) 山本浩二（2018），「独立販売価格への対応」『企業会計』第70巻10号。
(3) 山本浩二（2018），「変動対価への対応」『企業会計』第70巻10号。
(4) 桜井久勝（2018），「収益認識会計基準案にみる売上高の純額測定」『企業会計』第70巻1号。
(5) 鈴木理加（2017），「商社，卸売業，小売業等でみられる商品販売契約に関する実務ポイント」『旬刊経理情報』第1490巻。

(6) 石原裕也（2018），「収益認識に関する会計基準の下での工事進行基準」『建設業の経理』第 21 巻 4 号。
(7) 鈴木理加（2017），「建設業，ソフトウェア業でみられる長期請負契約に関する実務ポイント」『旬刊経理情報』第 1490 巻。
(8) 有限責あずさ監査法人（2010），『レジャー産業の会計実務』中央経済社。
(9) 国土交通省「標準旅行業約款」
https://www.mlit.go.jp/notice/noticedata/sgml/1995/68409010/68409010.htm
(10)　企業会計基準委員会(2018)，「企業会計基準第 29 号　収益認識に関する会計基準」。
(11)　同上。
(12)　同上。

（金 香男）

第3編

東アジアの文化・観光・経営
（英語論文）

Chapter 15 A Case Study for Sustainable Green Tourism Industry

【Abstract】

Tourism is considered a flexible and ever-growing industry recently. And due to information technology is a key to make the tourism industry to be competitive where-ever the industry is in a big city, downtown or country side. Usually, when we talk about tourism industry, we would also concern about a smart city concept that is one of a cluster to say that while a tourism industry in one city, most of the companies considered about tourism would be nearby. The smart city concept and related approaches are increasingly recognized by cities worldwide to optimize sustainable environments. The proposes of this study is using Data-Driven Sustainable Smart City Framework (DDSSCF) for sustainable green tourism strategies and policies in order to explores the aspects of technologies essential for creating a smart city and a fashionable tourism destination.

【Key words】 : Green Tourism, Industry, Information Technology

1. Introduction

In order to enhance the concept of green tourism to features of ecotourism, the behavior of the visitors is considered to be reduced due to nature conservation initiatives are supported. Meanwhile, the term of green tourist has been developed through many kinds of variety method, and the most popular one is using technology information. The aspects of the financial, cultural and environmental damage that the variable can be calculated by technology information.

Tourists always want to explore convenient way to get good travel experience, and the technical strategies that the industry provide to the users could enhance tourism experience become more suitable for the users, like implement steps to promote tourism management in tourist metabolism, knowledge technology efficiency and energy cost cut to make the consumption efficiently.

2. What is DDSSCF

(1) Data-Driven Sustainable Smart City Framework (DDSSCF) Model

Petroccia S, Pitasi, A, Cossi GM and Roblek V. (2020) conducted that a smart city is to analysis smart tourism as a core component of a smart urban town. That if there is an hour to make viable plans for the visitors; Then, a technology information providing would be adjust for a smart tourism destination. Moreover, Information and Communication Technology (ICT) s a good method to the management model that the smart city uses in terms of how particular priorities are accomplished with creative structures and stakeholder-oriented processes in a smart city. In the tourist, traveling, and hospitality sector, information and communications technology (ICT) runs as a critical influence. Adoption of Sustainability in the tourism sector is pivotal to the survival of the business. Individuals can use ICT to gather information on travel items from everywhere all the moment.

Several tourism activities and the strategic planning emphasize innovations present in the DDSSCF technologic solutions for sustainable tourism destinations. The creation of knowledge with existing on approaches for plan, promoting and advertising a destination is known as strategic making plans in the tourism sector. And developing a strategic plan is a crucial step in ensuring the destination's long- term sustainability and tourism development.

The DDSSCF method of transition to Smart tourism destinations to improve urban sustainability. DDSSCF is designed to compare strategic approaches in a smart city and tourist destination that define the differences, and to promote a system of urban assessment for tourism development and the creation of urban and tourism sustainability indices. It is established on a cutting-edge information technology that ensures the long-term development of tourism destinations that are reachable to all. It enables the tourist information communication with others and incorporation enhances the quality of the service at the departure point and enhances the quality of life for the local. Communicating among visitors and locals is vital not just for offering a decent experience for visitors as well as for the city's social context, yet this can be challenging at times owing to cultural differences. It provides tourist destination in order to improve visitor's experience and boost export performance. And this model includes, the smart economy, smart mobility, to be smart living, smart environment and the smart visitors. The government attitude is concerned but the element is not put in our model in this study.

(2) Smart City in DDSSCF Model

DDSSCF is necessary to have goods that adapt effectively to the needs in order to significant interaction between tourists and service providers. This allows service providers to recognize visitor needs and offer creative and expanded services eventually. The local solution effort to address traditional planning schemes is not having growth viability to solve the major challenges and issues in smart tourism terminuses such as tourism, ecological productivity, or tourism knowledge. Urbanization affects communities of all kinds, from remote communities to cities to states, eventually culminating to the   establishment of metropolises with populations.

The Smart City DDSSCF Model from one to three as follows:

1) Smart mobility, climate, individuals, culture
2) Smart tourism destination: amenities, connectivity, attractions, bundles available and auxiliary services.
3) Smart tourism: Experience of tourism enhanced

3. Mythologies

Survey was sent on 2020 March to be 2020 Sep. And there were 1,200 letters sent and 998 efficient were return in Taiwan. This approach's goal is fundamental to build an urban   model in which sustainability plays a prominent role since programmed activities have been aimed at resolving the stagnation of tourism decision that they emphasize areas that boost tourism (technologies, Smart Community, Smart Economy, Smart Energy Efficient, etc.)   instead of pursuing greater urban efficiency using technology or management of knowledge.

4. Analysis Result

By using DDSSCF model, the % of each elements are as follows:

$$Energy\ Efficient\ (\%) = \frac{B_{3.254}}{3.254} \tag{1}$$

$$Smart\ Tourism\ (ST)\ \% = \frac{B_p - B_q}{B_q} \tag{2}$$

$$Smart\ City\ (SM)\ \% = \frac{C_P - C_q}{C_P} \tag{3}$$

$$Quotient\ Location\ in\ Smart\ Tourism\ (QLST) = 100(B_p + 1) \tag{4}$$

$$Quotient\ Location\ in\ Smart\ Cities\ (QLSC) = \left(\sum_{p=1}^{o} QLST \right) \Big/ 12 \tag{5}$$

$$RM = (B_{mn}/B_n)/B_m/B_n \tag{6}$$

And as the formula to be as the table. Please refer Table 15-1.

Table 15-1 The Type of Total Action

Type of Total Action	i	ii	iii	iv	v	vi	vii	Total Energy Efficiency(%)
Smart destinations for visitors	91	72	42	85	62	62	51	82.65
Smart Cities	122	75	52	191	82	110	67	88.25
Number of Total Cities	222	142	94	12.56	20.56	15.25	12.45	92.14
Smart tourist destinations Average acts by city	21	10.45	7.25	8.56	10.25	10.25	15.24	97.25
Municipality average behavior of Smart Cities	7.8	6.2	4.65	9.51	6.45	10.34	6.25	98.25

Source: this study

After analyzing, the Table 15-2 as below shows the percentage of the comparison of destinations of the smart tourism.

It defines an urban DDSSCF model that invests in sustainable activities in numerous areas (mobility, productive use of resources, urban ecology, engagement of citizens), and activities focused on product generation and customer fulfillment. A Smart City Acts took the urban model that integrates equity and productivity standards in administration, improves the quality of life, and considers a Tourism economic activity area. Furthermore, the DDSSCF model refers to cited where the visitors come in tourism-oriented geographically.

Table 15-2 The Comparison of Destinations of the Smart Tourism (%)

Actions	Smart Cities Quotient Location	Smart Tourism of Quotient Location	Smart Cities in Energy Efficiency(%)	Destinations of Smart tourism (%)
i	2.22	1.54	88.25	39.25
ii	2.26	1.91	89.52	45.65
iii	2.52	1.86	91.25	44.25
iv	1.88	2.52	89.25	50.25
v	1.78	2.68	92.65	57.86
vi	2.65	2.78	94.78	72.86
vii	2.87	2.0	96.45	75.68

Source: this study

A tourism Smart City dimension consists of two variables, which explain the Energy efficiency to be 98.65%. Furthermore, the DDSSCF model of a tourism area aims to enhance tourist information by development the tourist information networks and tourist offices 4.0. The enhancement of facilities for tourists and guests in these cities is a priority in smart tourism operations. This urban model primarily refers to the cities that are based on enhancing visitor satisfaction.

A smart city has been distinguished by combining tourist and sustainable initiatives coverage. This designation is intended to demonstrate each smart city's strategic orientation, as shown in Table 15-3 as follows.

Table 15-3 The Percentage of Comparison of social and Territory in Energy Efficiency

City Action	Governance of China(type i)	Sustainability of Social(Type2)	Sustainability of Territory	Energy Efficiency(%)
i	95.24	24.25	20.25	92.12
ii	98.25	35.26	30.65	88.56
iii	81.24	28.47	34.56	89.25
iv	92.14	42.35	47.52	91.25
v	96.32	44.65	39.75	89.25
vi	93.24	39.5	42.12	90.25
vii	92.14	46.25	44.62	94.51

Source: this study

DDSSCF method is assessing the significance of technologies designed to enhance sustainability in the tourism sector. The DDSSCF model is suggested for sustainable and smart destinations as an empirical structure. Furthermore, tourism services are prevalent. About one- third of these interventions suggest creative technical initiatives, such as augmented or virtual reality in the perception of tourist attractions and blended learning of exhibitions.

The most programmed actions of technical solutions are introduced in QR (Quick Response) codes and apps for tourists and the creation of Wi-Fi or IoT networks in tourist areas. One-third of the steps are contained or unrelated to technological use. These acts' fundamental goal is to increase tourism experience, identify new markets, respect cultural heritage, and increase environmental consciousness among tourists. Surprisingly, few programmed shows have been conducted in tourist cities to facilitate smart change through technical solutions, as for 85.32% of actions suggest implementing big data platforms and 52.32% of activities proposed in the Internet of Things (IoT) resources. And Table 15-4 shows the factors for the hardness in the DDSSCF Approach.

Table 15-4 The Factors of the Hardness in the DDSSCF

Factors for Hards in DDSSGF Approach	i	ii	iii	iv	v	vi	vii
Smart Tourism	2.52	2.65	2.46	2.65	2.98	2.75	1.987
Smart Cities	4.56	5.68	5.78	5.24	4.98	5.24	6.75
Energy Efficient Ratio(%)	94.25	92.35	94.25	96.24	98.75	97.24	94.25

Source: this study

After analyzing the results, this study suggests that the tourist destinations' attitude is more geared than in the other city towards soft capital. DDSSCF Technology is a challenging behavior specialized in visitor attractions (efficient water storage and energy conservation). The strategy for tourist destination behavior relies on individuals and factors that do not include extensive technology or significant physical structures. The method is used for information growth (education, training for business businesses, openness, fair procurement practices, enhanced social awareness) to provide requirements for a vision of successful adequate green management activities.

5. Conclusions and Findings

This article's contribution is to determine the potential smart tourism plans and create the urban development planning in tourist city. This study has proven challenging to encourage long-term urban growth through programmed behavior based on sustainability in tourism. Furthermore, a smart design provides more rhetorical than actual view of sustainability. The DDSSCF plans contain initiatives to promote sustainable growth, which atomized and clearly defined sustainable development policy. The experimental results show that the proposed method enhances efficiency ratio when it compared to other existing methods. Also, the issue for the city in the future is about being able to combine novel technological facilities and smart sensors with the existing systems on the ground, using synergy and compatibility between systems to provide additional value services to inhabitants and to make more energy efficient.

【References】

［1］Abdel-Basset M, Manogaran G, Mohamed M (2018), "Internet of Things (IoT) and its impacton supply chain: a framework for building smart secure and efficient systems," *Future Gener Comput Syst*, 86:614–28.

［2］Bali RS, Kumar N (2016), "Secure clustering for efficient data dissemination in vehicular cyber–physical systems, " *Future Gener Comput Syst*, 56:476-492.

［3］García Ferna´ndez C, Peek D (2020), "Smart and sustainable? Positioning adaptation to climate change in the European Smart City, "*Smart Cities*,3(2):511–26.

［4］Jegadeesan Subramani, Azees Maria, Kumar Priyan Malarvizhi,Manogaran Gunasekaran, Chilamkurti Naveen, Varatharajan R, Ching-Hsien(2019),"An efficient anonymous mutual authentication technique for providing secure communication in mobile cloud computing for smart city applications, "*Sustainable Cities Soc.*,49: 101522.

［5］Martins P, Albuquerque D, Wanzeller C, Caldeira F, Tom´e P, S´a F, et al(2019), "Cityaction a smart-city platform architecture. In: Future of Information and communication Conference, " *Cham: Springer,* p. 217–36.

［6］Noori N, Hoppe T, de Jong M (2020), "Classifying pathways for smart city development: comparing design, governance and implementation in Amsterdam,

Barcelona, Dubai, and Abu Dhabi," *Sustainability*,12(10):4030.

[7] Nguyen T, Pham T, Phan T, Then T (2020), "Impact of green supply chain practices on financial and non-financial performance of Vietnam's tourism enterprises," *Uncertain Supply Chain Manag*,8(3):481–94.

[8] Petroccia S, Pitasi A, Cossi GM, Roblek V (2020), "Smart cities: Who is the main observer?," *Comp Sociol 5*;19(2):259–78.

[9] Saba D, Sahli Y, Berbaoui B, Maouedj R (2020), "Towards smart cities: challenges, components, and architectures. In: InToward SocialInternet of Things (SIoT): Enabling Technologies, Architectures and Applications, " *Cham: Springer*, p. 249–86.

[10] S´anchez-Corcuera R, Nun˜ez-Marcos A, Sesma-Solance J, Bilbao-Jayo A, Mulero R, Zulaika U, et al. Almeida A (2019), " Smart cities survey: Technologies, application domains and challenges for the cities of the future," *Int J Distrib Sens Networks*,15(6).

[11] Strielkowski W, Veinbender T, Tvaronavi˘ciene˘ M, Lace N (2020), "Economic efficiency and energy security of smart cities," *Econ Res-Ekonomska Istra˘zivanja*,33(1):788–803.

[12] Yigitcanlar T, Kankanamge N, Vella K (2020), "How are smart city concepts and technologies perceived and utilized? A systematic geo-twitter analysis of smart cities in Australia, " *J Urban Technol*, 16:1–20.

(Chunwei Lu)

Chapter 16 A Study on Microfinance Initiatives in the Post-WWII Life Improvement Movement

【Abstract】

In order to realize sustainable development of the region, the community has the concept of self-help, mutual aid, and public assistance. In the livelihood improvement movement developed in rural Japan after World War II, a new local community was formed by the social advancement of rural women accompanying the democratization of rural areas. In this study, the author focused on the case of the "Kamado improvement" project undertaken by the lifestyle improvement group of rural women from the viewpoint that the rural life improvement movement led to the subsequent development of rural areas. As a result, it was confirmed that there was a framework of self-help, mutual assistance, and public assistance using microfinance in the lifestyle improvement movement developed in rural areas.

【Key words】 : Life improvement movement, Kamado improvement, Microfinance

1. Introduction

It is the basic purpose of sustainable development that the local economy grows steadily and the residents living in the area can enjoy the benefits so that the residents can live with peace of mind. And in order to achieve the purpose, it is necessary that local residents provide self-help and mutual assistance, and that there is a public assistance system by the national and local governments to support it.

In Japan, after World War II, democratization and modernization of feudal communities in rural areas was promoted as a guiding policy of the General Headquarters (GHQ) of the Allied Forces. The rural life improvement movement was developed as a public assistance system as part of the agricultural extension system. This policy was promoted by introducing an American-style educational dissemination system into rural Japan. It was promoted by the Ministry of Agriculture and Forestry and prefectures at that time.

In the rural life improvement movement, the life improvement extension workers dispatched from the prefecture acted as facilitators to improve the status of rural women and improve domestic work. The work of the life improvement extension workers to the rural residents was to support the life improvement groups organized for the purpose of mutual assistance. In addition, as a concrete initiative of the Life Improvement Group, the "Kamado Improvement"project is a typical example, and there was a microfinance system as a self-help / mutual assistance system.

This study focuses on the case of this "Kamado Improvement" project and confirms the framework of self-help, mutual aid, and public assistance developed in rural Japan after World War II.

2. Life improvement extension worker

The livelihood improvement movement was carried out as part of the agricultural extension system. Based on the Agricultural Improvement Promotion Law promulgated in 1948, it was launched as a cooperative agricultural extension project between the central government and prefectures. Japan's agricultural extension system, which was reorganized by the Agricultural Improvement Promotion Law, followed the United States and developed businesses by three target groups. These are three projects: agricultural improvement for men, livelihood improvement for women, and youth development for young people (4H club activities[1], which has brought the entire rural population into the target of dissemination.

In February 1949, the first improved extension worker qualification test was conducted in each prefecture. The extension worker was appointed as a prefectural employee from among those who passed this qualification test. The female life improvement extension worker worked on the extension project together with the male agricultural improvement extension worker. Agricultural improvement extension workers had specific skills and knowledge about agriculture, but life improvement extension workers had no specific skills. In addition, since the target of the life improvement extension staff was vague, "life", there was a great deal of confusion about how to approach the specific extension project.

In the agricultural extension system, there was a goal of "creating thinking farmers" in order to promote ingenuity and independence according to the actual conditions of the region. For this reason, the fact that the life improvement extension workers themselves did not have the skills to teach, combined with this goal, adopted a bottom-up method in the rural life improvement movement. Behind this was the process by which everyone expressed their opinions and, with the consensus of many, some action was decided on the democratization and modernization of the feudal community sought by GHQ.

The life improvement extension worker purchased and introduced the necessary knowledge and skills from the agricultural reform extension worker and other administrative agencies. In addition, the life improvement extension worker also played a role as an "intermediary" to introduce the life improvement attempts being made in other villages. Also, regarding living skills, women in rural areas at that time were not allowed to move freely in rural areas. Therefore, it seems that it was difficult to convey living information in rural areas. Bicycles were provided to the extension workers at that time, and information was shared by freely moving between rural women's communities.

3. "Kamado improvement" activity as a rural life improvement project

Regarding the organization and grouping of rural women in postwar Japan, "Kamado improvement" can be mentioned as a symbolic activity. Rural stagnation is hidden in the fundamental problem of "remaining in traditional and feudal conventions," and efforts to solve it were placed in the kitchen, which is at the center of women's domestic work. In "Kamado Improvement", we can see a framework that reduces the domestic work of women by improving the kitchen, adds new options to life, and expands the possibilities of individuals and families.

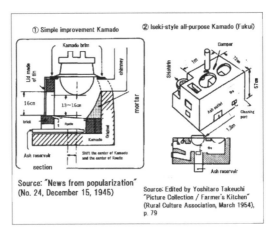

Figure16-1   Example of "Kamado improvement"

Source : Ichida (1995) "Philosophy and Development of Life Improvement and Extension
Project" Agricultural Research Vol. 49, No. 2, p.31 Created by the author based on Fig. 4.

Even if you say "improvement of the kamado" in one word, the method varies
from region to region. What they had in common was to attach a rostrum or
enclosure to the "kudo" to improve combustion efficiency, and to attach a chimney
to prevent smoke from filling the room. For example, the improved kamado of
type (1) in Fig. 1 can be made considerably cheaper by using the materials on
hand. However, in the case of the improved kamado of type (2), it costs 6,000
to 8,000 yen. The average annual farm income in 1950 was about 200,000
yen, which is equivalent to half a month. It was often the case that women in
the farm sold eggs and rabbits to cover the costs of improvement. In "Kamado
improvement", there were many examples that started by forming a group to help
each other in the installation work and install the improved Kamado in order.
It can be said that this was an effective tactic to overcome the resistance and
obstacles to the introduction of new Kamado in the family and surroundings.

In addition, in the case of "Kamado improvement", the system was such that
a life improvement extension worker would go around each farmer at the start
of the project. In the "Farmer Life Improvement Promotion Measures" issued in
September 1951, the activities of the life improvement extension workers were
targeted at farmers in the area. In this measure, it was shown that intensive

guidance will be given to several motivated rural areas. In this way, the target of dissemination was gradually shifted from individual farmers to groups of farmers.

Guidance to such groups has come to be given not only to improve the efficiency of dissemination. In the "Kamado Improvement" project, efforts were made to constantly maintain an improved life. The purpose was to foster "voluntary" farmers who would discover the following problems and use their ingenuity to solve them. First of all, the intention was to give priority to motivated groups, develop life improvement execution groups there, and use them as bases for dissemination activities.

4.   Life improvement and dissemination group

In the rural life improvement movement, women were organized and grouped. In rural areas at that time, the traditional social structure and "conventional" were preserved. Therefore, it was not easy to democratize rural areas. In particular, the status of women in rural areas was low. "Rural Women's Life" was compiled by the Ministry of Labor's Women's and Boys Bureau as Survey Material No. 7 of the Women's Related Materials Series[2] In this document, the survey area was set in consideration of the form of agricultural management, the geographical location of the village, and the relationship with the urban area. This material provides a suggestive material for an overview of the status and role of women at the time.

According to this survey, rural women at that time were tied up with their homes after marriage, and even in neighboring villages, there was no active interaction, and few experienced traveling outside the prefecture as tourism. Therefore, the gathering in the village was a fun time for small talk. The groups included traditional lectures (Nenbutsu-Kou[3] Jizo-Kou[4] etc.), women's associations that follow the tradition of the Dainippon Women's Association[5] which supported the wartime regime, and youth associations. The women's association was basically run by one person representing each house (household), but the traditional economic and social structure, that is, the rank of the house, acts on the election of the group leader and officers.

In order to improve the status of women in rural areas at that time, it is thought that it was necessary to group women for reasons such as "collective defense from social pressure" and "encouragement not to be lonely." Grouping had the effect of mentally stabilizing rural women. There is also the idea of empowerment, in which individuals and groups gain control over their lives and have an external impact on organizational, social and structural influences. It is the idea that "what you cannot do alone can be done by working together as a group", "the gathering and talking itself will be empowering", and "I was raised by the group". Therefore, empowerment is defined as giving people dreams and hopes, encouraging them, and stimulating their natural ability to live.

The life improvement group consisted of "thinking farmers" or was nothing but a group for raising "thinking farmers". For this reason, the "accepting organization" such as the women's association that existed before the war, that is, the life improvement group, which was distinguished from the all-member group, usually held regular meetings about once a month to take up the life improvement issues. In this case, instead of having a specific group member take the initiative, every group member played a certain role and tried to create a place where they could speak freely. In particular, it was emphasized that individual group members think and "execute" with their own minds.

5. Microfinance from the activity examples of life improvement extension workers

Table16-1 Microfinance from the activity examples of life improvement extension workers

No	Pr.	Improvement issues	Activities and efforts of life improvement	Responses and changes on the part of rural and rural woman
1	Miyagi	Kitchen improvement, Women's overwork, Agricultural management rationalization, Family harmoniousness	Acquired knowledge of building technology. Persuaded a new farmer to improve the kitchen and kamado. Demonstration of the effect of saving firewood costs and saving labor for collecting firewood.	The emergence of farmers who proceed from improving kitchens to improving agricultural management. Raising funds through egg savings and mother-child training.
2	Yamanashi	Disaster recovery, housing improvement, fly mosquito-free village movement	Meeting with 4H club members. Promote understanding through public disclosure and demonstration of club activities. Give club members understanding and confidence.	Cooperate with women's associations, youth groups, and village authorities, centering on the agricultural round-table conference. Kitchen Mujin organization. Vegetable cultivation. Extermination of fly mosquitoes. Independent construction of improved toilets. Operates a joint bread processing plant. Wedding simplification.

3	Nagano	Egg savings	Adopted for living improvement by the Agricultural Improvement Committee. The Kamado / Kitchen Improvement Applicant Study Group examined how to improve the Kamado.	Egg savings centered on women's associations to mobilize funds. Egg savings are managed by agricultural cooperatives, non-refunds are prohibited, and agricultural cooperative borrowing for improvement shortfalls.
4	Nagano	Life improvement that promotes health	Housing survey (kitchen, kamado, drinking water, bath). Enlightenment activities such as improving the kamado and installing windows in the kitchen. Roundtable discussions, workshops, exhibitions. Making preserved foods for the farming season.	Women's group and 4H club cooperate. Egg savings. Vegetable savings (savings for sales of surplus vegetables). Revival of joint cooking during the farming season (suspended in 1941). Self-sufficient agricultural processing (miso, soy sauce).
5	Ishikawa	Housewife overwork → Decline in eating habits → Decrease in labor efficiency → Decrease in rural cultural standards	Select a model village and provide intensive guidance. Training session. Survey of kitchens in all villages. Course based on improvement cases.	Improvement execution group formation. Kitchen improvement savings. A three-year kitchen improvement plan promotes step-by-step improvement.
6	Shizuoka	Nutrition improvement, kitchen improvement	Awareness-raising activities for improving life, cooking classes. Conducted various surveys. The target of dissemination was changed according to the actual situation of the target area (women's association, villages, comrade groups)	Formed a life improvement practice group based on the Agricultural Research Group. Kitchen improvement savings. I would like a cooking class. Farmers who are enthusiastic about farming will also think seriously about improving their lives.
7	Gifu	Encouragement savings	Conducted a survey of farmers' living conditions throughout the county. Slides explain the benefits of improving the kamado. Demonstration of fuel savings. Model village selection. Cooking training. Persuade a man in a social class / public hall.	Consultation on improving the kamado from the farmer's side. Cooperation of village leaders. Arranged for postpartum nutrition improvement among pregnant women. All women carry out internal savings to improve the kitchen.
8	Shiga	Life improvement from farmer survey	Survey of farmer conditions such as farming season meals, farming superstitions, housewife life time, farming off season meals, and household budget. Farmer staying survey. Persuading the old man. Roundworm extermination. Cooperate with related organizations. Introduction of joint noodle making machine.	A man wants to take up life improvement. Life improvement club sprout. Group purchasing of noodle making machines. Household bookkeeping. Motivation from improving life to improving agriculture. Set ceremonial occasion rules to reduce costs to one-third.
9	Kochi	Kitchen improvement	Visit farmers to appeal for life improvement. Foster model villages. Illustrate kitchen improvement and arouse housewives'	Tanomoshi-Kou started. Life improvement group established. Gradually improve and make group activities independent.

			interest.	Improvement spread to neighboring villages and marriage destination villages.
10	Oita	Improvement of kitchen and kamado from simple water supply laying	At a gathering of villages, a unanimous resolution was made to realize the dream of simple water supply construction. Comprehensive guidance and advice on fund procurement, material purchase, simple water supply, improvement of kamado /kitchen, joint cooking during the farming season, etc.	Life improvement promotion association formed. Self-funded by Tanomoshi-Kou. From water to kitchen and kamado improvement. Small livestock breeding. Joint cooking during the farming season. Women are actively active. Sericulture started in the surplus time.
11		Kitchen improvement	Kitchen survey (living time, eating habits, ingredients, cooking time, ceremonial occasion). Lectures, lectures, roundtable discussions, Gentoh-meetings. Farmer visit. Life improvement extension staff take aKamado class and acquire skills by themselves. Construction of Unit 1.	In the off-season, farmers wishing to improve their kitchens appeared. Hope farmers spread to the village area and surrounding villages. Agricultural cooperative fund borrowing, brick joint purchase. The emergence of advanced improvement farmers. Improvement lectures started in the entire village.
12	Kumamoto	Kitchen improvement, making farmers bright and fun	Training session. Door-to-door visit. Survey (hope for kitchen improvement, kitchen utensils, kamado, firewood usage). Improved Kamado is installed in each village. Encouragement of model sinks. Window installation. Aquarium installed. Dining room maintenance. Inspection. Persuade the farmer directly.	Create a homemade counter. Joint purchase of cooking utensils. Joint purchase of aquarium. With the technical guidance of extension workers, kitchen improvement gradually permeated the farmers.
13		Kitchen improvement	Visit the village and observe the kitchen. Kitchen housework labor survey. Explained kitchen improvement to the youth group. Visit and persuade an old man who opposes kitchen improvement.	Youth team members started to improve their own kitchen. 4H club formed. Life improvement group formed. Developed from the reserve of improvement funds to Tanomoshi-Kou. Remodeling village farm roads to save firewood harvesting labor.
14		Kamado improvement, kitchen improvement	Designated as a model village from the public hall. Monthly training course. Cooking class.	Established a life improvement society by women members. Inauguration of Tanomoshi-Kou at the women's association. Rural women gather every weekend to save money by crafting straw and shipping vegetables in the morning market. Bread baked by the women's association.

Source：Mizuno (2003) Created by the author based on the table pp.172-176

There is a study by Mizuno (2003) on the movement to improve rural life in postwar Japan.

Mizuno considered "improvement issues taken up" by life improvement extension workers, "activities and efforts of life improvement extension workers", and "responses and changes on the rural and rural women's side" based on the materials of the Ministry of Agriculture and Forestry in 1951[6] .This document records the activities of life improvement extension workers assigned to rural areas with the start of the agricultural extension project. In addition, this record is a record of activities during the period of more than two years after the start of the life improvement movement. Table16-1 is an extraction of microfinance cases such as Tanomoshi-Kou[7] from the activities of life improvement extension workers from Mizuno's research.

In the case of Table16-1, there are cases of in-house savings and mother-child lectures by groups working on the "Kamado improvement" project. "Kamado improvement" has evolved into a large- scale kitchen improvement such as a sink design and a window on the kitchen wall, as well as a renovation of the entire house such as the improvement and installation of bathrooms and toilets. However, there were some farmers who were motivated to improve the kamado but could not take steps to improve it, saying that there was no cost and that they could not get the cooperation of their families.

In this case, in the group working on the "Kamado Improvement" project, one of the members of the group first meets the opposition of the family in terms of funding when improving the Kamado. But someone else in the group improves the kamado. Then, the other group members who saw it wondered, "Let's try it too." Those who are interested in it think about what kind of "Kamado improvement" is most suitable for their own home. Think about the time of improvement. Consider the required budget. Persuade the family. Improve the kamado. Through such a group dynamics process, the life improvement extension staff assisted the spread of the improvement of the kamado from the side through the life improvement group.

Figure16-2 is a slide that introduces the rural life improvement movement created by the Ministry of Agriculture and Forestry in the 1950s. This slide is included in a toolkit compiled by the Study Group on "Research on Rural Life Improvement Cooperation" for three years from 1999 so that it can be used in the field of international cooperation [8] "It's not just the money-hungry improvements that make life better," said the Life Improvement Extension Officer, showing these

220

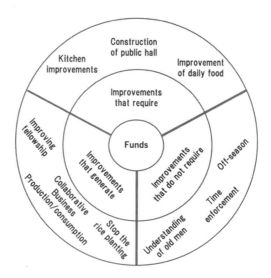

Figure16-2　Arrangement of life improvement issues

Source : Sato & Ota (2006) p.41 Created by the author based on the figure.

slides to those who couldn't participate. There are improvements that generate money, and improvements that don't require money.

As a way to increase the necessary improvement without spending money, the life improvement extension worker gave guidance by explaining the following efforts.

1) "Intentional savings" to save the price as if you bought it

2) Household bookkeeping

3) Mujin in a group

4) Difference savings by joint purchase

It was shown that 1) is sufficiently possible depending on the individual's intention. 2) showed how to make a financial plan by recording household income and expenditure. 1) and 2) are the utilization of self-help.

In 3), a system similar to Tanomoshi-Kou, Mutual Aid, Mutual Aid Association, etc. was shown. In 4), it was shown that daily goods are bought in bulk (joint purchase) at a price lower than retail and the difference is saved. 3) and 4) are the construction of group mutual assistance.

In this way, it can be seen that in the life improvement group, funds were raised to achieve the purpose of the group members through individual self-help and group mutual assistance. Funding through a public assistance system is exactly microfinance.

6. Conclusions

The movement to improve rural life in postwar Japan promoted the reform of rural villages, which is the basis of the subsequent One Village, One Product movement. The life improvement movement was the result of the role of public assistance as a facilitator to the life improvement group by the life improvement extension workers dispatched from the prefecture.

At the same time, it was confirmed in the case of the "Kamado Improvement" project that the achievements such as the improvement of the status of rural women and the improvement of domestic work were achieved by the self-help efforts of the person who worked on the improvement and the mutual assistance of the life improvement group. There was a place where funding was raised by the framework of microfinance. In the "Kamado Improvement" project, the purpose was achieved by raising funds with a microfinance framework such as "intentional savings", "group inexhaustibility", and "difference savings through joint purchase" by the Life Improvement Group. In this study, it was understood that the self-help and mutual assistance of rural residents and the mechanism of public assistance by local governments and the national government are important for the results of the life improvement movement. It was understood that the Microfinan framework was effective as one of the mechanisms.

【Notes】

(1) The 4H club is an organization for training rural youth from the fields of production technology and livelihood improvement. The organization was founded in the United States in 1914 and was introduced in many countries after World War II, including the Philippines, Indonesia, and Taiwan.4H is an acronym for Hearts, "Heads", "Hands", and "Health".

(2) Ministry of Labor Women's and Boys Bureau (1952) "Rural Women's Life", *Ministry of Labor Women's and Boys Bureau*, pp.9-22.

(3) Nembutsu-Kou is a term used in Japanese Buddhism to refer to the chanting

of Nembutsu by lay believers. It is often held at Jodo Temple, but it is closely related to many folk events such as funerals and village events.

(4) Jizo-Kou is a puja that celebrates the merit of the Jizo-Bodhisattva and prays for salvation. The 24th of every month is a fair, and the 24th of July is called Jizo-Bon. Currently, it is only for entertainment such as drinking and eating and drinking.

(5) The Dainippon Women's Association was established on February 2, 1942 by integrating the three organizations of the Ministry of the Army and the Ministry of the Navy's Dainippon National Defense Women's Association, which was established in 1932.

(6) Mizuno (2003),"Postwar Japan's Life Improvement Movement and Participatory Development","Reexamination of Participatory Development",*Japan External Trade Organization, Institute of Developing Economies*, pp.165-184.

(7) Tanomoshi-Kou, also known as "Mujin", is a type of private financial union organized by "Kou". A typical mechanism is that the members of "Kou" give out premiums on a regular basis, and one of them takes turns receiving a predetermined amount each time by bidding or lottery. In this case, "Kou" will be disbanded when it is handed over to everyone. In addition, there is a method of purchasing agricultural materials and living utensils with the money exchanged and distributing them in turn. In addition to this, there was Tanomoshi-Kou, in which the members of "Kou" provided the materials for butterbur to each other and helped with the work by replacing the thatched roof of the farmhouse. The name "Tanomoshi-Kou" is found in the literature of the Kamakura period, but it was especially developed during the Edo period. Since the beginning of the modern era, the number has decreased due to the emergence of banks, but there are still some areas where it is still active for the sake of friendship.

(8) Sato, Ota (2006), "Study Group / Development Workers Must-Have for Rural Life Improvement Cooperation! Life Improvement Toolkit Ver. 1", *Japan International Cooperation Agency, Rural Development Department*, p.41.

【References】

[1] Ichida (1995), "Philosophy and Development of Life Improvement and Extension Project". *Agricultural Research*,Vol. 49, No. 2.

[2] Sato, Ota (2006), "Study Group on Rural Life Improvement Cooperation-Must-have for Development Workers! Life Improvement Toolkit Ver. 1", *Japan International Cooperation Agency Rural Development Department*.

[3] Mizuno (2003), "Postwar Japan Life Improvement Movement and Participatory Development", "Reexamination of Participatory Development", *Japan External Trade Organization Asian Economic Research Institute*.

[4] Ministry of Labor Women's and Boys Bureau (1952), "Rural Women's Life",*Ministry of Labor Women's and Boys Bureau*.

(Nishijima Keiichiro)

Chapter 17 Strategic Choices for the Development of Small and Medium-sized Enterprises
——Based on a Case Analysis of China's Hidden Champions——

【Abstract】

Small and medium-sized enterprises (SMEs), which play a significant role in creating jobs, promoting innovation and increasing tax revenue, are a significant force for the development of economy and society. Since SMEs are small in scale, low in ability, and anti-risk, it is strategically important to promote their development. The present study examines the strategies of hidden champion enterprises in China through a comparative analysis of the growth paths of Chinese, German and Japanese companies. formulates appropriate development strategies is of vital importance for the transformation and development of SMEs.

【Key words】 : SMEs, hidden champion,strategic choice,growth path,
               China

1. Introduction

After more than 40 years of promoting reform and opening-up, China has become the second- largest economy in the world. According to a report by the National Bureau of Statistics of China (NBS), Chinese SMEs account for more than 98% of Chinese enterprises. They contribute more than 50% of tax revenue, more than 60% of the GDP, more than 70% of technological innovation, and more than 80% of urban labour employment[1]. They play a pivotal role in China's economic development. Similarly, according to a white paper from The Small and Medium Enterprise Agency of Japan, Japanese SMEs account for 99.7% of the total number of Japanese enterprises; 70% of people are employed by SMEs[2]. Many SMEs have mastered advanced technologies to explore world markets. However, they are usually characterised by small scale, relatively simple organisational structures, and single or small numbers of products and services. They are therefore at a disadvantage in fiercely competitive markets. The strategic choices made by SMEs are very important.

The concept of hidden champions was first proposed by Hermann Simon in 1986 and popularising the term in his book published in 1996 [3]. He pointed out that, apart from the well-known Fortune 500 companies, the best companies in the world were hidden champions, that is, market leaders that were often not well known to the public. These SMEs focus on niche markets they dominate at a national, regional, or even global level, with a market share often exceeding 50%. The main reason for their invisibility is that "their products are often inconspicuous and deeply hidden behind the value chain, and people can no longer recognize their existence from the final products or terminal services". Simon's research on more than 400 hidden champions proves that the real cornerstone of Germany's reputation as an export world champion does not consist of famous big enterprises, but SMEs that concentrate on niche markets and become global industry leaders.

Many Japanese SMEs have a strong competitive advantage. Enterprises with more than a 10% market share in niche market (20% in large enterprises) are called Global Niche Top (GNT) enterprises. In June of 2021, the Ministry of Economy, Trade and Industry, Government of Japan held the Global Niche Top Companies Selection 100 program (GNT Companies Selection 100) and selected and recognized 113 outstanding global niche companies playing a leading role worldwide under the program [4]. A GNT company is one that operates in a niche market in which it holds an overwhelming share and plays an important role in supporting global supply chains.

There are many similar enterprises in China. Nearly 70% of China's exports are made by SMEs with less than 2,000 employees [1]. It is also surprising that there are far more than 100 hidden champions in China, which may be higher than those in more developed countries such as France, Britain, or Japan [5]. In the face of economic globalisation and free market competition, managers have difficulties choosing the most suitable industries and maintaining steady growth. Against this background, the present study explores the growth path and development strategies of Chinese SMEs.

2.   Strategy of Chinese hidden champions

A review of the literature has revealed the judgment standard and the development of hidden champions. Using the global research standards adopted by Simon [6] in 2009 and the Chinese standard adopted by China's Win Weekly[7], we carried out an empirical study to investigate their industrial status, product and globalisation strategies, innovation management, culture, and leadership[8].

Michael Porter[9] introduces three generic strategies in his book Competitive Strategy cost leadership, differentiation, and focus. The main strategy applied by the hidden champion is focus strategy. The following sections explain three core enterprise strategies: focus strategy, business model innovation, and globalisation.

(1) Focus strategy

Michael Porter[10] discusses the difference between value chains and products in *The Competitive Advantage of Nations*. Generally, hidden champions adopt deep product production processes with limited value chains.

Focusing on the depth rather than breadth of products is a typical feature of hidden champions. We can take the Guangzhou Antai Chemical Co. Ltd ("Antai") as an example. Antai is a professional manufacturer engaged in the production of chemical products such as sealants and latex paints. There are many market segments in the glue industry. Antai's products are used in the civilian market, construction (the company's main target), and automobile manufacturing. As Figure17-1 shows, the company's expansion strategy is to focus on depth rather than breadth. There are many similar examples of hidden champions in China.

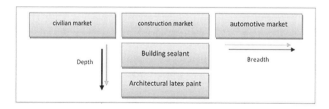

Figure17-1 Antai's product strategy
Source: Created by the author.

(2) Business model innovation

In the future, competition between businesses will not be between products or products and services but between business models. These are based on assumptions about the external environment, internal resources, and organisational capabilities, so no one business model is suitable for all enterprises and no business model may become outdated. Hidden champions take up leading positions in their respective markets because they continually innovate their business models.

The Antai example illustrates the focus strategy of Chinese hidden champions; product ranges are highly concentrated and market positioning is narrow. Another kind of hidden champion is the "market owner company", which creates its own market. Such enterprises are particularly well hidden. Artron Art Network, the world's largest database of Chinese art, is a case in point.

Founded in 1993, Artron was originally a printing factory focusing on colour art printing. It began to accumulate large amounts of artist, artwork, and related data in the fields of painting and calligraphy, cultural relics, auctions, and photography. These data are regarded as useless in the traditional printing industry. However, Artron used them to build the world's largest database of Chinese artwork. In 2000, it established a portal website called Artron Art Network, which is now the largest portal website for art in China. In 2005, Artron began to release quotes for art auctions and launched the Artron Art Market Index (AMI). This has become a tool of analysis for investors and a barometer of the art market. In addition, Artron provides various value-added services based on its network platform, such as building personal digital archives for artists, planning various exhibition activities with master artists, collecting artwork and reproducing high-end artwork, and so on.

Artron did not introduce rotary printing machine production projects in the manner of traditional printing enterprises of the same type and scale. Instead, it created a new market, establishing a unique business model of "traditional printing + IT technology + culture & art" and an entire industrial chain of art investment[11] (Figure17-2). The company successfully transformed itself into a hidden champion with the Chinese Art Database at its core. Some people call it the Swiss bank of Chinese art.

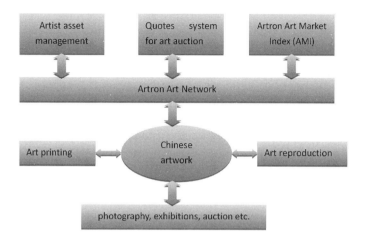

Figure 17-2 Artron business model

Source: Wan Jie. Yachang: Traditional Printing + Modern IT + Culture and Art
[J]. Business (China Business Review), 2006(7), 56-59.

(3) Globalisation strategy

Large enterprises all grow from small enterprises. Simon mentioned China's hidden champion SANY Group in his 2009 book [6], but no one would have guessed that in March 2012, this young Chinese company would acquire Germany's long-established hidden champion Putzmeister (which Simon has studied for more than 20 years).

SANY started as a small enterprise, since when it has become the largest construction equipment manufacturer in China, ranking amongst the top 500 in the world. It is no longer a hidden champion. Table 17-1 compares the situation of SANY and Putzmeister before the acquisition.

The SANY Group has grown at an average annual rate of 50% since its establishment and achieved sales of 80.2 billion RMB by 2011. By contrast, due to the financial crisis in 2009, the sales of Putzmeister plunged by nearly 50%. It lost its world-leading position in the field of concrete pumps to SANY.

More than 90% of Putzmeister's sales revenue comes from overseas, mostly from Europe (not Germany) and North America, which account for around ¾ of total sales. The contributions of territories such as East Asia and Africa are relatively small, which indicates that high-quality German products are less attractive to emerging markets where customers are sensitive to price. Ninety percent of SANY's sale revenue comes from China; the company's main overseas target markets are concentrated in developing regions such as India, Africa, and Eastern Europe.

Putzmeister entered the Chinese market through Hong Kong agents as early as the 1970s and set up a factory in Shanghai in 2005. Because of the rise of Chinese construction equipment manufacturers from that point, Putzmeister's performance in China deteriorated. It had a small share of the market in high-end concrete pumps but was finally squeezed out of the Chinese market.

Table 17-1 Overview of SANY and Putzmeister before the acquisition

	SANY	Putzmeister
Year of establishment	1994	1958
Location of headquarters	Changsha, China	Stuttgart, Germany
Type	Private listed company	Family company
Sales revenue	Approx. 80.2 billion RMB (2011)	Approx. 570 million euros (2011)
Number of employees	Approx. 60,000 (at the end of 2011)	Approx. 3,000 (at the end of 2011)
Product line	Concrete machinery, road construction machinery, excavation machinery, piling machinery,hoisting machinery, trenchless construction equipment, port machinery, wind power equipment, and so on	Concrete pumps, mortar machinery, high-pressure cleaning equipment, and so on
Sales share of core products	Approx. 75%	Approx. 80%
Sales share of overseas business	7% (2011)	90% (2011)
Global market share of core products	Approx. 40%	Approx. 9%
Market share of core products in China	Approx. 60%	Less than 5%

Source: https://www.sanyglobal.com/; https://www.putzmeister.com/(Accessed: 2012-10-11).

Hidden champions in Germany are different from the country's bigger companies. German industrial giants such as Siemens or Bosch have formulated low-cost strategies for entering emerging markets very early, including setting up large-scale factories and R&D centres in Asia. However, it is difficult for SMEs to follow this strategy. Because lots of family companies in Germany are small and lack the resources to penetrate the Asian market[12]. SANY took advantage of this fact to acquire Putzmeister and advance its globalisation strategy.

The case of SANY shows that hidden champions must attempt to globalise. Although Putzmeister had clear technological and service advantages over SANY, it was not able to exploit them fully. The globalisation path is a key factor in the success of hidden champions.

3. Discussion

Choosing an appropriate strategy is difficult. Not every enterprise can become a leader in the international market; indeed, not every enterprise has such lofty goals. Many SMEs are keen to learn from the business philosophies of Fortune 500 companies, yet they would gain more by studying the strategic choices of hidden champions. Given the same environment, hidden champions are more successful than ordinary enterprises regarding long-term operating results[13].

(1) Strategic characteristics of China's hidden champions

It can be seen from the above examples that Chinese hidden champions follow similar strategies.

1) Highly focused market

Hidden champions consider market positioning as an important part of their strategy, and they benefit from vertical and deep value chains. They exhibit their talents in small-scale markets and constantly improve their technologies and products by attending carefully to the needs of their customers. Focusing on one's own field and digging deep is the cornerstone of the success of all hidden champions. Opportunities range widely in China's emerging markets, but while some enterprises succeed through diversification, it is not a recommended corporate strategy. Although SANY's product line is becoming wider, it is still based on the firm's mechanical products. This diversification is generally the path choice of large champions, but it cannot be imitated by SMEs. A highly focused strategy, low costs resulting from economies of scale, and price advantage brought about by product differentiation can guarantee hidden champions higher profit margins and make them more competitive.

2) Strong innovation

Hidden champions produce high-quality products. This gives them an advantage over many other enterprises. They can firmly lock in their customers and gain a large share of niche markets. The success of China's hidden champions is because of technological innovation and effective business operations. For example, Artron created the "Blue Ocean" market and owns an irreplaceable database.

3) Globalisation

Most of China's hidden champions are export-oriented; nearly half of their sales are realised overseas. This shows the strategic value of globalisation. Hidden champions stress their commitment to globalisation on their websites and in their brochures. For example, SANY has established four R&D centres and factories in India, North America, Germany, and Brazil and conducts business in more than 100 countries.

(2) Strategy choices for SMEs

Corporate strategy involves seizing opportunities and giving full play to competitive advantage and potential in terms of products, markets and technologies. The key to success is making a product that is better than one's competitors, not doing everything better. When a company's capacity is limited, it is still in the growth phase, so it must seek endeavour to survive and develop. Many SMEs have difficulties making strategic decisions, diversifying, and innovating.

Many entrepreneurs diversify after their business succeeds through one product. They firmly believe they can then excel in other fields. Only when companies become champions and have stable competitive products can they begin to diversify. Figure 17-3 presents the strategic options available to SMEs as the above-mentioned characteristics of hidden champions. The diversification of SMEs has yet to be tested in practice.

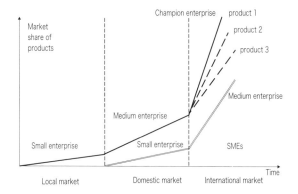

Figure 17-3 The possible strategic paths for SMEs

Source: Created by the author.

Strategic choices of small enterprises

The hidden champion strategy can be adopted directly by small enterprises. Choosing a dedicated market, building one's own brand, selectively taking the road of globalisation, persisting in innovation, and cultivating a good corporate culture are all feasible. Small enterprises can seize the opportunity to become hidden champions themselves—even those that have only developed locally because every local market has a champion. Being the best in the market or at the least becoming a leading competitor is as meaningful in the local market as it is in the world. However, when an enterprise becomes a leader in the local market using hidden champion strategies, the potential for further development can be very limited. What can it then do? The hidden champion has a clear answer to this question: continue to expand in the local market because it is not easy to penetrate an unfamiliar one. Small enterprises should not diversify too early because a company that does everything but is not the best at everything will fail. However, a small enterprise that leads a particular market and subsequently expands has the potential to become a genuine hidden champion.

Strategic choices of medium-sized enterprises

What can medium-sized enterprises learn from the hidden champions? First, not every medium-sized enterprise has gone abroad. Many still sell their products in local markets where some of them have become sales leaders. However, they need to learn from the highly focused strategies of the hidden champions, gain a firm foothold in particular segments through product, technological, or service innovation, and move beyond local markets. To compete globally, they must make full preparations and continue to invest; the possibility of failure abroad is much greater than that it is in local markets, primarily because of cultural differences. In brief, globalisation requires enterprises to implement the strategies of hidden champions.

4.　Conclusions

The present study has analysed the mystery behind the success of China's hidden champions by examining their competition, innovation, and globalisation strategies. Their main characteristics have been discussed and suggestions made for the development of other SMEs.

At present, China's industrial policies vigorously promote what is "new, distinctive, specialised, and sophisticated". In a sense, this describes the previous stage of development of the hidden champions. Such companies have grown against a background of economic globalisation, transformations in industrial structures, and constant upgrading.

In conclusion, what we needs is not only champions but also private companies that can withstand the rigours of international markets. The development strategies of hidden champions offer an example of how this can be achieved.

【Notes】

(1)　Ministry of Industry and Information Technology of China. "Interpretation on Several Opinions of the Ministry of Industry and Information Technology and Other Departments on Improving the System for Supporting the Development of SMEs [EB/OL], " (July 24, 2020).

http://www.chinatax.gov.cn/chinatax/n810341/n810760/c5154819/content.html. (Accessed: 2020-12-23).

(2)　The Small and Medium Enterprise Agency, White Paper on Small and Medium Enterprises in Japan (2020).

(3)　Herman Simon (1996), *Hidden champions: Lessons from 500 of the World's*

Best Unknown Companies [M]. Boston (Mass.): Harvard Business School Press.

(4) The Manufacturing Industry Bureau of the Ministry of Economy, Trade and Industry (METI), Global Niche Top Companies Selection 100 (2020), https://www.meti.go.jp/policy/mono_info_service/mono/gnt100/pdf/2020_gnt100_result.pdf (Accessed: 2021-08-08).

(5) Herman Simon (2011),"Made in China vs Made in Germany [N/OL]," http://www.ftchinese.com/story/001036728 (Accessed: 2020-04-23).

(6) Simon, Hermann (2009), *Hidden Champions of the 21st Century: Success Strategies of Unknown, World Market Leaders*[M], London: Springer.

(7) Deng Di, Wan Zhongxing (2006), *Focus: Interpreting Chinese Hidden Champions* [M], Hangzhou: Zhejiang People's Publishing House.

(8) XU Hongyu (2020), "An Empirical Study on Hidden Champions in China[J], " *Intelligence Management*, 10 (1), 55-60.

(9) Michael E. Porter (1980), *Competitive Strategy*, New York, Free Press.

(10) Michael E. Porter (1985), *The Competitive Advantage of Nations*, Free Press, New York, 282-289.

(11) Wan Jie (2006), "Yachang: Traditional Printing + Modern IT + Culture and Art [J]," *Business (China Business Review)*, (7), 56-59.

(12) Herman Simon (2012), "Enlightenment from Sany Heavy Industry's Acquisition of Putzmeister [J], "*Outlook*, (7), 54.

(13) C.J.van de Lagemaat (2008), *Hidden Champions: Phenomenon or Phantom*[D], Amsterdam: VU university, 8-10.

(XU Hongyu・TAKAHASHI Fumiyuki)

Chapter 18 The ecological economy development situation in Xining city

【Abstract】

On the base of sorting out and analyzing the current situation of Xining's Eco-economic Development and its main problems, this study summarizes the forms of Xining's eco-economic industry practice, it is of great theoretical and practical significance to explore the optimal path for the development of ecological economy and the evolution law of industrial structure in Xining and to explore the mode for the development of ecological economy in Xining.

【Key words】 : Ecological economy, High Quality Development

1. Introduction

General secretary Xi Jinping inspected Qinghai in August 2016, pointing out that "the greatest value of Qinghai lies in ecology, the greatest responsibility is in ecology, and the greatest potential is also in ecology". In March 2021, general secretary Xi Jinping attended the thirteen sessions of the four session of the National People's Congress and deliberated the Qinghai delegation, unswervingly taking the road of high quality development and unswervingly improving the well-being of the people. In June 2021, general secretary Xi Jinping inspecting in Qinghai pointed out that we should base itself on the unique resource endowment of the plateau, actively cultivate new industries, accelerate the construction of world class Saline Lake industrial base, build the national clean energy industry highland, the international eco-tourism destination, and the output of green organic agricultural and livestock products. Ecological resources are the biggest resources in Qinghai, ecological advantages are the biggest advantages in Qinghai, and green development is the biggest development in Qinghai. Therefore, firmly establishing the concept that green water and green mountains are golden mountains and silver mountains, optimizing the economic structure and continuously promoting the transformation of potential resource advantages into practical development advantages are the inevitable choice for Qinghai Province to realize the implementation of the strategy of "one excellent and two high".

However, due to the fragile ecology, relatively backward development and factor constraints in Xining, it is particularly important to promote the development of ecological economy in Xining. The ecological environment has its unique characteristics and vulnerability, so it is necessary to re-examine the ecological economic development model of Xining city. Accelerating the transformation of economic development model plays a very important role in giving play to the late development advantage of Xining City, and can realize the sustainable development of ecology and economy "Ecological industrial development and industrialization of ecological construction" is the key and core of developing ecological economy. Build an ecological economic model of high-quality development in Xining City, solve the deterioration trend of ecological environment in Xining city while improving the ecological environment governance ability of Xining City, and realize the win-win situation of ecological and economic development and good development of social environment.

2. Literature review

American economist balding first put forward the concept of ecological economics in the 1960s, and then ecological economy was formally put forward as an independent discipline in the 1980s. Academic circles believe that the main research object of ecological economics is the relationship between economic system and natural ecosystem in human society. In 2001, American scholar Brown pointed out that economic system actually is a subsystem of ecosystem. In order to achieve sound development, it must be coordinated with the whole ecological industrial system, The argument is also an important milestone in the study of ecological economics.

The origin of industrial ecology theory can be traced back to the "spaceship geoeconomics" theory proposed by Boulding (1966) and the system ecology theory created by Odum (1969). The "spaceship geoeconomics" theory holds that the earth is like a spaceship with limited resources and closed materials, The increasing population size and active economic activities will bring great pressure to the use of resources, resulting in resource depletion and environmental pollution. This indicates that ecological economics has gradually entered the public's field of vision. After the development of several generations of scholars at home and abroad, ecological economics has made great progress in connotation and research methods. With the deepening of the construction of ecological civilization and the western development in the new era, "industrial ecology and Ecological Industrialization" has increasingly become a topic of concern to scholars.

3. Overview of Xining

Xining is locate in the east of Qinghai Province. Geographically, it is locate in the transition zone between the Loess Plateau and the Qinghai Tibet Plateau. There are overlapping mountains, complex landform and serious vertical and horizontal cutting of rivers and ditches; HuangShui River runs through the urban area and brings rich groundwater and surface water to the river valley. However, loess gullies are mostly on both sides of the river valley, with poor groundwater resources and uneven overall water distribution. The vegetation in the urban area is mainly grassland vegetation, the soil texture is mostly loess, the water and soil loss is serious, and there are many gravity landslides. Xining city is located near the western edge of grassland climate, belonging to the continental climate of Middle Arid Plateau. The climate is wet and cool, with large daily and annual temperature difference, insufficient precipitation, strong evaporation, long sunshine and strong radiation. So Xining city is located in the national ecologically sensitive area and has a complex and fragile ecological environment. Environmental degradation, climate change and human activities have a particularly significant impact on it, and the threshold of ecological restoration for development and construction is very high.

As the largest city on the Qinghai Tibet Plateau, Xining is the political, economic, scientific and technological, cultural, transportation and medical center of the whole province. Xining covers a total area of 7660 square kilometers, an urban area of 380 square kilometers and a built-up area of 120 square kilometers.

It governs five districts, two counties and Xining (National) economic and Technological Development Zone. With a resident population of 2.387 million and an urbanization rate of 72.9%, it is the only central City on the Qinghai Tibet Plateau with a population of more than one million, Xining is also the service base and rear of the national ecological security barrier construction of "the source of the three rivers" and "China water tower". With unremitting efforts, Xining has become one of the cities with rapid development momentum and great development potential in Western China. In 2020, the city's GDP will increase by 1.8% and contribute 55.8% to the whole province, including 3.5% for industries above Designated Size and 45% to the whole province. The per capita disposable income of all residents increased by 7.1%. Local general public budget revenue and expenditure increased by 31.2% and 0.3% respectively. The registered urban unemployment rate was 1.97%. Consumer prices should be controlled at 2.7%. The economic operation is generally stable, making progress in stability and making progress in stability.

The main urban area of Xining is locate in the misplaced cross shaped Sichuan Road surrounded by mountains. The narrow space is divided by rivers, railways and their stations, closed roads and other facilities, as well as the impact of geological disaster areas. The urban land resources are very scarce. Land resources and administrative divisions have restricted the further expansion of urban functions. Administrative divisions the space for future development of available land and environmental capacity is obviously insufficient. In recent years, with the continuous promotion of comprehensively deepening reform, Xining has a strong momentum of economic development, a significant improvement in industrialization and urbanization, and a continuous improvement in people's living standards. However, the continuous growth of resource consumption, the continuous expansion and high density of population in Xining have brought great pressure to the urban ecological environment of Xining, exacerbated the contradiction between urban population, resource environment and economic development, and the ecological environment situation is becoming more and more serious. In this context, how to achieve the win-win goal of economic development and ecological virtuous cycle, establish an interactive development mechanism between economy and ecology, solidly promote ecological restoration and urban repair, effectively improve the quality of

life of urban residents and achieve sustainable development is an urgent problem
to be solved in Xining city.

4. Analysis on the advantages and disadvantages of ecological economic development

(1) Advantage analysis

1) Ecological aspects:

At present, the forest coverage rate of Xining city is 35.1%, the comprehensive
coverage of grassland vegetation is 60%, and the greening coverage rate of the
built-up area is 40.5%. In 2020, the ecological environment quality of Xining
will remain stable. Among them, the excellent rate of urban ambient air quality
reached 87.3%, the urban ambient air quality increased steadily, and particulate
matter is still the main factor affecting the ambient air quality of the city. The
environmental quality of surface water has been continuously improved. The water
quality of 8 national and provincial assessment control sections in HuangShui
basin (Xining section) has reached the assessment target of 2020, and the surface
water quality of the basin is evaluated as "excellent".

2) Production

Xining is locate in the Qinghai Tibet Plateau. Relying on the advantages
and characteristics of the plateau, the "Qinghai Tibet Plateau characteristic
biological resources and Chinese and Tibetan medicine industry cluster" has been
successfully listed as the national pilot of "innovative industry cluster construction
project". Xining has become the province's largest and highest scientific and
technological level base for the intensive processing of Chinese and Tibetan
medicine production and plateau characteristic animal and plant resources.

3) Life

Xining has unique culture and profound history. Xining is not only a gateway
for the exchange and contact between Qinghai and other provinces, but also a
place for the convergence and exchange of Confucian and Taoist culture, Tibetan
Buddhism and Islamic culture. Its cultural form reflects the integration of various
national cultures. Immigrant culture and HeHuang culture have rich connotation
and uniqueness. Especially in terms of religious culture, it has strong commonality
with Central Asian countries, which is conducive to exchanges and cooperation

with Central Asian countries to a certain extent, and has the national cultural advantage of jointly building the Silk Road Economic Belt.

(2) Disadvantage analysis
1) In terms of ecological environment.

First, the capacity of urban ecosystem is insufficient. The background of ecological environment is fragile and factor resources are tight; The carrying potential of resources and environment is only 0.02, far lower than the national average. Second, the environmental quality is not high. There are many problems in land afforestation, such as high technical requirements, difficult construction, large investment and so on. Third, the path innovation of ecological industrialization is not enough. Due to the imperfect ecological economic market, the continuous strengthening of environmental constraints, the shortage of capital and talent elements and other factors, Xining has low efficiency and low efficiency in transforming ecological value into economic value.

2) In terms of green production.

First, the green industry system supporting high-quality development is small and underdeveloped. High tech and strategic emerging industries are in their infancy, and strategic emerging industries account for less than 40%. Second, the utilization efficiency of energy resources is low. In 2020, the proportion of light and heavy industries in Xining was 18.4:81.6, the per capita carbon dioxide emission was 13 tons / person, and the carbon emission intensity was 2.2 tons / 10000 yuan. In the same period, Lanzhou was 12.5 tons / person and 1.72 tons / 10000 yuan. Even compared with Lanzhou in Lanxi urban agglomeration, Xining was in a slightly higher position.

3) In terms of green life.

First, the green development market and public participation are significantly lower. At present, the market driving mechanism of green development in Xining city is still insufficient, there is a lack of relevant trading market, and the enthusiasm of enterprises to participate in green production is not enough. Second, the supply and consumption demand of the green market are unbalanced. The green lifestyle has not completely become a social fashion, and the green consumption awareness of urban residents is relatively weak. Third, the innovation and application of green life technology are weak.

5. Exploration on the main mode of developing ecological economy in Xining in the future

(1) Constructing ecological protection and governance model

1) Improve laws and regulations

Study and formulate laws and regulations on water saving, ecological compensation, wetland protection, soil environmental protection, etc. We will strengthen environmental judicial protection, improve the connection mechanism between administrative law enforcement and criminal justice, and severely crack down on acts that damage the ecological environment.

2) Improve the standard system

Formulate and implement stricter local standards for energy consumption, water consumption, land consumption, pollutant discharge and environmental quality, implement the "leader" system for energy efficiency and pollutant discharge intensity, and accelerate the pace of standard upgrading.

3) Establishment of consultation mechanism for eco economic development

An expert committee composed of multidisciplinary experts and scholars shall be established to regularly organize full discussion and consultation on major decisions, planning and implementation of economic and social development and the possible ecological and environmental impact of major development and construction activities.

4) We will improve the coordination mechanism for ecological and economic development

Establish a communication and coordination mechanism among districts, counties and departments in Xining City, and relevant departments shall regularly hold coordination meetings to closely cooperate, grasp and manage together, form a joint force, study and solve major problems encountered in promoting the ecological and economic development of Xining City, and promote the implementation of the plan efficiently, cooperatively and orderly.

(2) Build a high-quality development production model

1) Implement innovation driven development

Strengthen technical energy conservation by means of the application of advanced and applicable technology and equipment. Comprehensively promote the technological transformation of traditional industries, and further promote the special action to improve energy efficiency of key industries and enterprises. Promote advanced technologies such as high temperature and high pressure dry quenching, non spheroidizing grinding and intelligent control.

2) Strategic emerging industries

Comply with the new trend of world science and technology development, connect with the national and provincial strategic emerging industry plans and policies, accelerate the development of emerging industries, take the existing industries as the basis, rely on the resource advantages of Xining, highlight the characteristics of Xining, take the emerging industries as the development direction, focus on building a modern industrial system, promote high-quality development, and further improve the industrial chain by relying on the production capacity and other advantages of existing enterprises, Shape emerging industries into a new engine to drive the city's industrial transformation and upgrading.

(3) Build a high-quality lifestyle

1) Establish effective management mechanism

We will continue to promote the improvement of river management. While constantly establishing and improving various mechanisms, we will bring the city's large and medium-sized reservoirs, 10000 mu irrigation areas, important drinking water sources and important wetlands into the scope of river improvement management, achieve "full coverage of river management".

2) Strengthen the construction of wetland Riverside Landscape

Contribute to the comprehensive improvement of water environment, adhere to the combination of in-depth treatment, ecological restoration and landscape construction, and coordinate the implementation of Greenway Construction, greening improvement, night scene lighting and other projects, so as to achieve the governance goal of "clear water, smooth, green shore and beautiful scenery".

3) Improve the construction of "outer ring and inner network" of urban roads

Improve the "outer ring" structure of the urban area, accelerate the implementation of projects such as the relocation of Xita Expressway and the connecting line of Xicheng street, and effectively alleviate the traffic pressure in the urban area; Optimize the "internal network" structure of the urban area, accelerate the implementation of projects such as Fenghuangshan Road, West extension of Kunlun Avenue and Xicheng street, and improve the traffic capacity of urban roads; Improve the "microcirculation" of urban roads, reasonably plan and set up pedestrian crossing facilities, complete the construction of Huzhu road pedestrian overpass, and start the construction of underground passages on both sides of Kunlun bridge to ensure the safety of pedestrian crossing.

4) Advocate green travel

Promote the development of green, circular and low-carbon transportation. Strictly implement the fuel consumption limit standards and access system, accelerate the transformation of the energy structure of buses, passenger buses and taxis, and strictly control the entry of high-energy consuming vehicles and substandard vehicles into the transportation market. Increase the elimination of yellow standard vehicles.

5. Conclusions

Taking Xining as the background, from the perspective of ecological economic development, this paper understands the current situation of ecological economic development in Xining, and analyzes the advantages of developing ecological economy from three aspects of ecology, production and life. From the ecological environment, green production, green life analysis of the disadvantages of ecological economic development, finally, it explores the main exploration modes of constructing the ecological protection and management mode, the high-quality development and production mode, and the high-quality life mode.

【References】

[1] Boulding,K.E(1966),*The economics of the coming spaceship earth*[A].K.E. Boulding, H.Jarrett, *Environment Quality in a Growing Economy* [C] .Baltimore: Johns Hopkins University Press.

[2] Odum, E.P(1969), "The strategy of ecosystem development, " *Science*, 164(3877).

(Hairui Ji)

Chapter19 Factor analysis of tourists' purchasing behavior in Kagoshima,Japan and Shenyang, China

【Abstract】

In this chapter, a questionnaire survey was conducted with tourism consumers in Kagoshima, Japan and Shenyang, China, and 300 copies were distributed respectively. The valid answers respectively were 242(valid answer rate 80.7%) and 282(valid answer rate 94%) for Kagoshima, Japan and Shenyang, China.

Based on prior research, a model of tourism consumer purchasing behavior was developed, with internal, external and experience factors selected as important variables and hypothesis testing. Little quantitative analysis of the factors influencing tourism consumer purchase behavior has been conducted in Kagoshima, Japan and Shenyang, China. This study is used to assist tourism development.

【Key words】: Tourists, Purchase behavior, Consumer behavior model

1. Introduction

According to the statistics of the World Tourism and Travel Council (WTTC), the world tourism industry accounted for about 10.7% of the world gross national product in 2017[1]. The United Nations and the World Tourism Organization emphasize that the phenomenon of "globalization of tourism" described in relevant information is the focus of global tourism development [2]. With the improvement of people's income level and the change of consumption consciousness, traveling abroad is becoming more and more popular, which makes tourists' consumption turn to international purchase behavior. Tourism consumer purchasing behavior is influenced by various factors. In addition, as to understand all factors influencing tourist-purchasing behavior, it is necessary to quantitatively analyze and study the factors influencing the purchasing behavior of tourist consumers.

To quantitatively analyze the factors influencing tourism consumer purchasing behavior in Kagoshima, Japan and Shenyang, China.

2.　Previous research and topics

(1) Previous research

Consumers' factors for purchasing can be divided into personal and social motives (Tauber, 1972) [3]. Personal motives include 1) role playing (e.g., shopping as a housewife), 2) distraction, 3) self-satisfaction, 4) learning about new trends, 5) physical exercise, and 6) sensory stimulation. Social motivations include 1) social experiences outside the family, 2) communication with others of similar interests, 3) entertainment with peers, 4) status and authority, and 5) the pleasure of bargaining.

The time involved in a consumer's purchasing behavior can be divided into three categories (Robinson & Nicosia, 1991) [4].

1) Pre-purchase (information gathering, timesaving search and comparison);

2) Purchasing (purchasing, travel and waiting time for purchasing, etc.);

3) Post-purchase (information collection for merchandise use, filling of warranty documents, repair and maintenance, merchandise use, and commodity disposal).

Oh, J.Y. et al. (2004) [5].

They point out that three elements stand out in the purchasing behavior of tourists, compared with that of everyday consumers.

1) Tourism, because it takes you away from your everyday life, reduces your sense of responsibility and may lead to less rational purchasing behavior.

2) The unique environment of the tourist destination stimulates the tourist consumer.

3) Souvenirs have the effect of symbolizing and remembering the place of travel and are used to maintain relationships with others.

Shepherd et al (2005) [6], argue that many studies on consumer purchasing behavior in the past have mainly focused on actual local purchase or consumption. This paper will explain the purchasing, consumption or purchasing behavior of tourism consumers, bearing in mind their actual purchases (e.g. type and number of product purchases) in Taiwan and Japan tourist destinations.

According to the opinion of consumer purchasing behavior of Liu Sihan (2010) [7], consumption behavior is not intended to resell. This means that purchasing behavior is included in consumption behavior. This also means that the individual's consumption behavior is to decide whether to buy products or services, what to buy, when to buy, where to buy, how to buy, and who to buy products and services (labor services), whether it is the individual's consumption behavior or the purchase of these goods and services.

Regarding the theory of Inoue Takamichi (2012) [8], the relationship between purchasing behavior and consumption behavior is discussed. The requirements for purchasing behavior include the location of the shop, the layout of the shop, the atmosphere of the shop, the service of the shop (shopkeeper) and the assortment of the products. The post-purchase process includes the experience of using the product, disposal of the product, customer satisfaction and information about the new shop. And after these stages of the experience: product evaluation, purchasing experience evaluation, evaluation of the attractiveness of the shop, evaluation of the salesperson, etc.

According to Tsujimoto (2016) [9], specific purchase decisions are made when buyers are first motivated to purchase a tourist souvenir for themselves or to give to a third party, and then they gather information about the local area and tourist souvenirs from guidebooks, media such as the Internet, and word-of-mouth comments from family and friends before the trip. Then, the information about the local area and souvenirs is collected from the media such as guidebooks, the Internet, and word-of-mouth communication with family and friends before the trip, and the information collected through various experiences at meals and tourist facilities during the trip is added, and from this information, the purchaser forms a product evaluation standard to evaluate the product options of tourist souvenirs, leading to the purchase, and after the purchase, the evaluation of the product and After the purchase, the evaluation of the product will be made by the buyer, but if the buyer is a souvenir for himself, the evaluation of the buyer after the purchase, if there is a recipient of the gift, the evaluation will be made by both parties.

(2) Topics

In this chapter, the model of tourism consumer purchasing behavior is developed, and the three important variables that affect tourism consumer purchasing behavior are internal factors, external factors and experience factors. In this chapter, we construct a model of tourism consumer purchasing behavior, and set the research problem as "to clarify the factors that have a significant influence on tourism consumer purchasing behavior". Here, internal factors correspond to push factors, and external factors correspond to pull factors. The experience factor is the experience and evaluation of the destination.

3. Research methods and hypotheses

(1) Questionnaire design and research methods

This chapter presents a quantitative comparative analysis of the differences in the purchasing behavior of tourism consumers in Japan and China. The questionnaire survey was conducted in Shenyang, China in February-April 2018 and in Kagoshima, Japan in February-April 2019. 300 copies of the questionnaire were distributed to general consumers in both China and Japan. The valid answers respectively were 242(valid answer rate 80.7%) and 282(valid answer rate 94%) for Kagoshima, Japan and Shenyang, China.

In this chapter, the structure of this analysis and the measurement mechanism has been developed after reviewing the related literature. The variables measured are consumers' "Personal Attributes", "Internal factors", "External factors", "Experience factors" and "Tourist Consumer Buying Behavior". All the other variables were measured using the 5-point Likert scale (i.e. 1=very disagree, 2=disagree, 3=general, 4=agree, 5=very agree) except for the personal attributes, which were measured on a nominal scale.

The data analysis method is described by statistical analysis, test and regression analysis using SPSS 23.0.

(2) Research hypotheses

According to the research purpose and related literature, three variables of internal factors, external factors and experience factors are examined, and the following six hypotheses and the model of this paper are formed.

H1: If the personal attributes are different, the internal factors are different.

H2: If the personal attributes are different, the external factors are different.

H3: If the personal attributes are different, the experience factors are different.

H4: Internal factors have a significant impact on the purchasing behavior of tourists.

H5: External factors have a significant impact on the purchasing behavior of tourists.

H6: Experience factors have a significant impact on the purchasing behavior of tourists.

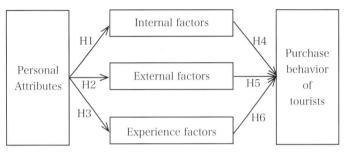

Figure 19-1 Models

Source: This study.

4. Result

(1) Analysis of personal attributes

Here is the respondents profile rate: in Japan, "Female" (54.1%) "Male" (45.9%), marriage "Unmarried" (46.3%) "Married" exceeded (53.7%). The ages range from "21-30" (54.9%),"31-40" (27.3%) to "41-50" (17.8%). The most are "company employees" (59.5%)", then followed military personnel, "teaching staff" (23.6%), and "individual industrial and commercial households, agriculture, forestry, fishery and animal husbandry" (16.9%). More than 40% are "university graduation" (48.1%), followed by "high school (including below)" (31.1%). The answer to the travel days was "3 days to 4 days" 34.7%, followed by "5 days to 6 days" 27.3% and "7 days, 8 days" (18.6%). About half of the travelers were "with family" (49.5%), followed by "with friends" (37.6%). The amount of overseas travel expenditure is (ten thousand yen) "8-10" (35.9%), and "6-8" (26.4%). The number of overseas travel experiences was "twice" (53.3%), followed by "3-5times" (20.2%).

The gender of the tourism consumers in Shenyang, China who responded validly to the questionnaire survey was female (51.1%) and male (48.9%), with 49.6% of them being unmarried and 50.4% being married. The most common age group was "21-30" (56.7%), followed by "31-40" (22.7%) and "41-50" (11.4%).

The most common occupation was "Company employee" (46.8%), followed by "Self-employed, farming, forestry, fishing, and herding" (16.3%), and "Civil servant, military, faculty" (15.6%). More than 40% of the respondents were university graduates (43.3%), followed by high school graduates (24.1%). For the number of days of travel, 24.9% answered "7-8 days", followed by "3-4 days" (21.3%), "9 days or more" (19.1%), and "5-6 days" (18.4%). About 40% of the travelers were accompanied by family members (41.8%), followed by friends (38.3%). The majority of respondents spent between 3000 and 5000 yen (51.8%), (4,000-5,000, 33.3%,3,000-4,000, 18.5%) on overseas trips. In terms of the number of times they have traveled abroad, the most common answer was "twice" (63.1%), followed by "three to five times" (10.6%).

(2) Factors analysis

Factors were extracted using the principal axis factors method for 12 items related to internal and external factors in Kagoshima, Japan and Shenyang, China. After verifying the internal and external by factors analysis, we named the internal factors 1 "motivation", factors 2 "attitude", and factors 3 "learning" based on Takamichi Inoue (2012), the relevant literature for this chapter. The external factor 1 was named "service" and factor 2 was named "communication".

(3) Pearson correlation analysis

1) Through the analysis, the highest correlation was found for "service" (0.352, 0.401, 0.368) on the Japanese side among the internal factors (motivation, attitude, learning) and external factors (service, communication). On the Chinese side, also "service" had the highest correlation (0.363, 03219, 0.402).

2) Internal factors and experience factors were significantly correlated, with the most significant factors on the Japanese side being "motivation" (0.347). On the Chinese side, "learning" had the highest correlation (0.326).

3) By Pearson correlation analysis, external factors and experience factors, on the Japanese side we can see a positive correlation and "service" (0.416). On the Chinese side, "communication" has the highest correlation (0.406).

4) The results are the same for Japan and China, where internal, external, and experience factors are significantly correlated with tourists' purchasing behavior, and a "positive" correlation is inferred from the analysis.

(4) Regression analysis

We will consider whether internal factors (motivation, attitude, learning) have a remarkable influence on external factors based on Japanese and Chinese tourists.

Table 19-1　Influence analysis of internal factors on external factors

Predicted variable	Source	B	Standard error	Standardization Regression (β)	T	Intentional accuracy P
(Variable)	JPN	0.566	0.237		2.558	.000***
	CHN	0.486	0.271		1.789	.000***
Motivation	JPN	0.313	0.072	0.359	4.654	.000***
	CHN	0.285	0.091	0.247	2.813	.000***
Attitude	JPN	0.189	0.057	0.301	2.865	.000***
	CHN	0.356	0.072	0.326	4.119	.000***
Learning	JPN	0.123	0.061	0.284	5.128	.000***
	CHN	0.213	0.084	0.176	2.716	.000***
JPN	F=46.843***					
CHN	F=101.285***					
JPN	R^2=0.495					
CHN	R^2=0.547					

$P < 0.05^*$ $p < 0.01^{**}$ $p < 0.001^{***}$
JPN:JAPAN　CHN:CHANA
Source: This study.

Whether external factors (services, communication) have a significant influence on experience factors is examined.

Table 19-2　Influence analysis of external factors on experience factors

Predicted variable	Source	B	Standard error	Standardization Regression (β)	T	Intentional accuracy P
(Variable)	JPN	0.553	0.203		2.627	.000***
	CHN	0.373	0.356		1.166	.000***
Service	JPN	0.612	0.072	0.498	6.675	.000***
	CHN	0.605	0.083	0.426	5.251	.000***
Communication	JPN	0.349	0.066	0.276	4.456	.000***
	CHN	0.302	0.080	0.319	3.919	.000***
JPN	F=68.985***					
CHN	F=89.148***					
JPN	R^2=0.541					
CHN	R^2=0.492					

$P < 0.05^*$ $p < 0.01^{**}$ $p < 0.001^{***}$
JPN:JAPAN　CHN:CHANA
Source: This study.

Through linear regression analysis, it is verified "internal factors, external factors and experience factors have a significant impact on the purchase behavior of tourists".

Table 19-3 Internal factors, external factors and experience factors have a significant impact on the purchase behavior of tourists

Internal factors Predicted variable	Source	B	Standard error	Standardization Regression (β)	T	Intentional accuracy P
(Variable)	JPN	2.639	0.379		6.625	.000***
	CHN	2.789	0.368		6.962	.000***
Motivation	JPN	0.807	0.262	0.566	3.769	.000***
	CHN	0.708	0.202	0.585	3.939	.000***
Attitude	JPN	0.351	0.182	0.624	2.127	.000***
	CHN	0.335	0.164	0.639	2.117	.000***
Learning	JPN	0.123	0.097	0.215	0.642	.000***
	CHN	0.123	0.089	0.229	0.674	.003**
JPN　　　F =27.341***						
CHN　　　F =29.221***						
JPN　　　R^2 =0.549						
CHN　　　R^2 =0.598						
External factors Predicted variable	Source	B	Standard error	Standardization Regression (β)	T	Intentional accuracy P
(Variable)	JPN	4.202	0.368		7.536	.000***
	CHN	4.134	0.375		8.549	.000***
Service	JPN	0.468	0.201	0.594	3.256	.000***
	CHN	0.492	0.242	0.654	3.348	.000***
Communication	JPN	0.398	0.102	0.521	1.663	.000***
	CHN	0.353	0.117	0.575	2.68	.000***
JPN　　　F =21.205***						
CHN　　　F =24.170***						
JPN　　　R^2=0.696						
CHN　　　R^2=0.703						
Experience factors Predicted variable	Source	B	Standard error	Standardization Regression (β)	T	Intentional accuracy P
(Variable)	JPN	3.976	0.179		11.739	.000***
	CHN	3.264	0.156		8.46	.000***
Experience factors	JPN	0.712	0.136	0.686	5.318	.000***
	CHN	0.531	0.119	0.512	5.197	.000***
JPN　　　F =27.117***						
CHN　　　F =26.236***						
JPN　　　R^2=0.569						
CHN　　　R^2=0.636						

$P < 0.05^*$ $p < 0.01^{**}$ $p < 0.001^{***}$

JPN:JAPAN　CHN:CHANA

Source: This study.

(5) Results

Table 19-4   Results of hypothesis verification

Hypothesis	Result	
	JAPAN	CHANA
H1 : If the personal attributes are different, the internal factors are different.	△	△
H2 : If the personal attributes are different, the external factors are different.	△	△
H3 : If the personal attributes are different, the experience factors are different.	△	△
H4 : Internal factors have a significant impact on the purchasing behavior of tourists.	○	○
H5 : External factors have a significant impact on the purchasing behavior of tourists.	○	○
H6 : Experience factors have a significant impact on the purchasing behavior of tourists.	○	○

○ : accepted △ : partially accepted
Source: This study.

Comparing the results of this chapter with the results of the previous studies, the similarities are that: 1) Internal, external, and experience factors are different for different individual attributes, 2) Internal and external factors have a significant impact on tourism consumer purchasing behavior. The difference is that the study demonstrated that experience factors have a significant impact on tourism consumer purchasing behavior.

5. Conclusions

The findings of this chapter support the hypothesis that experience factors have a significant effect on tourism consumers' purchasing behavior. However, the results of this chapter support the hypothesis that experience factors have a significant influence on tourism consumers' purchasing behavior. The first thing to note about the results of this chapter is that it points out the importance of the influence of experience factors on the purchase behavior of tourism consumers in Japan and China.

The second point worth noting in the results of this chapter is that the results are the same for Japan and China, where internal, external, and experience factors are significantly correlated with tourists' purchasing behavior, and a "positive" correlation is inferred from the analysis. Internal factors and experience factors were significantly correlated, with the most significant factors on the Japanese side being "motivation" (0.347). On the Chinese side, "learning" had the highest correlation

(0.326). By Pearson correlation analysis, external factors and experience factors, on the Japanese side we can see a positive correlation and "service" (0.416). On the Chinese side, " communication" has the highest correlation (0.406).

Furthermore, determine whether internal factors (motivation, attitude, learning) of Japanese and Chinese tourists have a remarkable influence on external factors and external factors (services, communication) on experience factors, based on this hypothesis, we created a regression equation model by forced input method through multiple regression analysis. In Table 19-1, the multiple regression determinism coefficients of (R^2) in Kagoshima, Japan are 0.495 (F=46.843) and (R^2) in Shenyang, China are 0.547 (F=101.285). Japan's standardized regression coefficient (βvalue=0.359, 0.301, 0.284, T value=4.654, 2.865, 5.128) and China (β value=0.128) 247, 0.326, 0.176, T value=2.813,4.119, 2.716), and it can be seen that "internal factors (motivation, attitude, learning)" have a remarkable influence on "external factors". In Table 19-2, the multiple regression determinism coefficients of Kagoshima, Japan are 0.541 (F=68.985) and (R^2) in Shenyang, China are 0.492 (F=89.148). Japan's standardized regression coefficient (β value=0.498, 0.276, T value=6.675, 4.565) and China (β value = 0.426, 0.319, T value=5.251,3.919) "external factors (services, communication)" have a remarkable influence on "experience factors ".

Finally, there are several limitations to this chapter. The five aspects of personal attributes, internal factors, external factors, experience factors and tourism consumer purchasing behavior were analyzed for tourism consumers in Kagoshima, Japan and Shenyang, China, but other aspects such as lifestyle and tourism satisfaction need to be analyzed as well. In the future, we would like to develop a more comprehensive analysis model and expand the sample size to conduct new research.

【Notes】

(1) Geoffrey, J.W.K (2007), "The 2007 Travel & Tourism", *Economic Research.* London: World Travel & Tourism Council.

(2) 高崇雲 (2007),「台湾観光振興戦略の文化観光論からの考察ジャーナルオブビジネスアンドインダストリー」内務省,「1996 年の土地簿記のゼネラルカウンセル報告書 第 8 章技術報書」, pp.120-123。

(3) Tauber, E.M (1972), "Why do people shop?" *Journal of Marketing.* 36, pp.46-59.

(4) Robinson, J. P, Nicosia, M (1991). "Of time, activity consumer behavior: An essay on findings, interpretations, and needed research," *Journal of Business*

Research. 22, pp.171-186.

(5) Oh, J.Y., Cheng, C.K., Lehto, X.Y., O'Leary, J.T (2004), "Predictors of tourists' shopping behavior: Examination of socio-demographic characteristics and trip typologies," *Journal of Vacation Marketing.* Vol. 10, No. 4, pp. 308-319.

(6) Shepherd, R., M. Magnusson, and P. Sjoden (2005), "Determinants of consumer behavior related to organic foods," AMBIO: *A Journal of the Human Environment.* 34 (4): pp. 352-359.

(7) 劉思含 (2010),「大学生の個人的な価値とスポーツ消費の意思決定の種類と購入行動研究」カトリック輔仁大学物理学科のマスター科目。

(8) 井上崇通 (2012),『消費者行動論』同文館出版, pp.55-91。

(9) 辻本法子 (2016),「インバウンド観光における観光土産の購買行動：中国人リピーター旅行者の特徴」『甲南経営研究』第 57 巻, 第 2 号, pp.17-37。

【References】

［1］ 日本政府観光局 (JNTO)(2018) https://www.jnto.go.jp/jpn/statistics/tourists_2018df.pdf

［2］ 呉明隆 (2007),『SPSS 統計与応用問卷統計分析実務』五南図書出版有限会社, 台北。

［3］ 米川和雄・山崎貞政 (2012),『超初心者向け SPSS 統計解析マニュアル―統計の基礎から多変量解析まで―』北大路書房, pp.177-178。

(Kun Zhao)

Chapter 20 Visual Analysis of E-loyalty Literature Research in China using Cite Space

【Abstract】

By collecting the literature related to e-loyalty in CNKI (China National Knowledge Infrastructure) from 2000 to 2020, this paper mainly applies the visual analysis tool CiteSpace to analyze the knowledge mapping of the research results. It adopts author, institution and keyword analysis and classification to understand the current research scholars, research institutions and research hotspots and trends in the field of e-loyalty in China. Meanwhile, it summarizes the following aspects to provide a reference for the relevant research of e-loyalty in this country.

The results show that since 2008, China's research on e-loyalty has gradually increased, reached the peak in 2012, the number of literature releases from 2012 has almost decreased year by year, and the number of released literature in 2019 reverted to a level similar to that in 2008. Scholars in universities and their institutions are the main force of e-loyalty research in China, but from the perspective of cooperative network, authors and institutions are scattered. By the analysis of key words, it is found that the analysis of the influencing factors of customer loyalty is the research focus in the field of E-loyalty.

【Key words】: CiteSpace, E-loyalty, Literature review, Visual analysis

1. Introduction

Since the Internet embarked on its commercial application in the early 1990s, e-commerce has boomed and contributed a lot to the world economy. Meanwhile, it occupies an increasing proportion of GDP and impacts the organizational form and business model of traditional enterprises. With the popularization of e-commerce, more and more B2C platforms and e-commerce enterprises are facing increasingly fierce competition. Customer loyalty is a vital factor for online businesses to maintain their market status and sustainable competitive advantage. Customers are the premise and foundation for the survival of e-commerce businesses, and the essence of enterprise competition is to attract customers. However, the complexity and uncertainty of customer loyalty in the network environment have become the bottleneck hindering the further development of e-commerce. Maintaining and improving customer loyalty is fundamental for the survival and expansion of e-commerce enterprises. Customer loyalty in the network environment has aroused extensive attention in the academic circle. Throughout more than 20 years of development, the research results on the definition, measurement methods, influencing factors and countermeasures of e-loyalty are emerging and growing mature. It can be seen from the existing domestic literature that the relevant research on e-loyalty has accumulated rich achievements.

It helps further clarify the research directional the macro level by timely combing the development venation of domestic e-loyalty research as well as grasping the evolution path of the research field, knowledge network and the law of knowledge evolution. At present, there are few comprehensive research literatures on e-loyalty in China. The author found one relevant research paper in CNKI, WANFANG and VIP titled *Review and Summary of the Research on Influencing Factors of Customer Loyalty at Home and Abroad Based on Classification* (Liao Yanjun, 2016). Therefore, it is essential to review the literature on e-loyalty in China.

2. Data Source and Research Method

(1) Data Source

The research data are from the full-text retrieval database of CNKI, including journals, masters' and doctors' theses and domestic conference papers. "E-loyalty" or "network loyalty" are selected to conduct the full-text search, with the starting and ending time of data retrieval ranging from 2000 to 2020. As a result, a total of 1078 Chinese academic journals, theses and conference papers are available. By reading the abstract of the documents and manually eliminating those with false detection, absent keywords and weak correlation with the research of "e-loyalty", only 437 meet the final requirement.

(2) Research Method

This paper uses the CiteSpace5.7.R2 software, which was developed by Dr. Chen Chaomei, a Chinese American professor at Drexel University in 2004. CiteSpace is a kind of visual analysis software for citations that focuses on analyzing the potential knowledge contained in scientific analysis. It is gradually developed under the background of scientometrics and data visualization. Because the structure, law and distribution of scientific knowledge are presented by visual means, the visual graphics obtained by this method are also called "scientific knowledge mapping". The software can analyze the structure, law and distribution of scientific knowledge, such as the cooperative network between authors and institutions, the co-occurrence of keywords, the co-citation of literature, authors and journals, as well as present them through visual graphics.

The collected data information is imported into CiteSpace. In terms of the parameter settings, time slicing was from 2001 to 2020, years per slice was one year; The node type selects Author, Institution and Keyword respectively according to the research needs of this paper. On this basis, it analyzes "author", "institution" and "keyword" respectively and generates the corresponding scientific knowledge mapping so as to research the current situation in the field of e-loyalty in China.

3. Analysis on Research Results

(1) Distribution of Literature Release Time

The quantity and changes of the annual literature release overall reflect the importance and attraction of relevant fields. Before 2007, there was little literature on e-loyalty. In 2007, China's e-commerce began to develop rapidly following the stable period. An increasing number of large, medium and small-sized enterprises entered this field. E-commerce websites and platforms kept emerging, and a number of consumers became more and more accustomed to online shopping. Therefore, the research on e-loyalty in China has begun to increase since 2008. Among them, the number of literature releases continued to grow slightly from 2008 to 2012 and reached a peak of 47 in 2012. From 2012 to 2019, the number of literature releases decreased almost year by year, and the number of released literature in 2019 reverted to a level similar to that in 2008. Judging from the development trend in the past two decades, the research heat in the field of e-loyalty has decreased in recent years.

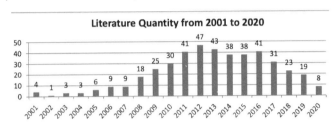

Figure 20-1 Annual Distribution of Literature Release Related to E-loyalty from 2001 to 2020

Source: This study.

At the same time, I have also made statistics on literature types, such as the CNKI literature measurement statistics on e-loyalty shown in table 20-1. There are 238 master's theses, suggesting that the research of e-loyalty is highly favored by young scholars. There are 22 doctoral theses, indicating that there are few more insightful studies in this field.

Table 20-1 CNKI Literature Measurement Statistics on E-loyalty

Literature Types	Doctor's Theses	Master's Theses	Journal Papers	Conference Papers
Literature Quantity	22	238	174	3

Source: This study.

(2) Analysis on Authors

As shown in Figure20-2, after CiteSpace summarizes and analyzes the data of authors, the cooperation network mapping for them is obtained. The horizontal bar at the top represents the time, which is arranged from left to right by year, indicating from far to near. Each node is on behalf of an author. The connecting line between nodes indicates cooperation. The thicker connecting line, the closer the cooperative relationship between authors. The results are as follows after data analysis: Nodes = 360, Links = 85, Density = 0.0015. It can be found through data analysis and mapping display that the network of the whole mapping is relatively scattered. There are occasionally several connections between author nodes, showing that the authors in this research field seldom cooperate with each other, and all of them carry out small-scale cooperation between two people. Most authors conduct research independently, and the co-occurrence network density of core authors is so low that the research cooperation team with a certain scale has yet to take shape. The figure shows a cooperative team with Xu Jian, Li Ping, Guo Longxiang and Bai Chengzong as its members, while the rest have not formed a real cooperative team. It can be analyzed that scholars researching e-loyalty in the academic circle are relatively scattered. Besides, a wide range of authors pay attention to this field, but there are few prolific authors, which can also reflect the lack of concentration and depth of academic attention to this topic.

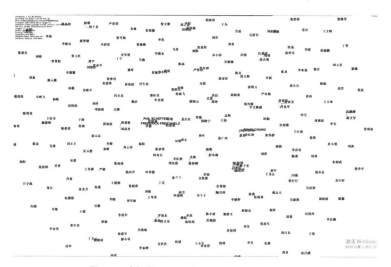

Figure 20-2 Map of authors co-citation

Source: This study.

(3) Research Institution Analysis

Scientific research institutions are the cradle of cultivating scientific research talents, and their distribution can show the organization of e-commerce research in China. With "Institution" as the node in CiteSpace, the network mapping of research institutions in Figure20-3 is obtained after setting the default threshold and conducting data summary and analysis. The results are as follows: Nodes = 171, Links = 35, Density = 0.0024. When it comes to cross-institution research, from the content of the articles and the nature of the research institutions, although colleges and universities are the absolute main force of e-loyalty research, the research institutions are scattered, with few connections and the failure of classification. This reflects that although the research in this field has attracted the attention of academic groups, most of them carry out independent research. Meanwhile, researchers and institutions lack the sense of cooperation, and the sharing and mobility of knowledge and research results are weak.

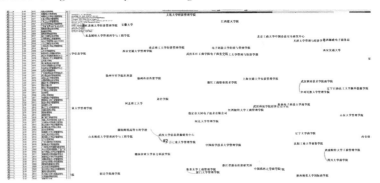

Figure 20-3 Map of institution co-citation

Source: This study.

(4) Co-occurrence Analysis of Keywords

The keyword co-occurrence mapping can reveal the research hotspots in this subject field. After importing the data into CiteSpace, the following thresholds are set: Top N=50 and Top N%=10. All thresholds in "Article Labels" are adaptively adjusted, and the value of "Threshold" is 10. As shown in Figure20-4, a keyword co-occurrence network mapping with 362 network nodes, 883 sides and a network density of 0.0135 is finally generated. In the mapping, the size of nodes represents the frequency of their occurrence, and the connection between nodes represents the intensity of co-occurrence. The larger the node, the higher the frequency of the keyword. Therefore, in the keyword co-occurrence network, the node with the most co-occurrence times is the core research topic, and the branch of the node reflects the research content related to the topic. The density of 0.0135 indicates that the relationship between different nodes in e-commerce is intimate. At the same time, the nodes from inside to outside and from the cold tone to the warm tone represent the literature release time from the early to the present. Some nodes are shown in the purple outer ring, suggesting that these topics bear high centrality. This node is closely related to other nodes and is also a key node connecting different research fields.

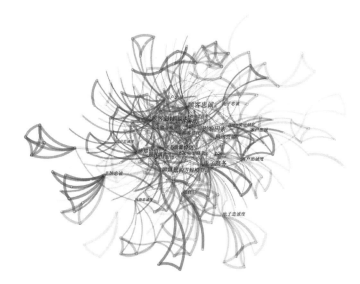

Figure 20-4 Map of co-occurring keyword in e-loyalty

Source: This study.

The hot issues in a research field are often determined by high-frequency and high-central keywords. The statistical data of keyword co-occurrence in CiteSpace is imported into Excel and sort it out to form the top 20 high-frequency and high-central intermediary keywords in Table 3.2. The intermediary centrality of keywords represents the intensity of the mediator in the whole co-occurrence network relationship. The node with high intermediary centrality is usually the key hub connecting different fields and has a massive influence on the co-occurrence network. It is generally believed that the nodes with intermediary centrality greater than 0.1 are vital in the network structure and play a specific role in the evolution of knowledge structure. As shown in Table20-2, multi-dimensional discussions have been held around these topics from 2000 to 2020. In the field of e-loyalty research, "customer loyalty", "customer loyalty degree", "influencing factors", "e-commerce" and "perceived value" are all crucial terms of high-frequency keywords, which indicate a strong co-occurrence relationship with other keywords and play a significant role in the evolution of the research in this field. It shows that the analysis on the influencing factors of customer loyalty is the research focus in the field of e-loyalty. Secondly, "customer satisfaction", "perceived value", "service quality", "trust", "customer value", "conversion cost" and "relationship quality" are analyzed as considerable influencing factors of e-loyalty, which are mainly reflected in the exploration of e-loyalty prediction variables.

It is worth noting that some keywords with low word frequency such as "brand loyalty" and "trust" have higher centrality, indicating that they are also hot words in the research and reflecting the high probability of co-occurrence of these keywords with other keywords. It suggests that they focus on the same issue or the same domain and will also appear in the same article.

Table 20-2　Top 20 Keywords with high frequencies and centrality by slices

Serial Number	Keywords	Frequency	Intermediate Centrality
1	customer loyalty	105	0.42
2	customer loyalty	49	0.26
3	influencing factors	43	0.18
4	e-commerce	43	0.25
5	customer satisfaction	34	0.09
6	loyalty degree	22	0.11
7	e-loyalty	21	0.06
8	online marketing	20	0.1
9	perceived value	19	0.13
10	service quality	18	0.05
11	trust	18	0.12
12	customer value	18	0.05
13	b2c	17	0.06
14	conversion cost	17	0.08
15	online shopping	16	0.07
16	brand loyalty	15	0.12
17	customer loyalty degree	15	0.05
18	customer satisfaction	13	0.04
19	trust	12	0.09
20	relationship quality	12	0.04

Source: This study.

4. Conclusions

Through the CiteSpace software, the literature in the subject field of e-loyalty from 2000 to 2020 in the CNKI database is visually analyzed. The measurement indexes such as source journals, research institutions, core authors and keywords are extracted for statistics and network mapping analysis from 437 documents. Finally, this paper draws the following conclusions:

(1) From the current quantity of e-loyalty research literature, the overall number of released works has decreased year by year since 2017, indicating that the research and attention of e-loyalty have waned.

(2) From the statistical distribution of source journals, institutions and authors, the level of journals for e-loyalty research is just so-so. The research team is mainly composed of universities and their institutional scholars, and they have achieved corresponding research results. However, due to different regions and characteristic majors, research institutions and authors overall have weak cooperation and few links with enterprises. It shows that most of the institutions conduct research independently and lack a sense of cooperation with other institutions. It also reflects from one side that the research in this field needs to be strengthened further, and e-loyalty needs to be discussed on a deeper level. In the future, various institutions should enhance the awareness of cooperation and share cooperation experience so that the research fields of e-loyalty can cross and integrate and the development of e-loyalty research becomes more comprehensive and systematic.

(3) Based on the co-occurrence analysis of keywords, the research hotspots of e-loyalty focus on research object, evaluation system, driving factor and application. The current research hotspots include theory, research object, application field, research method and so on. Combined with the new situation and new background, future research needs to broaden horizons, enrich e-loyalty theories and establish new e-loyalty models. To promote the sustainable development of e-loyalty research, scholars also need to apply the research techniques and methods such as literature combing, statistical analysis, structural modeling and the combination of quantitative and qualitative research. In the empirical research, it needs to consider the universality of the model and the

effectiveness of the data as well as pay attention to the influencing factors such as cultural differences, consumer personality and environment in the cross-regional research.

【References】

[1] 廖炎钧 (2016), 分类视角下顾客忠诚度影响因素中外研究回顾与综述 [J]」,『品牌研究』, (8), pp.60-64.

[2] Li Jie (2015), CiteSpace Chinese guide. http://blog.sciencenet.cn/blog-554179-1066981.html.

[3] CHEN C. M (2006), "CiteSpace II: detecting and visualizing emerging trends and transient patterns in scientific literature," *Journal of the American Society for Information Science and Technology*.

[4] 李杰, 陈超美 (2016),『CiteSpace: 科技文本挖掘及可视化』, 北京 : 首都经济贸易大学出版社, p.78.

[5] 陈悦, 陈超美, 胡志刚, 王贤文 (2014),『引文空间分析原理与应用 : CiteSpace 实用指南』, 科学出版社, p.137.

[6] 林德明, 陈超美, 刘则渊 (2011),「共被引网络中介中心性的 Zipf-Pareto 分布研究」,『情报学报』, 30(1), pp.76-82.

[7] 李杰, 陈超美 (2016),『CiteSpace: 科技文本挖掘及可视化』, 北京 : 首都经济贸易大学出版社, p.89.

[8] 张蒙蒙, 刘天平, 杨建辉 (2019),「精准扶贫研究的现状, 热点与趋势——基于 CNKI 和 CiteSpace 可视化视角」,『中国农业资源与区划』, 40(8), pp.11-19.

(Yanan Pan)

Chapter21 Application and Prospect of Blockchain Technology in China's Commercial Banking Sector - Based on Experience Economy Perspective

【Abstract】

Interest rate market reform and the intensification of homogeneous competition make commercial banks face an unprecedented dilemma, and how to reduce business costs and find new growth points has become an urgent problem for commercial banks. At the same time, facing the personalized needs of bank users, commercial banks need to quickly dig valuable information resources from the network and provide users with a good experience of information resource services.

Experience economy and blockchain are not only the hot spots of research nowadays, but also the general direction of future development. This paper analyzes the necessity of applying blockchain technology in the field of commercial banking, and discusses a new model of commercial banking services based on the perspective of experiential economy.

[[Key words】 : Commercial Banks, Blockchain, Fintech, Experience Economy

1. Introduction

Traditional commercial banking services have the essential attribute of "despise the poor and curry favor with the rich", providing relatively single investment channel, low efficiency and high cost in financial services, and tend to focus on high quality enterprises and large customers, with insufficient maintenance for small and micro enterprises, small customers and other long-tail customers. The increasing competition among commercial banks in China, coupled with the impact of new financial startups such as Ant Financial Services and Tencent, has made the business growth of commercial banks increasingly sluggish. At the same time, with the popularity of big data, artificial intelligence and other technologies, commercial banks are experiencing explosive growth in operational data, and it is a major challenge for commercial banks to address the challenges of efficiency and quality at the same time.

The foundation of commercial banks lies in financial services, and their future core competitiveness should come more from the comprehensive empowerment of financial technology. Blockchain, as an emerging technology, has great potential in promoting the innovative development of digital economy. Blockchain can improve the efficiency of information processing and simplify the approval process, providing a new path and direction for commercial banks.

2. The Fit Between Blockchain, Experience Economy and Commercial Banking Services

(1) Blockchain Concepts and Features

Blockchain and its related ideas originated in the 1970s and 1980s, but did not receive widespread attention due to the limitations of the level of computer network technology at the time. It was not until 2008 that a programming expert named Satoshi Nakamoto published a paper titled "Bit-coin: A Peer-to-Peer Electronic Cash System", detailing how the blockchain, the underlying technology of Bitcoin, works. To this day, the Bitcoin system defined and constructed by Satoshi Nakamoto is used as a more complete philosophy, technology, model, and operational standard for the blockchain.

In a narrow sense, blockchain is a distributed ledger in which blocks of data are sequentially linked in a chronological manner to form a chained data structure that is cryptographically guaranteed to be tamper-evident and unforgeable. China UnionPay describes it as "two structures, two types of algorithms, and one contract". The China Union of Banks describes it as "two structures, two types of algorithms, and one contract", i.e., chain ledger structure, peer-to-peer network institution, consensus algorithm, cryptographic algorithm, and smart contract, which can guarantee data immutability, collective data maintenance, and realize multi-center collaborative decision-making.

Blockchain is valued by commercial banks because of its decentralization, immutability, openness and transparency, as well as contractual intelligence, which can balance efficiency and security and can effectively make up for the shortcomings of many current businesses such as data auditing and payment settlement. These characteristics are also the unique advantages of blockchain.

(2) The Fit of the Three

In the 1970s, futurist Toffler first mentioned the concept of "Experience Economy" in his book " Future Shock". Then he pointed out in "The Third Wave" that "the next step in the service economy is the experience economy, and businesses will win by providing such experience services "[1]. The value of service is often reflected in the three aspects of effectiveness, experience and efficiency, i.e.: service value = benefit + experience + efficiency, and the user value-oriented service model must be combined with a reasonable and effective business model.

As an important resource in value creation activities, new technologies can facilitate the transfer of value in user value-oriented service models and rational and effective business models, thus finding a balance between enterprises and customers. Blockchain, as a disruptive technology that transforms from "information Internet" to "value Internet", is leading a new round of global technological and industrial changes. In the era of value Internet, everyone is an independent economy. As the awareness of user sovereignty continues to take root, decentralization has become the new interest of many people and the new norm of the Internet.

In the face of fierce competition and changing market conditions, commercial banks need to deploy solutions in many areas such as increasing revenue, strengthening risk management and enhancing customer experience. "The development trend of banks will be in the direction of intelligent and technology-based enterprises, traditional outlets will convert and shrink to community convenience stores, and outlets will be more of a place for financial advisory services and scenario services. The future bank, although lacking the perception of physical outlets, will be a ubiquitous way of life" [2]. decentralized characteristics of blockchain technology are highly compatible with the future development direction of commercial banks, and the rise of the experience economy has pointed out the direction of efforts for the banking industry.

3. The Current Status of Blockchain Technology Application in China's Banking Industry

The application of blockchain technology in Chinese commercial banks is mainly focused on improving the efficiency of transaction and information processing through the construction of platforms and systems. Due to the different scale and focus of business modules, and combined with the actual situation of their business development, there are certain differences in blockchain application among different commercial banks.

Table 21-1 Application of Blockchain Technology by Some Commercial Banks in China

Nature of Bank	Commercial Bank Name	Examples of Online Blockchain Systems	Main Application Directions
Large state-owned commercial banks	Agricultural Bank of China	Agricultural-related Internet e-commercefinancing system (2017)	Agricultural Internet-related e-business financing system
	China Construction Bank	Blockchain banking and insurance platform (2017); Blockchain financial precision poverty alleviation platform (2018)	International Factoring,Cross-border Transaction Business, Precise Poverty Alleviation
	Industrial and Commercial Bank of China	Blockchain Management Platform for Poverty Alleviation Fund (2017)	Poverty Alleviation Project
	Bank of China	Blockchain e-wallet system, (2017)	E-Wallet
Joint-stock commercial banks	China Merchants Bank	Capital Management ABS Blockchain System (2019)	Consumer finance, capital management
	Minsheng Bank	Domestic Letter of Credit Information Transmission System (2017)	Smart Contracts
City Commercial Bank	ZCB	Blockchain-based mobile digital money order platform (2017)	Digital assets, digital money orders
	Bank of Suzhou	Alliance Chain - "Suyin Chain" (2017)	Joint interbank online lending business
Private Banks	WeBank	Cross-chain data collaboration platform (2016); Blockchain open source platform (BCOS) developed with Wanxiang Blockchain and Matrix (2017)	Inter-institutional reconciliation of microloans, etc.

Remark : The large state-owned commercial banks play a dominant role in

the financial system of China, both in terms of the number of personnel and institutional outlets, as well as in terms of asset scale and market share. B: The Industrial and Commercial Bank of China, Agricultural Bank of China, Bank of China, China Construction Bank and Bank of Communications.
Source: References [3] [4] [5]and the author collated according to network data.

In terms of applying blockchain technology, there are certain differences among state-owned banks, joint-stock banks and urban commercial banks. Large state-owned commercial banks, due to their social responsibilities, use blockchain technology to empower supply chain finance, help manage funds for precise poverty alleviation and the construction of Xiongan New Area, etc. The focus of their efforts is to serve the real economy with high quality. Although the scale of joint-stock commercial banks is smaller than that of state-owned commercial banks, their mechanism is more flexible and they are also effective in blockchain development, applying blockchain technology to platform construction and optimization of traditional banking business, mainly for solving difficulties in business operation. Although some urban commercial banks started late in blockchain technology, they have also started to lay out the application of blockchain technology, focusing on joint interbank business. As a private bank, We Bank launched a financial blockchain alliance in cooperation with other institutions as early as 2016 to promote the development and application of blockchain technology.

From the perspective of domestic application practice in China, the use of commercial banks' blockchain on the ground is still relatively shallow, and the problems of imperfect infrastructure and immature underlying technology restrict the development of large-scale application practice of commercial banks' blockchain technology.

4. Blockchain Technology Application Outlook in China's Commercial Banking Sector

As a service industry, commercial banks should always be "customer-centric" and profit-oriented, and use blockchain technology to seek a balance between business models and service models in the direction of experience economy.

(1) Scale Customization Direction Development - Service Value: Experience

Bank products and services are becoming more and more diversified., and for high-end customers, customized products are available. The average Chinese consumer is highly digital and has adopted the latest technologies in droves, using their smartphones to make payments, invest and carry out all other key activities of daily life. As a result, there are high expectations for convenience and accessibility of banking and financial services. There is also a need for customized products for small customers, SMEs and other long-tail customers. However, the cost of implementation and existing conditions make diversification of financial products almost impossible. And product diversification does not mean product customization.

Banking 4.0 means that if you need financial services, you can access banking functions anytime and anywhere, tailored to your needs. As a platform, banks should be in the lives of consumers when and where they need it most, and that's where technology is taking us. The foundation of Banking 4.0 includes "experiences not products" "blockchain and data brokers".

(2) Integration of Blockchain Technology with Other Technologies - Service Value: Efficiency

The banking industry is an important field for blockchain technology application, and the high requirements for authenticity and trustworthiness of banking financial scenarios and blockchain characteristics are a natural fit. Due to factors such as strong regulation and relatively conservative business and technology styles in the banking sector, introducing new technologies faces huge challenges, especially introducing new technologies like blockchain that are still not yet mature. "The use of blockchain technology is not a rigid relationship of either one or zero. Many times it may not be possible to replace other technologies with blockchain for overall application, but it can play its role and advantages locally in the system, such as providing distributed storage and preservation function only for important data or consensus voting function only in the decision-making process"[3]. Blockchain technology can guarantee the authenticity of information on the chain, but the process of uploading the chain still has human factors. Therefore, the integration of blockchain technology with artificial intelligence and cloud computing is a general trend and a key link to fasten the whole industrial chain of blockchain traceability. The integration of blockchain with other technologies can effectively overcome some urgent dilemmas such as the lack of maturity of its own technology, regulatory difficulties, security issues, storage problems and authenticity of data on the chain. According to the advantages of different technologies, the correlation and compatibility between different technologies, the integrated application of various technologies, so as to improve the efficiency of financial services.

(3) Work more Closely Together between Commercial Banks and Technology Companies - Service Value: Benefits

Blockchain as a key technology to drive core technological innovation and industrial change, there are also many independent blockchain technology solution providers in the industry. For example, Huawei, Tencent, Baidu and many other leading technology service and Internet companies have launched BaaS (Blockchain as a Service) solutions, which are district-level platform services based on mainstream blockchain technology, combined with the advantages of deployment and management of cloud service infrastructure to provide developers with a convenient and high-performance blockchain ecological environment and ecological supporting services, facilitating enterprises to easily It is easy for enterprises to use blockchain technology to transform and upgrade their original products or services, which can lower the threshold for enterprises to use and save their application blockchain costs. Promote the application of blockchain technology on the ground.

Financial inclusion is more important than protecting established banks. The non-core services of banks are likely to become the core services of technology companies in the future. The rise of technology companies is continuing to drive the decentralization of the banking industry. Tech companies are entering the financial services sector, introducing a large number of players to the financial system and accelerating the pace of digitalization in the banking industry. Many banks are already collaborating with tech companies at the blockchain technology level. In the future cooperation process, it is hoped that the two sides can cooperate in more aspects and at a deeper level. By partnering with technology companies that can provide competitive technology, banks can focus more on developing their core business capabilities and leverage their strengths to expand new business and new customers.

5. Conclusions

In January 2019, China's National Internet Information Office issued the "Regulations on the Administration of Blockchain Information Services" to provide an effective legal basis for the provision, use and management of blockchain information services, and the blockchain market is gradually moving towards regulation. Although China's blockchain technology is still in a period of development and application exploration, and the underlying technologies in the core technology architecture such as cryptography and consensus mechanism design have the risk of being tampered with data, we have already started to move forward in the process of figuring out. Compared with the overall financial market which is more developed in Europe and America, China's financial market is facing the problem of insufficient traditional financial supply itself, and the application of blockchain technology in the financial market can be explored to provide a feasible and faster path for the development of China's financial market.

【Notes】
(1) Alvin Toffler, Zhu Zhiyan (1984), *The Third Wave*. Publishing department, Sanlian Press, China.
(2) Brett King, Shi Yi, Zhang Wanwei (2018), *Bank 4.0: Banking Everywhere, never at a bank*. Publishing department, Guangdong Economy Press, China.
(3) Ling Li (2019), *Deconstructing Blockchain.* Publishing department, Tsinghua University Press, China.

【References】
［1］ Liu Yang (2019), *Block Chain Finance: Technological Change Reshaping Financial Future*, Publishing department, Peking University Press,China.
［2］ Alvin Toffler, Meng Guangjun (1996), *Future Shock*. Publishing department, Xin Hua Press, China.
［3］ Wang Guosheng (2016), *Touchpoint: Service Design in Global Context*, Publishing department, Posts and Telecom, China.

[4] Ba Shusong, Wei Wei, Bai Haifeng (2020), "Blockchain-based financial regulation outlook: from data-driven to embedded regulation," *Journal of Shandong University,* No. 4, pp. 161-173.

[5] Guo Xiaobei, Jiang Liang (2020), "Study on the Application of Blockchain Technology in Commercial Banks, " *SOUTHWEST FINANCE*, Vol. 2020, No. 6, pp. 13-26.

[6] Chen Zifan, Gong Xiaokang (2020), "Features of blockchain technology and its application in commercial banks",*STF Monthly.*

[7] State Internet Information Office Order (No. 3), *Blockchain Information Service Management Regulations*, No. 14, 2019, State Council Gazette_Chinese Government Website.

(Hongyan Zang)

Chapter 22   Impact of China's aging population on the elderly care industry

【Abstract】

China's one-child policy, which began in 1976, has resulted in an increase of 4-2-1 (four grandparents, two parents, and one child) families. The grandparents in these families are entering old age, leaving two people (the parents) to care for four elderly people. The number of elderly people living alone has also increased, due to the increase in children going abroad, their children's long-term stays in other places, and other changes in their children's lives. With the increase in chronic health problems in the elderly, the number of disabled and semi-disabled elderly people has risen sharply. These issues have led to an increase in the demand for long-term care for the elderly.

The nursing care needs of the elderly have become a major social concern, which is sparking the rise of the elderly nursing care industry. The elderly care industry is a huge industrial chain, which includes elderly care institutions, manufacturers of elderly welfare supplies and equipment, elderly care educational programs, elderly universities, elderly tourism services, elderly insurance providers, and other institutions and service providers. In other words, the elderly care industry involves clothing, food, housing, transportation, and other aspects of elderly life. This study focused on the elderly care industry and elderly nursing education, and analyzed how the current increase in the elderly population in China has impacted the elderly care industry. This study analyzed data on the increase in the elderly population in need of nursing care, current situation of elderly care institutions, and current situation of elderly nursing education to determine the problems that exist in the elderly care industry at this stage.

【Key words】: Aging, Elderly care industry, Elderly care institutions, Elderly care personnel, Healthcare worker education, Nursing education

1. Introduction

Because of China's planned childbirth policy, implemented in 1973, and its one-child policy, implemented in 1979, the country's population growth rate dropped from 25.83% in 1970 to 5.08% in 2008 (Ishida, 2013).

According to the "China Statistical Yearbook-2020" released by the National Bureau of Statistics of China, the total population of China reached 1,400. 05 million at the end of 2019. In that year, the population of individuals aged 65 and over was 176.03 million, accounting for about 12.57% of the total population. From the perspective of demographic change, China's population aged 65 and over surged from 49.91 million to 176.03 million in the 38 years from 1982 to 2019. The aging rate from 1982 to 2019 increased from 4.9% to 12.57% (National Bureau of Statistics of China).

In the 38 years from 1982 to 2019, the number of people aged 0 to 14 decreased from 341.46 million to 234.92 million (33.6% to 16.78% of the total population) (China Statistical Yearbook-2020). Between 1982 and 2019, China's younger population declined, whereas the number of elderly people rapidly increased. Because of the rapid increase in the aging population and declining birthrate, China's population aging will become even more serious in the future.

With the rapid aging of the population and the increase in 4-2-1 families, the number of elderly people who have difficulties in their daily lives is increasing day by day. Among them, the proportion requiring long-term care has expanded, and the need for long-term care services has increased.

A primary concern related to the aging of the population is the increasing dependency ratio. In 1982, the national elderly dependency ratio was 8.0%. In 2016, it exceeded 15.0%, and in 2019, it rose to 17.8%.

China is the world's most populous country, and the number of people who need nursing care due to disabilities, illnesses, old age, etc., is expected to increase to a great number. Individuals needing mild care may be able to lead an independent life without the help of others, but those needing moderate care are more likely to need help from others. For those who require more severe long-term care, constant long-term care is considered essential.

The rapid development of China's elderly care industry is inevitable in the context of the country's accelerated aging. This study analyzed data on the increase in the elderly population in need of nursing care, current situation of elderly care institutions, and current situation of elderly nursing education to determine the problems that exist in the elderly care industry at this stage.

2. Increase in the number of people requiring long-term care

It is estimated that by 2026 the number of people aged 65 or over in China will be 199.37 million, and the number is expected to reach 320.6 million by 2050. With the increase in the elderly population, the number of people requiring long-term care is expected to increase from 128.46 million in 2026 to 219.06 million in 2050. In addition, the percentage of people requiring long-term care in the elderly population is expected to increase from 64.4% in 2026 to 68.3% in 2050 (Table 22-1).

Table 22-1 Estimated growth in the population of individuals aged 65 and over

Unit: ten thousand people

	2026	2032	2038	2044	2050
Elderly population	19,937	25,169	29,994	31,244	32,060
Healthy elderly people	7,091	8,977	10,573	10,625	10,154
Elderly people requiring mild long-term care	7,555	9,467	11,286	11,804	12,210
Elderly people requiring moderate long-term care	3,324	4,234	5,108	5,489	5,952
Elderly people requiring severe long-term care	1,967	2,491	3,027	3,326	3,744
Number of elderly people requiring long-term care	12,846	16,192	19,421	20,619	21,906
Percentage of elderly people requiring long-term care (%)	64.4	64.3	64.8	66.0	68.3

Source: From "Background of experimental implementation of long-term care insurance in China" (Wang, 2019).

3. Current status of the development of the elderly care industry

With the continuous improvement of China's economic development and the rapid changes in the country's demographic structure, the demand for elderly care institutions continues to increase, and these institutions are developing at multiple levels and in diverse directions. Elderly care institutions are institutions that provide centralized residential and care services for the elderly. In China, local civil affairs departments at or above the county level are responsible for the guidance, supervision, and management of elderly care institutions in their respective administrative regions. Other related departments supervise elderly care institutions in accordance with the division of responsibilities. The main target of services provided by elderly care institutions is the elderly, but some elderly care institutions (such as rural nursing homes) also accept orphans and disabled children or adults.

According to the 2014 "Statistical Bulletin of the Development of Civil Affairs by the Ministry of Civil Affairs," there are about 94,000 elderly care institutions and facilities of various types that provide accommodation to the elderly, including about 33,000 elderly care institutions and about 19,000 community elderly care institutions and facilities. There are 40,000 community mutual aid facilities for the elderly and 1.875 million beds for residential and day care in the community.

By the end of 2019, there were 204,000 elderly care institutions and facilities of various types across the country, with a total of 7.75 million elderly care beds. There were 34,000 registered elderly care institutions nationwide, an increase of 19.9% over the previous year. The number of beds was 4.388 million, an increase of 15.7% over the previous year. There were also 64,000 community care institutions and facilities for the elderly and 101,000 community mutual-aid facilities for the elderly, with a total of 3.362 million beds (Table 22-2).

Table 22-2 Statistics on the number of elderly care institutions and the number of elderly care beds in China from 2014 to 2019

Unit: ten thousand people

	2014	2015	2016	2017	2018	2019
Total number of elderly care institutions and facilities	9.4	11.6	14.0	15.5	16.8	20.4
Total number of elderly care beds	577.8	672.7	730.2	744.8	727.1	775.0
Total number of registered elderly care institutions	3.3	2.8	2.9	2.9	2.9	3.4
Total number of community care institutions and facilities for the elderly	1.9	2.6	3.5	4.3	4.5	6.4
Total number of community mutual aid facilities for the elderly	4.0	6.2	7.6	8.3	9.1	10.1
Total number of residential and day care beds in the community	187.5	298.1	332.9	338.5	347.8	-

Source: This study.

As shown in Table 22-2, the total number of elderly care institutions and facilities in 2019 was approximately twice that of 2014. With regard to community care institutions and facilities for the elderly, the total in 2019 was about 3.3 times that of 2014. With regard to the total number of community mutual aid facilities for the elderly, the total in 2019 was approximately 2.5 times that of 2014. Overall, the number of elderly care institutions and facilities in China is growing rapidly, and the growth rate of community elderly care facilities is in a stage of rapid development.

The reasons for the rapid development of community elderly care facilities include the lack of beds in public care institutions, high cost of private care, and elderly care facilities located outside the center of the city. In addition, community elderly care is more in line with Chinese elderly care habits and psychological characteristics, is able to meet the diverse needs of the elderly population, can mitigate the current situation in China of people "getting older before getting rich," and alleviates China's shortage of elderly care resources.

4.   Current status of elderly nursing education

On March 3, 2020, a new nursing service management major at regular colleges and universities was announced in the "Notice of the Ministry of Education on Announcement of the Filing and Review Results of Undergraduate Majors in Regular Colleges and Universities in 2019." In 2019, there were 293 nursing service programs in domestic higher vocational colleges; however, there were few undergraduate programs offered. In 2019, China's first undergraduate college began offering a new social work major: elderly welfare and management. It was jointly launched by Tianjin University of Technology and Tianjin Vocational University. Thirty students were enrolled, opening a new chapter in cultivating undergraduates in China for elderly care services. Peking University, Fudan University, and Renmin University of China all have doctoral and master courses related to gerontology. The addition of undergraduate majors related to elderly care has filled a gap in undergraduate education for elderly services and promoted the development of talent in the senior industry and the improvement of professional capabilities.

In 2014, it was pointed out in the "Opinions of Nine Departments including the Ministry of Education on Accelerating the Development of Talents in the Elderly Care Service Industry" that China should accelerate the development of undergraduate education in elderly services, and should encourage colleges and universities to actively adapt to the needs of the country's economic and social development, and develop undergraduate majors related to elderly care services such as rehabilitation therapy, nursing, applied psychology, and social work, and provide social work for the elderly, elderly care, health, and nutrition for the elderly, geriatrics, and psychology for the elderly courses in science and bioethics, etc.

In addition, China is actively developing postgraduate education programs in elderly care services; encouraging and supporting qualified colleges and universities to train graduate students in sociology, gerontology, demography, rehabilitation therapy, family development, and other disciplines; and sending high-level teaching and research personnel to senior care institutions and vocational colleges, while encouraging colleges and universities to strengthen the construction of relevant disciplines, improve the level of theoretical research, and provide theoretical and intellectual support for the development of social elderly care services.

5. Conclusions

The above observations indicate that both the elderly care industry and elderly care education are in a stage of rapid development. However, the results of the data analysis suggests that there are several issues to be addressed:

(1) The number of elderly care institutions and beds for the elderly is insufficient

According to the data in Table 22-1, the number of elderly people in need of care in 2026 will be about 128.39 million. In 2019, the number of elderly care institutions was 7.75 million. At this stage, the number of elderly care institutions cannot meet the actual needs. The small number of elderly care institutions will result in longer distances between the residence and the elderly care institutions, which increases the burden on elderly people with mobility difficulties.

(2) Insufficient professional nursing talent

Calculated on the basis of one caregiver taking care of three elderly people, the number of elderly people in need of care in 2026 will be approximately 128.39 million, and the number of nursing personnel required will be 42.8 million. Judging from the current situation of elderly nursing education, China's current elderly nursing education system is far from sufficient, and it is necessary to continue to expand the training of elderly nursing talent. The service personnel of many elderly care institutions are not highly specialized and cannot provide professional nursing services. This has a significant impact on the physical and psychological care of the elderly.

The "National Civil Affairs Talent Mid- and Long-Term Development Plan (2010-2020)" put forward the goal of increasing the number of elderly care workers from 30,000 in 2010 to 6 million in 2020. However, there are currently fewer than 1 million nursing staff in nursing homes across the country, and the gap is enormous.

From the perspective of professional education, the training of elderly nursing talent in China is relatively late. In addition, the need for more teachers in aged care-related professions poses an important challenge.

(3) The related policies are not perfect

The development of aged care-related industries accelerates as China rapidly ages. Consequently, more work is needed in the establishment of related systems, which if not carried out, will cause many problems in the operation of some elderly care industries. In addition, the rights and interests of the elderly are not well protected. This situation has led to many legal problems. Therefore, it is necessary to improve the formulation of relevant policies while developing the elderly care industry.

It is also important to accelerate the nationwide implementation of the long-term care insurance system. In China, the care of the elderly has mainly been carried out by their families. However, because fewer family members are able to provide long-term care at home, the number of elderly people receiving long-term care at medical institutions has increased, and the health insurance deficit has grown. Against this background, it is necessary to have a system that eliminates public anxiety about long-term care and supports it throughout society, and a mechanism that covers long-term care costs for the entire population.

【References】

［1］ "China Statistical Yearbook-2020," Compiled by National Bureau of Statistics of China.

［2］ "Statistical Bulletin of Civil Affairs Development," Ministry of Civil Affairs of the People's Republic of China, 2014-2019.

［3］ The Ministry of Education of the People's Republic of China "Notice of the Ministry of Education on Announcement of the Recording and Review Results of Undergraduate Majors in Regular Colleges and Universities in 2019" [2020] No. 2, 2020.

［4］ The Ministry of Education and Other Nine Departments of the People's Republic of China "Opinions of the Ministry of Education and Other Nine Departments on Accelerating the Promotion of Talent Training in the Elderly Service Industry" [2014] No. 5, 2014.

［5］ Wenliang Wang(2019),"Background of Experimental Implementation of Long-term Care Insurance in China".*Bulletin of Kinjo Gakuin University Institute of Humanities and Social Sciences* No. 23" pp. 15-29.

［6］ Michiko Ishida(2013),"Current Situation and Issues of Elderly Care Services in China," *Josai International University Bulletin*, Vol. 24, No. 4.3, pp. 1-28.

(Yongli Wang)

＜特別寄稿＞

一世代代表的な学者
——中国・復旦大学首席教授蘇東水先生を悼む

　復旦大学首席教授蘇東水先生が，2021年6月13日に91歳で逝去された。蘇教授は中国改革開放初期から経済・経営の学者として，中国経済の発展及びマネジメント理論の形成に多大な貢献をされたことにより，中国国内だけでなく，広く海外でもよく知られている。

管理若水，有永恒之道，乃以人为本，以德为先、人为为人

人為為人

　蘇教授は1930年生まれで，福建省泉州市出身であった。蘇教授は漢方医の家庭に生まれ，幼少の頃から私塾で教育を受け，伝統的な中国文化の教養を身につけた。 1953年に福建省のアモイ大学を卒業した後，蘇教授は北京の中央政府重工業部（省）で調査研究に従事し，上海社会科学院，上海財経大学を経て，1972年に復旦大学に赴任し，教育と研究に従事した。在任中，蘇教授は復旦大学文科系の13学科で教鞭を取り，多くの学生に授業をした。一方，中国の改革開放に伴って，欧米の経済・経営の理論を紹介することにより，復旦

大学の産業経済学科，管理学科などの創立に重要な役割を果たした。とりわけ
蘇教授は 30 年以上も研究を続け，中国伝統文化に根ざす経営思想と欧米文化
に根ざす経営思想とを融合させた「東洋管理学」（オリエンタルマネジメント学）
を創始し，最初に現代的な中国経営理論を世界経営学界に紹介し，学界から高
く評価されている。

　蘇教授の貢献は，主に以下の 3 つの分野において顕著である。

　第一は，学界への貢献である。蘇教授は，1979 年の中国改革開放以来，特
に中国の大学教育再建の過程において，復旦大学を始め，中国全体の経済・経
営の学科の設立に多大な貢献をされてきた。蘇教授は現在世界でも著名な商学
部である復旦大学管理学院（マネジメント学部）の創設者の一人として知られ
ている。復旦大学管理科学学科主任，復旦大学経済管理研究所所長，復旦大学
東洋管理研究センター所長などを歴任し，復旦大学管理学院の成長と発展に大
きく貢献した。蘇教授は生涯に亘って教壇に立ち，博士論文を指導し，学問研
究の人生を過ごし，また管理学科，経済学科，産業経済学科などの国の主要研
究基地の確立に全力で尽力した。これらの功績により，蘇教授は「復旦大学首
席教授」の称号を授与された。

　一方，学界での影響力に基づいて，蘇教授は教育部（文部科学省に相当）と
社会から学問的なポストを引き受けた。その中で，中国国務院学位委員会にお
いて経済学，応用経済学及び管理学の評議委員会メンバーを歴任し，国家重要
研究学科の工業経済学及び産業経済学の学術リーダーに任命された。蘇教授は
復旦大学学術評議委員会メンバー，復旦大学学位委員会メンバー，復旦大学の
応用経済学と管理学の 2 つのポストドクターステーションの初代主任をも兼任
した。

　これらの仕事を踏まえ，蘇教授は復旦大学の学術研究機関のシステム化を
促進する一方，復旦大学以外の学術機関の創立にも参加し，復旦大学をはじ
め，学問研究交流のプラットフォームを構築した。蘇教授は世界経営学会連合
(IFSAM) 中国委員会委員長，東洋管理研究所所長，中国国民経済管理学会会長，
上海管理教育学会会長，上海泉州僑郷開発協会会長，東洋管理学連盟会長など

を兼任し，広範な社会的影響力が認められた。

　同時に，地方の教育水準を向上させるため，蘇教授は故郷の福建省泉州市において黎明大学と仰恩大学の設立を支援した。蘇教授自身も40以上の大学の名誉教授，非常勤教授を務めた。蘇教授は多くの地方自治体政府からの要請を受け，地方経済の発展に力を尽くした。蘇教授は泉州地方政府の五か年計画の企画に参加し，地域の経済社会開発に適した「泉州モデル」を提案した。「泉州モデル」は，中国の改革開放モデルとして知られた「南部江蘇モデル」や，「温州モデル」に続き，高い評価を獲得した。

　蘇教授の社会的影響力を称え，中国におけるさまざまな地域経済分野の発展を促進した貢献や，中国の東洋管理学理論を創始するなどの卓越した貢献を表彰するため，2018年，蘇教授は中国管理学界の最高名誉賞である「復旦管理学終身功労賞」の称号が授与された。

　第二は，学問への貢献である。蘇教授は長期間に亘って経済・経営の研究に携わってきた。初期の計画経済時代であろうと，改革開放後の市場経済と計画経済の両立の時代であろうと，蘇教授は敏感な洞察と優れた学術的気質に基づいて，先端学術研究分野を提唱してきた。それゆえに，中国で最初の産業経済学と管理学の研究と実践のための確固たる基盤を構築した。

　蘇教授は生涯をかけて，多くの研究成果を収めた。これまで多くの単著と共著を出版し，さらに編著として『東洋管理文庫』18巻，『中国管理通鑑』4巻，『中国企業経営教育シリーズ』18冊，『中国郷鎮企業家シリーズ』8冊，『世界経営フォーラム』15冊，『国民経済管理学』，『産業経済学』，『東洋管理学』，『中国管理学』，『華商管理学』，『応用経済学』，『管理心理学』，『中国沿岸経済研究』などを出版した。

　蘇教授は，「沿岸地域の経済開発戦略に関する研究」，「中国多国籍企業の競争戦略」，「東洋管理思想に関する研究」，「バーチャル研究組織の運営メカニズム，ガバナンス構造理論及び実証研究」などは国家自然科学基金財団，国家社会科学基金財団，地方政府，民間企業などの支援を受け，10回以上の研究プロジェクトを主導し，特別賞や一等賞などを受賞された。蘇教授は中国のトップ雑誌

である『中国社会科学』，『管理世界』，『中国工業経済』などに 300 以上の学術
論文を発表された。 二年に一回の IFSAM 世界経営フォーラムをきっかけにし
て，「オリエンタルマネジメント文化の振興」や，「オリエンタルマネジメント
から世界へ」など「オリエンタルマネジメント文化」をテーマにして発表された。
それで，中国マネジメントの研究現状を多くの学者に紹介し，関心を集め，ま
た中国のオリエンタルマネジメントの理念と実践を海外に発信し始めた。

　蘇教授の学術生涯での最大の貢献は，40 年前から「東洋管理学」理論を構
想し，実現したことである。この理論は，中国の現状から着眼し，中国の伝統
文化・哲学を，海外の近代的な管理の理念・方法と融合させ，思想，行動，制
度から構築されている。東洋管理理論は中国管理学，近代管理学，華僑管理学
など 3 つの理論に基づいて，"人本主義，道徳優先，人為為人"の理念で，国
のガバナンス，企業経営，家庭管理，個人成長などの 4 つを研究対象に，人徳，
人道，人縁，人謀，人材などに関する方法論を提起し，人間と人間，人間と社会，
人間と自然との調和を通じ，人和，和合，調和の目標を実現するシステム論を
完成した。こうした理論は現代の国家や企業に対する問題認識に基づいて，人
間と自然との調和の枠組みの中で，いかに中国の伝統文化・思想と西洋のマネ

若いころの先生

ジメントに関する方法とを融合させ，社会と企業との調和を実現するかという論理から成り立っている。東洋管理理論は基本的に歴史を重視し，現状を見ながら，マネジメントの原理原則を通じ，問題解決につなげていくというロジックで，国内外の学界から注目を集めてきた。これはまた伝統的な中国儒学である人本主義と今日の社会や企業の現状との再融合を図るという実践的な意味をもっており，マネジメントの有効性を東洋思想と組み合わせるという中国の現状からの発想であり，学問的に挑戦を試みたものである。

　このような研究に関して，より多くの学術的および産業的な実証研究と探求を奨励するため，蘇東水教授は私費100万人民元を出資し，東水同窓会および陳春華教授（蘇教授の弟子）とともに「蘇東水基金」を設立し，国内だけでなく，海外の学者，専門家および経営者からも関心を集めている。蘇教授は中国国務院から「中国高等教育事業（大学）特別貢献功労賞」の名誉賞を授与された。

　第三は，海外交流への貢献である。改革開放後，中国学界と海外との学問交流において，理論的理解，習熟，応用から中国の状況との統合プロセスまで，中国の経営慣行にリンクされた分析を行うやり方が主流になった。一方，蘇教授はIFSAM（International Federation of Scholarly Associations of Management）組織創設者の一人として，この世界経営フォーラムを中国に紹介し始めた。そして，国際フォーラムに組まれたサブフォーラムの東洋管理フォーラムを形成し，毎年恒例の参加を通じて，世界が中国の学界，または中国が世界を理解することができたのは蘇教授の広範な学術的影響力のおかげである。特に1997年に中国上海で開催された世界経営フォーラムと東洋管理フォーラムをきっかけに，世界の経営学者同士の交流が開かれた。2008年に中国北京オリンピックの後，上海で世界経営フォーラムを開催し，世界中からの学者が上海に集まり，中国企業経営の過去を振り返り，将来について話し合い，中国企業がグローバル化するためのプラットフォームと学術交流の場を築きあげた。

　蘇東水教授の日本学界との交流の時期は90年代初期まで遡る。1991年，蘇教授は初めて日本慶応大学での国際交流会に参加し，日本学界との交流がで

IFSAM 報告

きた。その後，日本大学の野口祐教授と親交し，東亜経済交流学会を設立し，日中両国の交流の場を設けた。蘇教授本人も積極的に日本留学生を受けいれ（例えば，亜東経済国際学会会長で，鹿児島国際大学名誉教授の原口俊道教授は蘇教授の学生である），中国科学アカデミーの動向と変化を紹介し，日中両国のフォーラムへの参加を通じて若い学者世代とのつながりができるよう精力的に務めた。

　蘇東水教授の学問生涯を振り返ってみると，彼は「人為為人」の最も重要な実践者であった。将来の不確実性の時代，特にAIとビッグデータの急速な成長の時代において，東洋管理思想を統合する東洋管理学は，未来の問題を解決するために十分な知恵を提供することができると確信する。教育の現場での教師として，また学術研究の学者としても，蘇東水教授は中国改革開放時代の学者であり，一世代代表的な教師であり，模範的な存在といっても過言ではない。

　この文章を通じ，謹んで心から蘇東水教授に哀悼の意を表したい。

東水同窓会（文責：中国・復旦大学特聘教授　芮明杰）

2021.07.08

亜東経済国際学会の概要 (簡略)

設立　1989 年に東アジアの経済・経営に関心のある研究者・実務家によって結成される。現在，日本，中国，台湾地区，韓国などの会員から構成される。

活動　毎年海外の学会や大学と共催で国際学術会議を開催し，その研究成果は国内外の著名な出版社から亜東経済国際学会研究叢書として出版している（本書の序文を参照されたい）。

第 1 回〜第 53 回までは紙幅の都合により記載を省略する。

第 54 回　2019 年　東アジアの産業・企業発展国際学術研討会（中国同済大学発展研究院と共催）（於中国同済大学）

第 55 回　2019 年　東アジアの社会・産業・企業発展政策国際学術会議（日本経済大学大学院政策科学研究所・グローバル地域研究会・韓国東北亜福祉経済共同體フォーラム・中国復旦大学産業経済学系・台湾國立高雄科技大学等と共催）（於東京都渋谷区の日本経済大学大学院）

第 56 回　2019 年　東アジアの社会・産業・企業発展政策国際学術会議分科会（グローバル地域研究会・中国吉首大学商学院と共催）（於鹿児島国際大学）

第 57 回　2019 年　東北亜福祉経済暨長期照顧品質国際学術研討會（台湾国立空中大学，東北亜福祉経済共同体フォーラム等と共催）（於台湾台中市国立空中大学）

第 58 回　2019 年　東アジアの文化・観光発展と産業経営」国際学術会議—東アジアの繊維産業と企業のシンポジウム—（中国東華大学・グローバル地域研究会と共催）（於鹿児島国際大学）

第 59 回　2021 年　東アジアの福祉・観光・経営国際学術会議（東北亜福祉経済共同體フォーラム・グローバル地域研究会と共催）（鹿児島 ZOOM 会議）

第 60 回　2021 年　東アジアの文化・観光・経営国際学術会議（東北亜福祉経済共同體フォーラム・日本経済大学大学院政策科学研究所・グローバル地域研究会等と共催）（東京・鹿児島 ZOOM 会議）

索　　引

欧文索引

執筆者一覧

(※※印は監修者，※印は編著者を示す)

俞 进 (中国・鹿児島国際大学大学院元特別講師，経済学博士) 序章担当

※※原口俊道 (日本・鹿児島国際大学名誉教授，亜東経済国際学会会長，博士 (商学))
　序章担当

※経志江 (日本・日本経済大学経営学部教授，博士 (学術)) 第1章，第4章，第
　6章担当

　小田義隆 (日本・近畿大学生物理工学部准教授，博士 (学術)) 第2章担当

　市川千尋 (日本・日本経済大学経済学部教授) 第3章担当

　韓佳宏 (日本・亜東経済国際学会研究員) 第4章担当

　村岡敬明 (日本・明治大学研究・知財戦略機構研究推進員，博士 (社会イノベー
　ション学)) 第5章担当

　廖筱亦林 (中国・汕尾職業技術学院副研究員，博士 (経済学)) 第7章担当

　邓志新 (中国・深圳情報職業技術学院副教授) 第7章担当

※李 蹊 (中国・青海師範大学経済管理学院講師，博士 (経済学)) 第8章担当

　高橋文行 (日本・日本経済大学大学院教授，博士 (情報学)) 第9章，第17章担当

　広崎 心 (日本・東北公益文科大学公益学部准教授，博士 (経営学)) 第10章担当

　石田幸男 (日本・亜東経済国際学会研究員) 第11章担当

　袁 駿 (日本・グローバル地域研究会研究員) 第12章担当

　國﨑 歩 (日本・九州共立大学経済学部講師，博士 (経済学)) 第13章担当

　金香男 (日本・グローバル地域研究会研究員) 第14章担当

　盧駿葳 (台湾・南台科技大学応用日語系助理教授，博士 (経済学)) 第15章担当

　西嶋啓一郎 (日本・日本経済大学大学院教授，博士 (工学)) 第16章担当

　徐宏宇 (中国・上海図書館・上海科学技術情報研究所研究員) 第17章担当

※季海瑞 (中国・青海師範大学経済管理学院副教授，博士 (経済学)) 第18章担当

　趙 坤 (日本・グローバル地域研究会研究員) 第19章担当

　潘亚楠 (中国・遼寧石油化工大学講師) 第20章担当

　臧紅岩 (中国・山東青年政治学院講師) 第21章担当

　王永麗 (日本・金城学院大学大学院文学研究科博士後期課程) 第22章担当

　東水同窓会 (文責：中国・復旦大学教授　芮明杰)，<特別寄稿>蘇東水先生追悼文担当

監修者紹介

　原口俊道（はらぐち・としみち）　別名：**藤原道時**（ふじわら　の　みちとき）
　現在　　鹿児島国際大学名誉教授，亜東経済国際学会会長，中国華東師範大学顧問教授，
　　　　　博士（商学）
　著書　　『動機づけ - 衛生理論の国際比較——東アジアにおける実証的研究を中心として
　　　　　　——』（単著）同文舘出版，1995 年。
　　　　　『経営管理と国際経営』（単著）同文舘出版，1999 年。
　　　　　『東亜地区的経営管理（中文）』（単著）中国・上海人民出版社，2000 年。
　　　　　『アジアの経営戦略と日系企業』（単著）学文社，2007 年。
　　　　　『アジアの産業発展と企業経営戦略（査読制）』（編著）五絃舎，2011 年。
　　　　　『東アジアの産業と企業（査読制）』（編著）五絃舎，2012 年。
　　　　　『東アジアの観光・消費者・企業（査読制）』（編著）五絃舎，2019 年。

編者紹介

　経志江（けい・しこう）
　現在　　日本経済大学教授，博士（学術）
　著書　　『近代中国における中等教員養成史研究』（単著）学文社，2005 年。
　　　　　『教員採用試験のための教育制度－次期学習指導要領（2017 年 3 月告示）に対
　　　　　　応』（単著）鴻臚書舎，2018 年。
　　　　　『心＠匠　吉川壺堂の伝世巨作（中・日・英文）』（単著）鴻臚書舎，2019 年。
　　　　　『贛州与客家世界国際学術研討会論文集（中文）』（共著）中国・人民日報出版
　　　　　　社，2004 年。
　　　　　『教師教育研究（中文）』（共著）中国・教育科学出版社，2013 年。
　　　　　『教員採用選考試験のための教職論－次期学習指導要領（2017 年 3 月告示）に
　　　　　　対応』（共著）鴻臚書舎，2019 年。

　季海瑞（き・かいずい）
　現在　　中国青海師範大学経済管理学院副教授，博士（経済学）
　著書　　『亜洲産業発展與企業管理（査読制）』（副主編）台湾・笠網科技 (股) 出版，2015 年。
　　　　　『アジアの産業と企業（査読制）』（共著）五絃舎，2017 年。
　　　　　『東亜産業発展與企業管理（査読制）』（副主編）台湾・笠網科技 (股) 出版，2017 年。

　李 蹊（りー・しー）
　現在　　中国青海師範大学経済管理学院講師，博士（経済学）
　著書　　『アジアの産業と企業（査読制）』（共著）五絃舎，2017 年。
　　　　　『東亜産業発展與企業管理（査読制）』（共著）台湾・笠網科技 (股) 出版，2017 年。
　　　　　『東アジアの観光・消費者・企業（査読制）』（共著）五絃舎，2019 年。
　　　　　『東アジアの社会・観光・経営（査読制）』（共著）五絃舎，2020 年。

東アジアの文化・観光・経営

亜東経済国際学会研究叢書㉓
中国・復旦大学首席教授 蘇東水先生追悼記念論文集

2022 年 3 月 25 日　　第 1 版第 1 刷発行

監修者：原口俊道
編　者：経志江・季海瑞・李蹊
発行者：長谷雅春
発行所：株式会社五絃舎
　　　　〒 173-0025　東京都板橋区熊野町 46-7-402
　　　　電話・ファックス：03-3957-5587
組版：Office Five Strings
印刷・製本：モリモト印刷
Printed in Japan　　　　ISBN978-4-86434-149-3